The italian project

2b

T. Marin
S. Magnelli

The italian project

2b

An Italian course for English speakers

Intermediate **B2** COMMON EUROPEAN FRAMEWORK OF REFERENCE

Student's book, workbook and video activities

www.edilingua.it

T. Marin, after having obtained a degree in Italian language studies, was awarded a Masters degree in ITALS (Italian teaching certification) at the University of Ca' Foscari in Venice and has gained much experience in teaching at various Italian language schools. He is the author of numerous educational books: *Progetto italiano 1, 2* and *3* (Student's book), *Progetto italiano Junior* (Student's book), *La Prova orale 1* and *2, Primo Ascolto, Ascolto Medio, Ascolto Avanzato, l'Intermedio in tasca, Vocabolario Visuale* and *Vocabolario Visuale - Quaderno degli esercizi* and coauthor of *Nuovo Progetto italiano Video*. He has held numerous seminars and trained teachers in over 30 countries.

S. Magnelli teaches Italian Language and Literature at the Italian Language Department at the University of Aristotle in Salonica. He has been in charge of teaching Italian as a foreign language since 1979; he has collaborated with the Italian Cultural Institute of Salonica, whose courses he taught until 1986. Since then he has been in charge of education planning of Linguistic Institutes in the field of Italian as a foreign language. He is the author of the *Progetto italiano 1*, and *2* workbooks.

The authors and editors would like to thank their many colleagues whose precious observations have contributed to the improvements of this new edition.
They also sincerely thank their teacher-friends who examined and tested the material in the classroom and indicated the definitive form.
Lastly, special thanks to the editors and graphic artists of the publishing company for their utmost commitment.

to my daughter
T. M.

© **Copyright edizioni Edilingua**
Headquarters
Via Paolo Emilio, 28 00192 Rome, Italy
www.edilingua.it
info@edilingua.it

Depot and Distribution Centre
Moroianni Street, 65 12133 Athens, Greece
Tel. +30 210 57.33.900
Fax +30 210 57.58.903

1st edition: July 2010
ISBN: 978-960-693-022-5
Editing: A. Bidetti, L. Piccolo, M. Dominici
Collaborators: M. G. Tommasini
Photographs: M. Diaco, T. Marin
Layout: Edilingua
Illustrations: M. Valenti, L. Sabbatini
Recordings: *Networks* srl, Milano

Thanks to the adoption of our books, Edilingua adopts at distance children that live in Asia, Africa and South America. Because together we can do a lot against poverty!

The authors would appreciate any suggestions, remarks or comments about these books from colleagues (to be sent to redazione@edilingua.it)

Foreword

Encouraged by how well the first edition of *The Italian Project 1* was received, we herewith propose *The Italian Project 2*, a book that is more up to date and complete, the fruit of a carefully thought out and accurate revision, made possible thanks to the precious feedback of so many colleagues that have used the book. This New Edition takes into account the requirements borne by the latest theories and the reality that the Common European Framework of Reference for Languages and Italian certifications have brought. All this by taking into account all previous approaches and methods which have contributed to language teaching.

Modern language, communicative situations enriched with spontaneity and naturalness, systematic work on the four skills, presentation of Italian reality through passages aimed at familiarising students with culture and civilization of the so-called *Belpaese*, articles taken from the biggest daily Italian newspapers, greater use of authentic material, modern and appealing layout make *The Italian Project 2* a balanced teaching tool that is efficient and easy to use. A course book that is lighter in the first units in order to make the passage from elementary to an intermediate level more natural, thanks also to review activities that reintroduce some points from *The Italian Project 1*.

You will note that the entire *Student's book* constantly alternates communicative and grammar elements with the goal of continually refreshing the class's interest as well as the rhythm of the lesson through brief and motivating activities. At the same time, an attempt has been made to simplify grammar, letting the student simply discover it, and then put it into practice through various communicative activities. Activities that put the student at the centre of the lesson, making him or her the main character of a "film" in which we teachers are the directors. Here, *The Italian Project 2* could be seen as the script on which you base your "film"...

The New Edition

The Italian Project 2 is even more modern from a methodological standpoint, more communicative and more inductive: the student is constantly stimulated to discover new grammar elements. Each unit has been subdivided into sections for easy lesson organization. Other changes involve grammar contents: some forms have been moved to the Appendix. Another important novelty are the pages with which each unit in the *Student's book* has been enriched: an initial page of preliminary activities (*Per cominciare...*) and a final page with brief exercises (*Autovalutazione*). Furthermore, there are authentic audio recordings and more oral comprehension activities; while dialogues, recorded by professional actors, are more natural, spontaneous and shorter. Another novelty are the authentic interviews that focus on unit topics. There is more coherence between the *Student's book* vocabulary and that of the *Workbook*, which has shorter activities that are more varied in addition to new unit exams. The presence of an educational game, like snakes and ladders, confirms that not even the playful aspect is neglected. The illustrations have been renewed with new photographs that are more natural and with fun drawings. Finally, in order to help teachers make the best of our latest teaching tool, *Nuovo Progetto italiano Video 2*, we have enriched this edition with a section of Video Activities, motivating exercises on the *Episodes* that refer to each unit.

Unit structure (for more suggestions see the *Guida per l'insegnante*)

- The introductory page for each unit (*Per cominciare...*) aims to create that vital initial motivation in students through various techniques of reflection and emotional involvement, listening and pre-listening.
- In the first section of the unit, the student reads and listens to recordings and checks his/her ideas given in previous activities. This attempt to understand the context leads to an unconscious global understanding of new elements. Some introductory dialogues are presented in a more motivating way through use of different typologies in order to make the student more active during listening.
- The introductory dialogue is often followed by an activity which analyses communicative elements (common and idiomatic expressions), in which the student is invited to discover in context.
- Afterwards, students try to insert the words given (verbs, pronouns, prepositions, etc) into a dialogue that is similar but not identical to the introductory one. They work, therefore, on the meaning (necessary condition, according to Krashen theories, to achieve true acquisition) and unconsciously discover the structures. A brief summary, preferably done at home, represents the final phase of this reflection on the passage.
- At this point, the students, alone or in pairs, start to reflect on the new grammar phenomena seeking to answer simple questions and complete the summary table with the missing forms. Immediately afterwards, they try to apply the rules just encountered by doing simple oral activity exercises. A small reminder indicates the exercises to be done in writing in the *Workbook*, at a later phase and preferably at home.

- Communicative elements are presented through brief dialogues or inductive activities and then synthesized into easily consultable tables. The *role-plays* that follow can be done both in pairs in front of the class or in various pairs of couples at the same time. In both cases the objective is the use of new elements and a spontaneous expression which leads to the desired language autonomy. Each intervention by the teacher, therefore, must aim to act out the dialogue and not for linguistic accuracy. Regarding the latter, there could be an intervention in a second phase and in an impersonal and indirect way.
- The passages of *Conosciamo l'Italia* can also be used as brief written comprehension tests, to introduce new vocabulary and, naturally, to present various aspects of modern Italian life. They can also be assigned as homework.
- The unit closes with the *Autovalutazione* (*Self-evaluation*) page which includes brief activities of mostly communicative and vocabulary elements of the unit itself, just like the previous one. The students have answer keys at their disposal, but not on the same page, and they must be encouraged to do this activity not as the usual test, but as an autonomous revision.

The Italian Project 2b

This edition also includes, in the same volume, the Workbook, Grammar Notes in English (in addition to the in depth information of the Grammar Appendix) as well as the Glossary (with the translation of the book's vocabulary, including passages). We believe that the latter is a particularly useful tool, in that it gathers all the words and expressions subdivided by unit.

The CD-ROM

The Italian Project is probably the only Italian course book that includes an interactive CD-ROM without additional cost! The CD-ROM of *Nuovo Progetto italiano 2*, an innovative multi-medial support that completes and enriches the paper material, gives many additional practice hours. Furthermore, thanks to its high level of interactivity and consequently to a more active and autonomous study, the student is constantly motivated. The interactive CD-ROM offers the possibility of choosing either independent or guided study; the *Unità intere* are similar but not identical to those in the book in order to avoid demotivation. The student may also follow the content of the manual for the audio recordings (all the book's recordings), grammatical phenomena and communicative elements and of civilization. The proposed *Esercizi Extra* are completely new with regard to the *Workbook*. For each activity done the student receives a positive and encouraging feedback and has the possibility to see the solutions. At any moment, the student can print a report card. Moreover, thanks to the new "rec" function present in the latest 2.0 version of the CD-ROM, reviewed and compatible with both Windows and Macintosh, the student has the possibility to record and listen to his own voice, improving in this way his pronunciation and intonation.

Extra materials

The Italian Project 2, as in part we have already seen, is completed by a series of extra materials (Video, interactive CD-ROM, Undici Racconti), many of which are freely available online (www.edilingua.it) for download (Teacher's guide, with practical ideas and suggestions as well as valuable photocopiable material, Test di progresso, Online glossary, Extra activities and games, Online activities, which are linked at the end of each unit).

Buon lavoro!
T. Marin

Symbol key

Pair work   *Role-play* Communicative situations   Free oral production   Written production

Listen to recording nr. 12 of the audio CD or the CD-ROM   Do exercise 10 in the *Workbook*   **Attività online** Go to www.edilingua.it/progetto and do the online activities

Per cominciare...

 1 Alcuni di voi forse sanno poche cose sull'opera lirica... o almeno così credono. Di seguito vi diamo dei titoli di libri, opere liriche e film italiani. In coppia indicate quelli relativi alla lirica.

■ I promessi sposi   ■ La vita è bella   ■ La Traviata

■ La dolce vita   ■ Il nome della rosa   ■ L'ultimo imperatore

■ Il barbiere di Siviglia   ■ La Bohème   ■ Aida

■ Mediterraneo   ■ Il Decameron   ■ Tosca

 2 Ascoltate l'inizio del dialogo (fino alla battuta "Perché, a Lei non piace?") e in coppia fate delle ipotesi:

a. dove e tra chi si svolge il dialogo?
b. che cosa si diranno in seguito le due persone?

 3 Ascoltate ora l'intero dialogo verificando le vostre ipotesi. Indicate poi le affermazioni giuste.

1. La ragazza chiede un permesso per andare a
   ■ a. comprare un biglietto
   ■ b. vedere un'opera lirica
   ■ c. guardare una partita in tv

2. Il direttore preferisce
   ■ a. ascoltare l'opera a casa
   ■ b. andare all'opera
   ■ c. guardare lo sport in TV

3. La ragazza cerca di convincerlo ad ascoltare
   ■ a. l'opera con più attenzione
   ■ b. l'opera insieme alla moglie
   ■ c. l'opera in ufficio

4. Alla fine il direttore le chiede
   ■ a. un biglietto per se stesso
   ■ b. un biglietto per sua moglie
   ■ c. dei biglietti per lui e la moglie

In this unit... (Glossary on page 200)

1. ...we learn how to give advice, instructions, orders, road directions, to ask for and give permission, to speak about our taste in music
2. ...we learn about the imperativo indiretto *(courtesy form), the* aggettivi *and* pronomi indefiniti
3. ...we find information about the Italian opera, the most famous Italian composers and tenors

A   Compri un biglietto anche per...

1 Lavorate in coppia. Mettete il dialogo in ordine. Poi riascoltatelo per verificare le vostre risposte.

1	*impiegata:*	Signor direttore, Le posso parlare?
☐	*impiegata:*	Ma una volta ogni tanto, provi ad ascoltare con attenzione, non durante la partita. Cerchi di sentire le emozioni che provocano il *Nabucco*, la *Tosca*... le voci della Callas, di Pavarotti.
☐	*impiegata:*	Sì, per me si tratta proprio di una passione. Perché, a Lei non piace?!
☐	*impiegata:*	Senta, vorrei chiederLe se domani posso andare via due ore prima: sa, voglio andare alla Scala a comprare il biglietto per *La Traviata*.
☐	*impiegata:*	Ma guardi che non è mica l'unico, all'inizio per tutti è così. Bisogna leggere il libretto, almeno la prima volta. Poi, diventa tutto più facile.
☐	*direttore:*	Mah... non lo so. Vede, ho anche un altro problema: detto tra noi, non riesco a capire tutti i versi.
☐	*direttore:*	Davvero?! Ma Lei è un'appassionata di lirica?
☐	*direttore:*	Certo, signorina, entri! Mi dica, che c'è?
☐	*direttore:*	Dice? Non lo so... Devo ammettere, comunque, che ci sono pezzi che mi piacciono: "La donna è mobile", "Va' pensiero"... Senta, signorina... facciamo così: dal momento che farà la fila, per favore, compri un biglietto anche per... mia moglie! Così potrò godermi la *Domenica Sportiva* in pace!
☐	*direttore:*	Sinceramente... no. Mia moglie mi ha portato una volta a *La Bohème*, ma... mi sono addormentato al secondo atto! E poi ascolta spesso l'opera a casa... proprio quando c'è lo sport in televisione! Chissà perché...

2   **Leggete queste frasi e indicate qual è lo scopo comunicativo che hanno nel dialogo.**

1. Il direttore dice "detto tra noi..." (8) perché
    a. ha già detto all'impiegata che non capisce tutti i versi
    b. non vuole che altri sappiano che non capisce tutti i versi
    c. sa che nessuno capisce tutti i versi

2. L'impiegata dice al direttore "Ma guardi che..." (9) come per dirgli
    a. che deve stare attento
    b. che si deve preoccupare
    c. che non deve preoccuparsi

3. Il direttore dice "Senta, signorina... facciamo così..." (10)
    a. per fare una proposta all'impiegata
    b. perché di solito fa così
    c. per chiedere l'opinione dell'impiegata

4. Il direttore, alla fine, dice "dal momento che farà la fila" (10) intendendo dire che
    a. per l'impiegata sarà lo stesso comprare un biglietto in più
    b. l'impiegata si deve sbrigare per trovare i biglietti
    c. l'impiegata avrebbe dovuto chiedere il permesso prima

3   **Leggerete ora un dialogo in cui i ruoli sono capovolti; completatelo con questi verbi:**
mi spieghi, mi dica, compri, Scusi, Vada, si accomodi, Provi.

impiegata:	Direttore, posso entrare? Le vorrei parlare un attimo.
direttore:	Certo, signorina, ... pure.
impiegata:	Vorrei solo chiederLe un favore: potrei andare via un po' prima domani?
direttore:	Penso di sì. Ci sono dei problemi, per caso?
impiegata:	Veramente voglio andare a comprare i biglietti per un concerto di Ligabue.
direttore:	No, non .... che anche a Lei piace la musica rock! Ma .... una cosa: come fa ad ascoltare queste cose?
impiegata:	........................., ma secondo Lei che tipo di musica dovrebbe ascoltare una ragazza della mia età, l'Opera?
direttore:	Esatto! .... una volta ad andare ad uno spettacolo di musica lirica e mi capirà! .... a vedere la *Tosca* o il *Rigoletto*, ... un cd di Pavarotti o di Bocelli: scoprirà un bellissimo mondo nuovo.
impiegata:	Direttore, se mi permette, La trovo molto cambiato rispetto al dialogo della pagina precedente!!!

4   **Scrivete un breve riassunto *(60-70 parole)* del dialogo introduttivo.**

5 Nel dialogo introduttivo abbiamo visto verbi come "entri", "dica", "guardi", "senta" ecc.
Completate la tabella con le forme mancanti.

Imperativo diretto		Imperativo indiretto (forma di cortesia)	
We use forms of the *presente indicativo*		We use forms of the *congiuntivo presente*	
-ARE			
tu	Mario, *parla* più piano!	**Lei**	.... in italiano, capisco!
noi	*Parliamo* un po'!		
voi	Ragazzi, *parlate* in italiano!	Loro	Parlino più piano, per favore!*
-ERE			
tu	*Prendi* un'aspirina e ti passerà!	**Lei**	**Prenda** qualcosa, offro io!
noi	*Prendiamo* un caffè, offre lui!		
voi	*Prendete* il metrò, è più veloce!	Loro	Prendano appunti, è importante!*
-IRE			
tu	*Finisci* e vieni, ti voglio parlare!	**Lei**	Signorina, ... la lettera!
noi	*Finiamo* di studiare e usciamo!		
voi	*Finite* presto, sono già le sette!	Loro	Finiscano presto, per favore!*

*Nowadays this form is unusual and used only in old written texts or in very formal settings (diplomatic encounters, luxury restaurants). In the Appendix on page 175 the verbs *essere* and *avere*.

6 Osservando la tabella precedente completate oralmente le frasi.

1. Se compra *Il Messaggero*, avvocato, *(leggere)* il mio articolo!
2. Professore, *(scusare)*, può ripetere la spiegazione?
3. La prego, *(fare)* presto, non ho molto tempo a disposizione!
4. Mi raccomando, ragazzi, *(vedere)* questo film: ne vale la pena!
5. *(Sentire)*, dottor Fini, il dolore non è passato, che faccio?

 1 - 3

 7 Ascoltate i mini dialoghi e indicate i 4 usi dell'imperativo veramente presenti (▢). Poi ascoltate di nuovo e scrivete il numero del dialogo nel relativo quadratino (▢). Attenzione: ad alcuni usi corrisponde più di un dialogo.

dare...

▪ istruzioni ▢▢   ▪ consigli ▢▢   ▪ indicazioni ▢▢   ▪ spiegazioni ▢▢

▪ il permesso ▢▢   ▪ ordini ▢▢   ✓ informazioni [1]▢

 8 Cercate di scrivere una frase per ciascuno dei 4 casi che abbiamo appena visto.

B Due tenori fenomeno

1 Lavorate in coppia. Ognuno di voi dovrà leggere uno dei testi che seguono e poi farne un breve riassunto al compagno.

Enrico Caruso (1873-1921), napoletano, è considerato una leggenda della musica lirica, grazie alla sua straordinaria voce e alla sua appassionata teatralità. Ecco alcune curiosità della sua vita:

- Fu il diciottesimo di ben ventuno figli, ma solo il primo a superare l'infanzia. Iniziò a cantare nel coro ecclesiastico locale.

- Quando lasciò il suo lavoro di meccanico per dedicarsi al canto, il padre lo cacciò di casa. Un giorno disse della sua gioventù: "Ero spesso affamato, ma mai infelice".

- Aveva solo 25 anni quando divenne famoso a livello mondiale con la prima assoluta di *Fedora* al Teatro Lirico di Milano nel 1898. Debuttò al Metropolitan di New York il 23 novembre 1903 nel *Rigoletto*. Lì, in 18 stagioni cantò 607 volte in 37 opere diverse!

- Al di là di una brillante carriera e dei dischi di enorme successo (in cui cantò anche bellissime canzoni napoletane), c'era però il suo dramma intimo: le minacce della mafia americana, il tradimento della sua compagna, i problemi di salute.

- Nonostante la malattia polmonare, che gli provocava addirittura emorragie in scena e che lo portò alla morte a soli 48 anni, non volle mai cancellare una serata. Mentre il pubblico delirava, lui cercava di nascondere a tutti i costi la propria sofferenza.

adattato da *www.opera.it*

Luciano Pavarotti (1935-2007) ha avuto un grandissimo successo nel mondo della musica classica, riuscendo ad attrarre numerosi nuovi fans. Una voce emozionante e una personalità unica hanno reso il nome di Pavarotti famoso in tutto il mondo.

Nasce a Modena nel 1935 e scopre la passione per l'opera già da bambino. Il suo debutto avviene il 29 aprile del 1961 al Teatro di Reggio Emilia, con *La Bohème*. Seguono interpretazioni di grande successo in tutta Italia e in Europa.

Ma è nel 1972 che scoppia il fenomeno Pavarotti al Metropolitan di New York. Il grande tenore ha cantato nei teatri più prestigiosi del mondo. I suoi cd, dei veri e propri best-sellers, comprendono numerose arie, recital, ma anche antologie di canzoni napoletane e italiane in genere. Le sue frequenti apparizioni televisive hanno aumentato la sua notorietà.

I suoi spettacolari concerti hanno riempito gli stadi e i parchi più grandi del mondo: quasi 200.000 persone in Hyde Park a Londra; più di 500.000 in Central Park a New York (e milioni di telespettatori in tutto il mondo); 300.000 a Parigi.

Impegnato socialmente, ha realizzato molti concerti di beneficenza, i famosi *Pavarotti and friends*, con la partecipazione di numerose stelle: Bono, Elton John, Laura Pausini (foto in basso), Zucchero, Celine Dion, Sting, Eros Ramazzotti, Andrea Bocelli e tanti altri ancora.

adattato da *www.lucianopavarotti.it*

2 Leggete il testo che non avevate letto e abbinate le affermazioni che seguono al personaggio corrispondente (C: Caruso, P: Pavarotti).

C / P

1. È diventato tenore contro la volontà dei genitori.
2. È scomparso all'inizio del XX secolo.
3. Ha collaborato con cantanti di altri generi musicali.
4. Come professionista non ha cantato solo in teatri.
5. Grazie a lui molte persone si sono avvicinate all'opera.
6. È apparso anche in tv.
7. Ha lavorato a lungo negli Stati Uniti.
8. Nonostante il successo, ha affrontato duri ostacoli nella vita.

3 Secondo voi, questi due tenori si sono mai incontrati?! Eppure, sì: la canzone *Caruso*, di Lucio Dalla, cantata anche da Pavarotti, è ispirata alle ultime ore del tenore napoletano. Completatela scegliendo tra le parole date.

Qui dove il mare luccica* e tira forte il vento,
su una vecchia terrazza ....(1) golfo di Surriento*,
un uomo abbraccia una ragazza dopo che ....(2),
poi si schiarisce la voce e ricomincia il canto:
"Te voglio bene assaie*, ma tanto tanto bene sai,
è una catena ormai che scioglie il sangue dint'e vene* sai".
Vide le luci ....(3) mare e pensò alle notti là in America,
ma erano solo le lampare* e la bianca scia* di un'elica*.
Sentì il dolore nella musica si alzò dal pianoforte,
ma quando vide la luna uscire da una nuvola
......................(4) sembrò più dolce anche la morte.
Guardò negli occhi la ragazza, ...(5) occhi verdi come il mare,
poi all'improvviso uscì una lacrima e lui credette di affogare*.
Potenza della lirica, dove ogni dramma è un falso,
con un po' di trucco e ....(6) mimica, puoi diventare un altro.
Ma due occhi che ti guardano così vicini e veri,
ti fan scordare le parole, confondono i pensieri.
Così diventa tutto piccolo, ...(7) le notti là in America,
ti volti e vedi la tua vita come la scia di un'elica...
ma sì, è la vita che finisce, ma lui non ....(8) pensò poi tanto,
anzi si sentiva già felice e ricominciò il suo canto:
"Te voglio bene assaie..."

(1) **a.** davanti al,
     b. sotto il, **c.** dal

(2) **a.** ha pianto,
     b. aveva pianto,
     c. piangeva

(3) **a.** tra il,
     b. nel mezzo del,
     c. in mezzo al

(4) **a.** gliela, **b.** gli, **c.** si

(5) **a.** quelli, **b.** quei,
     c. quegli

(6) **a.** con la,
     b. per la,
     c. alla

(7) **a.** ma, **b.** sia,
     c. anche

(8) **a.** ci, **b.** lo, **c.** ne

luccicare: to sparkle, to glitter; Surriento: Sorrento, town near Naples; assaie (Neapolitan dialect): much, molto; dint'e (Neapolitan dialect): inside the; lampara: light used for night fishing; scia: wake; elica: propeller, screw; affogare: to drown.

4 Nel dialogo di pagina 7 abbiamo visto alcune forme dell'imperativo di cortesia: "mi spieghi", "si accomodi", "mi dica". Come le trasformereste usando il "tu"?

5 Completate la tabella.

L'imperativo con i pronomi

Imperativo diretto	Imperativo indiretto
Dammi dieci euro!	.... **dia** dieci euro, per favore!
Prendi la busta e *portala* al direttore!	Prenda la busta e .... **porti** al direttore!
Gliel'hai detto? *Diglielo*!	Gliel'ha detto? **Glielo dica**!
Fa freddo: *vestitevi* bene!	Fa freddo signori: **si vestano** bene!
Ti prego, *pensaci* con calma!	La prego, ... **pensi** con calma!
Vattene! Mi dai fastidio!	**Se ne vada**, signore! Mi dà fastidio!

The *pronome* is always put before the verb with the courtesy form of the *imperativo*.

6 Completate le frasi con l'imperativo indiretto.

1. Per favore, dottore, *(dirmi)* i risultati delle mie analisi!
2. Se vede la signora Bianchi, *(salutarla)* da parte mia!
3. Per cortesia, *(sedersi)* vicino a me, Le voglio parlare!
4. Ha qualche documento con Lei? *(darmelo)* per favore!

 4 e 5

7 La canzone *Caruso* narra una storia tragica e parla d'amore, così come molte opere liriche hanno come soggetto la gelosia, l'amore infelice ecc. Commentate questa foto e poi rispondete alle domande.

1. Secondo voi, quanto è importante l'amore nella vita?

2. Che differenza c'è tra l'innamorarsi di una persona e amarla?

3. C'è chi dice che amore e gelosia vanno di pari passo: siete d'accordo? Chi di voi è particolarmente geloso e come lo manifesta?

C Giri a destra!

1 Ascoltate il dialogo e indicate a quale delle due cartine si riferiscono le indicazioni.

a.

b.

2 Ascoltate di nuovo e indicate le frasi che avete sentito.

☐ 1. mi faccia pensare un attimo...

☐ 2. non ci vada a piedi...

☐ 3. prenda il metrò, conviene...

☐ 4. sa a quale fermata scendere?

☐ 5. alla seconda traversa giri a destra...

☐ 6. vada diritto e si troverà in Piazza Duomo...

☐ 7. se tu cammini verso il Duomo...

☐ 8. la attraversi e si troverà in una...

Role-play

3 *A chiede ad un passante (B) come andare:*

- *dal cinema Cinecittà al punto 1*
- *dal punto 2 alla farmacia*
- *dal punto 3 alla Rinascente*
- *dal punto 4 alla Coop*
- *dal punto 5 alla Banca Nazionale*
- *dal punto 2 al Ristorante La Bella Toscana*

B, gentilmente, dà le indicazioni necessarie.

4 Nel dialogo precedente abbiamo ascoltato forme come "non ci vada a piedi". **Completate la tabella.**

La forma negativa dell'imperativo	
Imperativo diretto	**Imperativo indiretto**
-ARE	
tu　*Non andare* ancora via! noi　*Non andiamo* con loro! voi　*Non andate* alla festa!	**Lei**　**Non** .... via, per favore! Loro　*Non vadano* via, signori!*
-ERE	
tu　*Non credere* a queste cose! noi　*Non crediamo* a loro! voi　Ragazzi, *non credete* a lui!	**Lei**　Ma **non** .... a queste bugie! Loro　Signori, *non credano* a lui!*
-IRE	
tu　*Non partire* senza salutarmi! noi　Domani pioverà: *non partiamo*! voi　*Non partite* subito!	**Lei**　**Non** .... con Stefano! Loro　*Non partano* stasera, signori!*
La forma negativa con i pronomi	
Non è buono: *non berlo*! 　　　　　*non lo bere*!	Non è fresco: **non lo beva**!
Non glielo dite, è una sorpresa! *Non diteglielo*, è una sorpresa!	Signora, **non glielo dica**, è una sorpresa!

In the negative form of the *imperativo indiretto* the *pronomi* always precede the verb, contrary to the *imperativo diretto* which has two possible constructions.

*Forms that are little used (compare to the note on page 8).

5 Completate le seguenti frasi con l'imperativo indiretto.

1. Ha completamente ragione, signora, *(non dire)* niente!
2. *(Non avere)* fretta, dottor Tagliapiede! Ho un po' di paura!
3. Signori Marini, secondo le previsioni pioverà a dirotto: *(non uscire)* così!
4. Alla festa di stasera ci sarà anche la Sua ex, signor Martini: *(non andarci)*!
5. *(Non preoccuparsi)*, signor Frizzi, la Sua macchina sarà pronta fra un mese!!! 6 - 9

D　Alla Scala

1 In coppia, leggete questo titolo di giornale che si riferisce a un fatto insolito avvenuto alla Scala di Milano. Secondo voi, cos'è successo? Scambiatevi idee.

Fischiato, lascia il palco.
L' "Aida" va avanti col sostituto.

"Radames veste Pr............ ......no

2 Ora ascoltate la notizia come l'ha trasmessa il giornale radio: erano giuste le vostre ipotesi? Riascoltate di nuovo e cercate di capire:

1. Chi è Roberto Alagna e che cosa ha fatto di strano?
2. Chi l'ha sostituito?

3 Vediamo com'è apparsa la notizia sul giornale. Leggete l'articolo e indicate le affermazioni corrette nella pagina successiva.

LUNEDÌ **11** DICEMBRE   S P E T T A C O L I

Incredibile sceneggiata alla Scala:
il pubblico attacca Alagna che abbandona.

Fischiato, lascia il palco.
L' "Aida" va avanti col sostituto.

"Radames veste Prada" ha commentato qualcuno.

adattato dal Corriere della sera

MILANO – Doveva essere una serata tranquilla, la prima vera rappresentazione dell'Aida dopo la prima del 7 dicembre, con meno mondanità e meno fotografi. E invece, ieri sera c'è stato il vero colpo di teatro che farà entrare nella leggenda questa serata. Il tenore Roberto Alagna, Radames, ha lasciato il palcoscenico subito dopo l'aria 'Celeste Aida' fischiata da una parte degli spettatori che non ha gradito alcuni suoi commenti sui giornali sulla competenza del pubblico.

La musica non si è mai interrotta e la direzione di palcoscenico ha gettato in scena Antonello Palombi, che fa parte del secondo cast dell'opera. Con addosso un paio di jeans e una camicia neri ("Radames veste Prada" ha commentato qualcuno), il tenore umbro è entrato in scena fra i "vergogna" rivolti dalla platea ad Alagna che non si è ripresentato.

Il primo tempo dello spettacolo è andato avanti così, con applausi, altri fischi e un pubblico perplesso per quanto stava succedendo (ma nessuno è andato via). Dopo l'intervallo è stato il sovrinten-

dente Stephane Lissner a salire sul palco e a "manifestare il rincrescimento" del teatro per quanto era successo e a ringraziare Palombi, arrivato in scena senza riscaldamento e senza aspettarselo.

Intanto Alagna, dopo aver parlato con il sovrintendente Lissner ha lasciato il teatro. "Ho cantato in tutto il mondo e ho avuto successo – ha commentato Alagna – ma di fronte al pubblico di questa sera non potevo fare nient'altro! Il pubblico vero, quello con il fuoco, con il sangue, quello non c'era".

Il pubblico che c'era però è rimasto fino alla fine dell'Aida e ha ripagato con nove minuti di applausi Palombi. Che, molto soddisfatto della sua performance, ha raccontato così l'accaduto: "Mi hanno preso e buttato sul palco. Mi sono detto: ok, adesso si canta", anche se dal pubblico partivano frasi come "vergogna" rivolte ad Alagna. "Ma credo che chiunque avrebbe fatto lo stesso, siamo professionisti". Palombi stava seguendo la rappresentazione dalla direzione artistica. Di cor-

Roberto Alagna prima di abbandonare il palco.

sa, quando Alagna ha lasciato il palco, lo sono andati a prendere e lui si è trovato in scena con jeans e camicia "perché – ha scherzato – normalmente non mi vesto come Radames". "È stata una bella prova – ha concluso – l'ho superata!".

1. Alcuni hanno fischiato il tenore perché
   - a. aveva parlato male del pubblico
   - b. aveva sbagliato un verso dell'opera
   - c. si era presentato in jeans e maglietta
   - d. non si era presentato sul palco

2. Roberto Alagna ha lasciato il palco e
   - a. si è ripresentato poco dopo
   - b. lo spettacolo è stato interrotto
   - c. il pubblico è andato via
   - d. un altro tenore l'ha sostituito

3. Antonello Palombi è salito sul palco
   - a. dopo mezz'ora di preparazione
   - b. senza alcuna preparazione
   - c. già vestito da Radames
   - d. indossando un costume qualsiasi

4. Alla fine il pubblico
   - a. ha fatto un lungo applauso a Palombi
   - b. ha fischiato Palombi
   - c. ha fischiato il sovrintendente Lissner
   - d. ha chiesto il rimborso del biglietto

4 Lavorate in coppia. Cercate nell'articolo almeno un'informazione in più rispetto al servizio radiofonico. Se necessario riascoltate la notizia.

5 Nel testo abbiamo visto frasi come "*alcuni* suoi commenti", "*nessuno* è andato via", "*quanto* era successo": le parole in corsivo sono degli *indefiniti*. Completate la tabella e le frasi che seguono.

Indefiniti come aggettivi e pronomi
Accompagnano o sostituiscono un nome:

altro/a - altri/e: *Ti piace questo libro o ne vuoi un ....?*

molto/a - molti/e: *Io non voglio fare molti soldi; soltanto qualche milione!*

tanto/a - tanti/e: *A tante persone la musica lirica non piace.*

poco/a - pochi/e: *A questa età ha ancora poche esperienze lavorative.*

quanto/a - quanti/e: *Sono d'accordo con .... dici.*

parecchio/a - parecchi/ie: *Domattina ho .... cose da fare.*

tutto/a - tutti/e: *Sono d'accordo con tutto quello che dici.*

troppo/a - troppi/e: *Secondo me, mangi troppo la sera.*

ciascuno/a: *Ciascun problema deve essere affrontato con calma.*

nessuno/a: *Nessuno è venuto.* **but**: *Non è venuto nessuno.*

tale/i: *Ti ha telefonato un tale. / Io non ho tali problemi.*

alcuno/a (=nessuno/a) - **alcuni/e**: *Non ho .... (nessuna) voglia di uscire.*

but: *Alcune volte preferisco stare da solo.*

---

1. Purtroppo non posso rimanere; magari un' .... volta.
2. Non ti aspettavo, ... mi ha detto che saresti venuto!
3. Professore, con .... il rispetto, questo esercizio non mi piace!
4. .... di loro sono veramente bravi.
5. Era da .... tempo che non ci vedevamo.

 10 e 11

6 Riportiamo un famoso brano tratto da un'opera di Giuseppe Verdi, che forse come musica riconoscerete. Ascoltate il brano e mettetelo in ordine. Siete d'accordo con l'idea di donna espressa nel testo?

La donna è mobile dal *Rigoletto*

☐ *Pur mai non sentesi**
felice appieno*
chi su quel seno,
non liba* amore!

☐ *La donna è mobile*
qual* piuma al vento,
muta d'accento
e di pensiero.

☐ *Sempre un amabile*
leggiadro* viso,
in pianto o in riso
è menzognero*.

☐ *È sempre misero*
chi a lei s'affida,
chi le confida*
mal cauto* il core*!

non sentesi (non si sente): does not feel; appieno (*avv.*): fully; libare: to drink; qual (quale): alike, similar to; leggiadro: graceful, pretty; menzognero: liar; confidare: to confide; mal cauto: incautious; core: heart

7 In coppia, scegliete una delle quattro parti del brano e in 10 parole cercate di spiegarne il significato.

8 Nelle pagine precedenti abbiamo visto anche: "ha commentato *qualcuno*", "indossando un costume *qualsiasi*". Osservate la tabella:

Indefiniti come aggettivi	Indefiniti come pronomi
Certe persone mi danno proprio ai nervi.	**Qualcuno** di voi è mai stato in Italia?
Some *indefiniti* function as pronouns, in that they can substitute a noun and are always in the singular, others function as adjectives and can only accompany a noun.	

The complete list of the *indefiniti* is in the Appendix on page 175.

A coppie indicate nelle frasi che seguono il valore degli indefiniti secondo l'esempio.

	aggettivo (accompagna)	pronome (sostituisce)
1. Di **uno** come lui mi fiderei.		
2. Mi puoi chiamare a **qualsiasi** ora.		
3. **Qualche** volta dopo il lavoro mi sento stanchissimo...		
4. Vuoi **qualcosa** da bere?		
5. Quello che è successo a te potrebbe succedere a **chiunque**.		
6. C'è una soluzione a **ogni** problema.		

12 - 15

E   Vocabolario e abilità

1   Vocabolario. Abbinate le parole alle immagini.

a. costume, b. tenore, c. soprano, d. palcoscenico,
e. spettatore, f. maestro, g. pubblico, h. orchestra

 2   Ascolto Workbook (p. 110)

 3   Situazione

Sei *A*: Vai al botteghino di un teatro (lirico o meno) per comprare due biglietti per lo spettacolo di sabato o domenica prossimi. Chiedi informazioni su spettacoli, orari, prezzo del biglietto, posti ecc.
Sei *B*: consulta il materiale di pagina 184 e dai ad *A* le informazioni di cui ha bisogno.

 4   Parliamo

1. Qual è il vostro genere musicale preferito? Raccontate le vostre preferenze su pezzi e cantanti, gruppi ecc.
2. Cosa pensate dell'aria che abbiamo ascoltato e della musica lirica in generale? Quanto è apprezzato questo tipo di musica nel vostro Paese, da chi e perché secondo voi?

 5   Scriviamo

Scrivete un'e-mail ad un amico italiano in cui raccontate le vostre esperienze durante un concerto (di musica classica o moderna) in cui è successo qualcosa di strano – ad esempio: parcheggio difficile; black out improvviso/improvviso temporale; tenore/cantante che lascia il palco all'improvviso – ... *(80-120 parole)*

➡ Test finale

L'opera italiana

L'Italia ha una lunghissima storia musicale che va da Vivaldi e Paganini a Nino Rota, Ennio Morricone e Nicola Piovani e dalla musica napoletana ai cantautori moderni. È in Italia che è nata e cresciuta la musica lirica. Non a caso, le opere più note sono di autori italiani, mentre "italiane" sono considerate anche quelle che il grande Mozart scrisse su libretti in lingua italiana.

L'opera italiana è famosa in tutto il mondo. Vediamo, in breve, i compositori* più importanti.

Figaro

Gioacchino Rossini (1792-1868)

Fu il primo grande compositore della musica lirica italiana: giovanissimo ebbe gran successo, ma a soli 37 anni, famoso e apprezzato in tutto il mondo, decise di ritirarsi per molti anni. Scrisse soprattutto opere buffe, cioè comiche, di cui le più importanti sono *L'italiana in Algeri* e *La gazza ladra*, ma anche drammatiche come *Guglielmo Tell*. Ma l'opera più nota di Rossini è sicuramente *Il barbiere di Siviglia*, in cui Figaro, furbo barbiere*, aiuta il conte di Almaviva a conquistare Rosina: un'opera molto divertente con delle bellissime musiche.

Giacomo Puccini (1858-1924)

Forse l'ultimo veramente grande della musica lirica, arrivò al trionfo con la sua terza opera, *Manon Lescaut*. Ancora più grande fu il successo de *La Bohème* che è la storia di Rodolfo e dei suoi spensierati* amici nella Parigi del 1830; storia che termina con la morte di Mimì, il suo amore. Qualche anno dopo, nel 1900, presentò una delle sue opere più note e tragiche, *Tosca*. La vicenda ruota intorno alla protagonista, Tosca appunto, che non riesce a salvare la vita al suo amante Cavaradossi e alla fine si suicida. Altre note opere di Puccini sono *Madama Butterfly* e *Turandot*, conclusa da un altro compositore, dopo la morte dell'artista.

La grande Maria Callas

1. Che cosa c'è di strano nella carriera di Rossini? Qual è la trama del *Barbiere di Siviglia*?
2. In cosa differiscono le storie di *La Bohème* e di *Tosca*?

A destra, il finale della Cavalleria Rusticana, capolavoro di Pietro Mascagni: Santuzza abbraccia Turiddu, che Alfio ha ammazzato per una questione d'onore.

Giuseppe Verdi (1813-1901)

Il "padre" della musica lirica, dovette affrontare difficili prove nella vita privata: in soli tre anni perse la moglie e i due figli! Ma Verdi era un uomo veramente forte; due anni dopo, nel 1842, ottenne il suo primo trionfo con il drammatico *Nabucco*. Di quest'opera famoso è il verso "Va' pensiero sull'ali dorate", cantato dagli Ebrei prigionieri che sognavano il ritorno in patria. Altrettanto grande fu il successo di *Macbeth*. In un periodo in cui l'Italia era sotto il dominio austriaco e cresceva lo spirito del Risorgimento*, Verdi diventò il simbolo dell'Indipendenza. Le sue opere erano eventi musicali e, nello stesso tempo, patriottici.

Tra il 1851 e il 1853 compose la grande trilogia* tragica. Nel *Rigoletto* il protagonista uccide per sbaglio sua figlia. Ne *Il Trovatore* una donna muore tra le braccia del suo amato, un misterioso eroe* popolare che si oppone all'invasione straniera. Infine, ne *La Traviata*, tratta dal romanzo "La signora delle camelie" di A. Dumas, Violetta, dopo varie sventure* e una lunga malattia, muore consolata dal suo Alfredo.

In seguito Verdi scrisse *I vespri siciliani*, storia della vittoria dei siciliani contro i francesi nel XIII secolo. Proprio in quel periodo sui muri i patrioti italiani scrivevano "Viva V.E.R.D.I.". In realtà, oltre ad onorare il grande musicista, intendevano lanciare un messaggio politico; l'acrostico*, infatti, significava Viva Vittorio Emanuele Re D'Italia.

Altri grandi successi furono *La forza del destino* e l'*Aida*, un'opera spettacolare, ambientata nell'antico Egitto, che Verdi compose per l'inaugurazione del Canale di Suez nel 1871.

La sua morte, nel 1901, provocò grandissima commozione in tutta Italia perché con lui si spegneva non solo un genio del melodramma*, ma un vero eroe nazionale.

1. In questa opera di Verdi uno dei protagonisti perde un parente:

   ☐ a. *La Traviata*
   ☐ b. *Rigoletto*
   ☐ c. *Aida*
   ☐ d. *Nabucco*

2. Giuseppe Verdi fu tra l'altro:

   ☐ a. un bravo tenore
   ☐ b. il simbolo di un'Italia libera
   ☐ c. un sostenitore del re
   ☐ d. un bravo librettista

Glossary: compositore: composer; barbiere: barber; spensierato: carefree; Risorgimento: Risorgimento, period of time when the separate Italian city-states united to form Italy during the 19th century; trilogia: trilogy; eroe: hero; sventura: misfortune; acrostico: acronym; melodramma: melodrama.

Andrea Bocelli, un tenore famoso in tutto il mondo grazie anche alla "musica leggera".

Attività online

Autovalutazione
Che cosa ricordate delle unità 5 e 6?

1. Abbinate le frasi.

1. Guarda che	a. conosca tutta la verità.
2. È l'unica che	b. sei in zona, perché non passi da me?
3. Ci andremo a meno che	c. faccia pure!
4. Dal momento che	d. il tempo non peggiori.
5. Se vuole telefonare a casa,	e. lei non è d'accordo.

2. Sapete...? Abbinate le due colonne.

1. dare ordini	a. Prenda il metrò, conviene.
2. dare consigli	b. Vada dritto e lo troverà!
3. tollerare	c. Mi dispiace che tu stia male.
4. esprimere stato d'animo	d. Stia zitto!
5. dare indicazioni stradali	e. Se deve uscire, esca pure!

3. Completate.

1. Due opere di Giuseppe Verdi: ....
2. Altri due compositori di musica lirica: ....
3. La più importante gara ciclistica in Italia: ....
4. Sottolinea gli indefiniti che non hanno il plurale: *qualche, ogni, tutto, altro.*
5. *Dimmelo* alla forma di cortesia: ....

4. Completate le frasi con le parole mancanti.

1. Il grande t........................ fece il suo d........................ nel 1961 alla Scala.
2. Per la loro i........................ gli attori hanno ricevuto un lungo a........................ da parte del pubblico.
3. Per seguire questo s........................ ho dovuto fare 5 ore di f........................!
4. Quasi tutte le s........................ italiane di calcio acquistano costosi g........................ stranieri.
5. Secondo me, ti conviene prendere l'a........................ e scendere alla quarta f........................

Verificate le vostre risposte a pagina 182.
Siete soddisfatti?

Uno spettacolo lirico all'*Arena* di Verona

Per cominciare...

1 Osservate queste due foto. In quale di queste abitazioni vorreste vivere e perché?

a.

b.

2 Lavorando in coppia, abbinate le seguenti parole alla foto corrispondente.

☐ aria pulita ☐ inquinamento ☐ verde ☐ traffico

☐ rumore ☐ smog ☐ natura ☐ tranquillità

3 Ascoltate il dialogo: cosa vorrebbe fare il protagonista e perché?

4 Ascoltate di nuovo e completate le battute (massimo quattro parole).

1. Ma lo sai che alle volte per trovare parcheggio ci metto ....

2. Una volta sì, ora non più. La zona è ....
   e lo smog è arrivato anche da noi.

3. Io vorrei trovare una bella casetta in campagna: comoda, con un bel giardino, in mezzo al verde
   ....

4. Poi, a mia moglie comprerò una macchina perché si sposti senza problemi. Oppure ....
   ....

In this unit... (Glossary on page 201)

1. ...we learn to compare city life to country life, to read and write a house advert, to present a fact as easy, to speak about the environment and the ecology
2. ...we learn about the congiuntivo imperfetto and trapassato and agreement of the tenses of the congiuntivo
3. ...we find information about the environment, environmental associations, agrotourism

A Una casetta in campagna...

1 Leggete e ascoltate il dialogo e verificate le vostre risposte all'attività precedente.

Daniela: Come mai leggi gli annunci? Stai cercando un altro lavoro?

Tommaso: No, sto cercando casa.

Daniela: Ah, sì? Pensavo che tu fossi contento del tuo appartamento.

Tommaso: All'inizio lo ero. Non mi aspettavo però che questa zona si trasformasse in un inferno! Ma lo sai che a volte per trovare parcheggio ci metto anche mezz'ora?!

Daniela: Davvero?! Io credevo che fosse il quartiere più bello della città, lontano dall'inquinamento e dal traffico del centro.

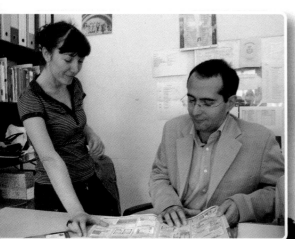

Tommaso: Una volta sì, ora non più. La zona è sempre piena di macchine e lo smog, da quando hanno costruito quell'enorme centro commerciale, è arrivato anche da noi.

Daniela: Veramente non sapevo che vi avesse creato così tanti problemi. Quindi, pensi proprio di cambiare quartiere?

Tommaso: Macché quartiere! Io vorrei trovare una bella casetta in campagna: comoda, con un bel giardino, in mezzo al verde e all'aria pulita. Forse dovevo farlo prima che la situazione diventasse insopportabile.

Daniela: Ma la tua famiglia che ne pensa?

Tommaso: Credo che vogliano rimanere qua!

Daniela: Credi?! Non lo sanno ancora? E come pensi di convincerli?

Tommaso: Dunque, ai miei figli prenderò un cane, sai... una di quelle razze che devono correre cento chilometri al giorno e qua... è impossibile. A mia moglie, invece, comprerò una macchina perché si sposti senza problemi. Oppure... una bici, che è anche ecologica.

Daniela: Non sapevo che tu fossi un ecologista.

Tommaso: Ma oggigiorno come si fa a non esserlo?

2 Leggete il dialogo e sottolineate verbi come "fossi" e "si trasformasse".

3 Rispondete per iscritto *(15-20 parole)* alle domande.

1. Cos'è cambiato ultimamente nel quartiere di Tommaso? ....
....

2. Che idea aveva Daniela di questa zona? ....
....

3. Come pensa di convincere la sua famiglia Tommaso? ....
....

4 Ecco adesso il dialogo fra Tommaso e sua moglie; completatelo con le parole date.

Teresa: Cambiare casa?! Ma se sei stato tu a insistere per trasferirci qui!

Tommaso: Sì, ma allora nessuno di noi si aspettava che .... un inferno, o che .... quel centro commerciale.

Teresa: Guarda che a me fa molto comodo.

Tommaso: Non ne dubito! Però fa comodo anche a centinaia di persone che ogni giorno passano dalla nostra strada. L'aria è ormai irrespirabile.

Teresa: Veramente? Non sapevo che per te .... un problema. Non al punto da voler cambiare casa!

Tommaso: Ma io lo dico soprattutto per i bambini: sono loro che hanno più bisogno di aria pulita, di spazio per correre... per portare fuori il cane.

Teresa: Cane, quale cane?! Pensi di prendere anche un cane?! Ma che ti è preso oggi?

Tommaso: Perché? Credevo che tu .... gli animali. Pensa quanto piacerà ai bambini: ne andranno matti!

Teresa: Vorrei che qualcuno .... anche a me ogni tanto! Senti, della casa nuova possiamo discuterne... però, niente cani, ok?!

pensasse   costruissero   diventasse   amassi   fosse

5 Osservate i verbi che avete sottolineato nel dialogo introduttivo e poi completate la tabella.

Congiuntivo imperfetto		
-are ⇨ **-assi**	**-ere** ⇨ **-essi**	**-ire** ⇨ **-issi**
parlare	**avere**	**finire**
Angela voleva che:	*Bisognava che:*	*Era necessario che:*
io parl**assi**	av**essi**	fin**issi**
tu	av**essi**	fin**issi**
lui, lei parl**asse** *di*	av**esse** *più*	fin**isse** *subito.*
noi parl**assimo** *meno.*	.... *pazienza.*	fin**issimo**
voi parl**aste**	av**este**	fin**iste**
loro parl**assero**	av**essero**	....

The first person singular of the *indicativo imperfetto* helps us make forms of the *congiuntivo imperfetto*, in fact we have: *bere-bevessi / dire-dicessi / fare-facessi / porre-ponessi.* The verbs *essere, dare* and *stare* are exceptions. You can see them in the Appendix on page 175.

6 Completate le frasi con il congiuntivo imperfetto dei verbi tra parentesi.

1. Ho preso la bicicletta perché non mi aspettavo che *(piovere).*
2. Bisognava che *(noi-comprare)* una casa in campagna!
3. Non sapevo che le cose *(andare)* così male tra voi due.
4. Quando l'ho vista ho pensato che *(avere)* più di trent'anni.
5. I miei desideravano che io *(fare)* l'avvocato. Sogni...
6. Finalmente: avevo paura che voi non *(venire).*

Secondo voi, perché non possiamo usare il congiuntivo presente in queste frasi?

 1 - 3

B Cercare casa

1 Secondo voi, quando si cerca una casa sugli annunci quali tra queste informazioni sono importanti? Lavorando in coppia, indicatene 5 in ordine di importanza.

▨ metri quadrati   ▨ numero di camere   ▨ zona   ▨ modalità di pagamento   ▨ piano

▨ parcheggio   ▨ anno di costruzione   ▨ riscaldamento autonomo   ▨ colore delle pareti

▨ numero dei bagni   ▨ vista   ▨ aria condizionata / riscaldamento   ▨ ammobiliato o meno

altro: ....

2 Lavorate in coppia e scegliete un annuncio: tra quelle viste prima, quali sono le informazioni presenti in questi annunci?

Venaria (Torino) - Zona Centro Commerciale: alloggio con ingresso su salone, cucina abitabile, due camere, doppi servizi, ripostiglio, cantina e box per due auto. Termoautonomo.

Di Negro (Genova) - In area in totale rinnovamento, luminoso, mq 105 con ampio soggiorno, tre matrimoniali, cucina, bagno, interni da riordinare, edificio d'epoca perfetto. Possibilità mutuo totale.

Tigliole - A pochi chilometri da Asti, bella villa di recentissima edificazione, con giardino su due piani: garage ampio, lavanderia, bagno, cantina. Parte abitativa con salone, ampia cucina, 2 camere da letto, doppi servizi, terrazza.

Bergio Verezzi (Savona) - Monolocale ristrutturato e arredato con ingresso indipendente, soggiorno con angolo cottura, camera, bagno, posto auto. Balcone con vista su parco.

annunci tratti da Fondocasa informa

3 Adesso associate, come nell'esempio, gli annunci alle abitazioni. Secondo voi, quale casa costa di più?

Venaria

4 Quando si cerca o si costruisce una casa è importante conoscere anche i materiali usati. Abbinate i vari materiali alla foto corrispondente.

a. marmo   b. legno   c. pietra   d. vetro   e. ferro   f. ceramica   g. cemento

5 Siete in Italia per un corso di italiano di 6 mesi e avete bisogno di un alloggio: in internet c'è un sito dove poter mettere annunci. Scrivetene uno in base alle vostre necessità, esigenze e possibilità economiche.

6 Nel dialogo introduttivo abbiamo visto la frase "non sapevo che (il centro commerciale) vi *avesse creato* così tanti problemi". Questo è il congiuntivo trapassato. Come si forma, secondo voi? Provate a completare le frasi con l'ausiliare corretto.

> ### Congiuntivo trapassato
>
> Si è comportata così perché credeva che tu **avessi parlato** male di lei.
> Pensavo che non **foste tornati**, per cui non sono passato.
> Nonostante .... **mangiato** a casa, ho accettato di cenare con lui.
> Era strano che lei .... **partita** senza avvertirmi.
> Non ci sono andato benché mi .... **invitato** lei di persona.

4 e 5

C Nessun problema...

1 Ascoltate il dialogo e indicate le affermazioni presenti.

☐ 1. Tommaso ha trovato casa in una piccola città.
☐ 2. La casa gli è costata molto più del previsto.
☐ 3. Ci vive da un mese.
☐ 4. Si è già abituato alla sua nuova vita.
☐ 5. Ama andare in giro con la sua bicicletta.
☐ 6. Da casa sua può vedere un lago.
☐ 7. L'unico problema è che gli mancano i suoi amici.
☐ 8. Anche sua moglie ha cambiato lavoro.

2 Ascoltate di nuovo e scrivete le cinque espressioni che Tommaso usa per dire che è stato facile cambiare vita.

....
....

3 Sei *A*: rispondi alle domande di *B*, usando le espressioni viste al punto precedente.

Role-play

Sei *B*: chiedi ad *A* come...

• *ha convinto i suoi genitori a comprargli un'Alfa Romeo nuova*
• *è riuscito a superare tutti gli esami che ha sostenuto*
• *ha fatto a imparare così bene l'italiano*
• *è riuscito a trovare il posto di lavoro che cercava da anni*
• *ce l'ha fatta ad iscriversi a Medicina*

4   Nel dialogo al punto C1 si trova la frase: "non credevo che avresti trovato...". Per chiarire eventuali dubbi, vediamo alcune regole sulla concordanza dei tempi. Osservate:

La concordanza dei tempi del congiuntivo

Credo che Laura
- **faccia** / farà un buon lavoro. (*domani, al futuro*)
- **faccia** un buon lavoro. (*oggi, nel presente*)
- **abbia fatto** un buon lavoro. (*ieri, nel passato*)

Credevo che Laura
- **facesse** / avrebbe fatto un buon lavoro. (*il giorno dopo*)
- **facesse** un buon lavoro. (*in quel momento/periodo*)
- **avesse fatto** un buon lavoro. (*il giorno prima*)

6 - 9

5   Voi potreste fare quello che ha fatto Tommaso? Il traffico e lo smog sono problemi che riguardano anche la vostra città? Potete pensare a possibili soluzioni? Parlatene.

6   Lavorate in coppia. Quello di seguito è un opuscolo informativo. Completatelo con le parole mancanti (una per ogni spazio).

Associazione Città Ciclabile

Una città per le biciclette

La bicicletta, per combinare il diritto alla mobilità con il diritto alla salute di tutti. La bicicletta, una scelta di civiltà da promuovere tramite una rete di piste ciclabili ....(1) uniscano la periferia al centro e che si integri con i ....(2) di trasporto pubblico. Una scelta di civiltà da incoraggiare con una serie ....(3) piccoli interventi di facile attuazione. Una scelta da sostenere e salvaguardare con una drastica ....(4) del traffico inquinante e il forte incremento delle zone pedonali.

Una città per i cittadini

Fare la coda, trovare un parcheggio, non trovarlo, prendere una multa, fare ancora una coda, ...(5) un altro parcheggio introvabile... Ma ....(6) veramente sicuri che l'automobile ci porti rapidamente ....(7) destinazione? Sicuramente ci porta stress rendendo la ....(8) invivibile. E anche per chi si ....(9) in motorino i problemi non mancano. Spostarsi ....(10) piedi o in bicicletta è invece un'esperienza rilassante e che, probabilmente, ci fa pure guadagnare un po' del nostro prezioso tempo.

Associazione Città Ciclabile

7 Adesso che abbiamo incontrato tutti i tempi del congiuntivo, segnate, tra le espressioni date, quelle che richiedono l'uso del congiuntivo.

> ### Quando usare il congiuntivo (I)
>
> | | |
> |---|---|
> | Immaginavo che lei... | Mi faceva piacere che lui... |
> | Non sapevo se Mario... | Vorrei che tu... |
> | Ero certo che loro... | Era importante che io... |
> | Credevo di... | Bisognava che lei... |
> | Speravo che Anna... | Sapevo che Lisa... |
>
> The complete table is in the Appendix on page 176.

10 e 11

 8 Lavorate in coppia. Scegliete 4 frasi della tabella precedente da completare liberamente.

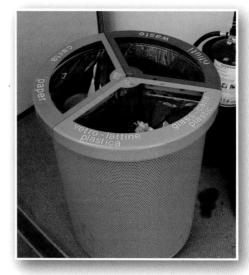

D Vivere in città

 1 In Italia si misura spesso "lo stato di salute" delle varie città, cioè dove si vive meglio. Da quali fattori può dipendere la qualità della vita? Scambiatevi idee.

 2 Ascoltate il brano e indicate le affermazioni corrette.

1. La situazione ambientale nelle città italiane
   a. rimane stabile
   b. è migliorata
   c. è peggiorata

2. C'è molta differenza tra le città
   a. piccole e grandi
   b. italiane ed europee
   c. del Nord e del Sud Italia

3. Tra le quattro grandi città italiane, Roma
   a. è prima per le isole pedonali
   b. ha il più alto numero di piste ciclabili
   c. è la prima per la raccolta differenziata

4. Gli italiani, in generale, usano di più
   a. i mezzi pubblici
   b. la propria macchina
   c. la bicicletta

3 Cantando "Il ragazzo della via Gluck" al Festival di Sanremo nel lontano 1966, Adriano Celentano, uno dei simboli della musica italiana, è stato tra i primi ad occuparsi di un argomento ancora oggi attuale. Leggete il testo della canzone (se possibile, ascoltatela) e rispondete alle domande.

Questa è la storia di uno di noi,
anche lui nato per caso in via Gluck
in una casa fuori città…
Gente tranquilla che lavorava.
Questo ragazzo della via Gluck
si divertiva a giocare con me,
ma un giorno disse: "Vado in città!"
E lo diceva mentre piangeva;
io gli domando: "Amico non sei contento?
Vai finalmente a stare in città!
Là troverai le cose che non hai avuto qui!
Potrai lavarti in casa senza andar giù
nel cortile!"
"Mio caro amico - disse - qui sono nato
e in questa strada ora lascio il mio cuore!
Ma come fai a non capire…
È una fortuna per voi che restate
a piedi nudi a giocare nei prati
mentre là in centro io respiro
il cemento!"

Ma verrà un giorno che ritornerò ancora qui…
e sentirò l'amico treno che fischia così: "wa wa".
Passano gli anni… ma otto son lunghi,
però quel ragazzo ne ha fatta di strada,
ma non si scorda la sua prima casa,
ora coi soldi, lui può comperarla…
Torna e non trova gli amici che aveva,
solo case su case… catrame e cemento!
Là dove c'era l'erba… ora c'è una città
e quella casa in mezzo al verde
ormai dove sarà!
Non so, non so
perché continuano a
costruire le case
e non lasciano l'erba
e no, se andiamo avanti così,
chissà come si farà!

Adriano Celentano,
Il ragazzo della via Gluck

1. Con quali sentimenti il ragazzo va in città? Come reagisce il suo amico?
2. Cosa trova quando torna al suo paese e come si sente?
3. Cosa vuole criticare l'autore della canzone? Cosa ne pensate?
4. Com'è la situazione oggi rispetto agli anni '60? Scambiatevi idee.

4 Torniamo all'uso del congiuntivo per ricordare quanto abbiamo imparato nell'unità 5. In coppia, fate l'abbinamento. Le soluzioni in Appendice a pagina 177.

Quando usare il congiuntivo (II)

benché / sebbene nonostante / malgrado	Ho preso con me l'ombrello … *piovesse*.
purché / a patto a condizione che	L'ho guardata a lungo, … mi *notasse!*
senza che	Mi hanno dato un aumento, … io lo *chiedessi!*
nel caso (in cui)	… *mi sentissi* stanco, sono uscito.
affinché / perché	Ricordo quella notte … *fosse* ieri.
prima che	Ho accettato di uscire con lui, … *passasse* a prendermi.
a meno che	Dovevo finire … *cominciasse* la partita.
come se	Sarebbe venuto, … non *avesse* qualche problema.

29

5 Completate le frasi con le congiunzioni della tabella precedente.

1. Per fortuna siamo arrivati a casa .... si mettesse a piovere.
2. Era pallida .... avesse visto un fantasma!
3. .... litigassero molto spesso, non si sono lasciati mai.
4. Lo prendevano in giro .... lui se ne accorgesse.
5. Era allegro .... la sua squadra avesse vinto!

12 e 13

E   Salviamo la Terra!

1 Leggete la copertina di *Panorama*: quali informazioni potete ricavare sulla situazione attuale e sul futuro dell'ambiente? Dobbiamo davvero preoccuparci? Scambiatevi idee.

2 Lavorate in coppia. Di seguito ci sono i quattro paragrafi di un testo. Metteteli nell'ordine giusto cercando di capire il significato generale dell'articolo.

☐ Sono questi i dati del "Living Planet Report", l'ultimo rapporto del WWF presentato oggi a livello mondiale. "Fare dei cambiamenti che migliorino i nostri standard di vita e riducano il nostro impatto sulla natura non sarà facile – ha detto il direttore generale di WWF International, James Leape – ma se non agiamo subito le conseguenze sono certe e terribili". Ma di chi è la colpa?

☐ Non c'è dubbio che l'Occidente e i suoi abitanti facciano la parte del leone in questo esaurimento delle risorse naturali, mentre i paesi in via di sviluppo, nei cui territori spesso si trova gran parte di queste risorse, subiscono quasi esclusivamente le conseguenze della distruzione degli ecosistemi.

☐ In altri termini, i ritmi dei nostri consumi hanno ormai superato la capacità del pianeta di sostenere la vita. Negli ultimi tre decenni, vale a dire l'arco di una sola generazione, abbiamo allegramente consumato più di un terzo delle risorse che il pianeta metteva a nostra disposizione, come se fossero rigenerabili all'infinito.

1 Un pianeta prossimo al collasso, a cui restano pochi decenni di vita, dopo i quali l'umanità sarà forse costretta ad imbarcarsi verso altri mondi per poter sopravvivere. Intorno al 2050 le risorse della Terra non saranno più sufficienti, se continueremo a sfruttarle a questi ritmi.

adattato da la Repubblica

3 Secondo voi, quale dei seguenti titoli riassume meglio il contenuto dell'articolo?

EFFETTO SERRA: LA TERRA HA CALDO!

RECORD DI SPRECHI, FRA 40 ANNI LA TERRA MORIRÀ

RAPPORTO WWF: L'ITALIA NON RICICLA ABBASTANZA

4 Lavorate in coppia. A quali espressioni dell'articolo si riferiscono quelle date di seguito? Per aiutarvi vi indichiamo il numero del paragrafo.

vicino a (1): ....
per dire una cosa in modo diverso (2): ....
la durata (2): ....
senza limiti (2): ....
avere la più grande responsabilità (4): ....

5 Nel testo precedente abbiamo visto "come se *fossero* rigenerabili all'infinito" **(2)**. Ritorniamo su alcune espressioni che richiedono il congiuntivo: fate l'abbinamento.

Quando usare il congiuntivo (III)

Giorgio era **l'unico che** *potesse*	sposato o single.
Magari tu *avessi ascoltato*	lui non si scoraggiava mai.
Mi **ha chiesto se** tu *fossi*	lo sapevamo già.
Comunque *andassero* le cose	*avessi* mai *conosciuto*.
Lui litigava con **chiunque** *avesse*	aiutarti in quella situazione.
Era **la** donna **più bella** che	i miei consigli!
Che *avessero* dei problemi	idee diverse dalle sue.

The complete table is in the Appendix on page 177.

6 Come abbiamo già visto nel volume A (pagina 81) il congiuntivo non è richiesto in tutte le occasioni. Completate le seguenti frasi. Le risposte in Appendice alle pagine 177 e 178.

1. Secondo me, questo libro .... molto bello. *(essere)*
2. Abbiamo vinto anche se non .... migliori. *(essere)*
3. Pensavo che tu .... bravo. *(essere)*
4. Bisognava che tu .... presto. *(fare)*
5. Pensava di .... più intelligente di noi. *(essere)*
6. Bisognava .... subito. *(partire)*

14 - 17

7 Mettete a confronto e commentate le due foto. Quale di queste immagini si vede più spesso nella vostra città? Voi come vi comportate?

F Vocabolario e abilità

 1 Lavorate in coppia. Quali di queste cose fanno bene all'ambiente e quali lo danneggiano? Aggiungete altri fattori che conoscete e alla fine confrontate le vostre liste con quelle delle altre coppie.

forme di energia rinnovabili, macchine a benzina, macchine elettriche, risparmiare, sprecare, riciclare, proteggere gli animali in via d'estinzione, usare i mezzi pubblici, usare l'auto, tagliare gli alberi, viaggiare in aereo

fattori positivi	fattori negativi
....	....
....	....
....	....
....	....
....	....
....	....

 2 Quali conseguenze possono avere sul mondo degli animali i problemi ambientali? Gli animali domestici sono al sicuro dai comportamenti negativi dell'uomo? Parlatene in classe.

3   Guardate i disegni e raccontate la storia.

4   **Ascolto** Workbook (p. 121)

5   **Situazioni**

1. **Sei _A_**: hai deciso di trovare una casa in campagna e di vendere l'appartamento che hai in città. Vai in un'agenzia immobiliare e chiedi informazioni sulla casa dei tuoi sogni... ma adatta alle tue possibilità economiche.
   Sei _B_: sei l'impiegato e a pagina 185 troverai tutte le informazioni necessarie per rispondere alle richieste di _A_.

2. Dopo averci pensato per anni, prendi la decisione di andare a vivere fuori città; ne parli con il/la tuo/a partner. Il problema è che lui/lei non è pronto/a a rinunciare alle comodità che offre una metropoli, di cui invece tu sei stanco.

6   **Scriviamo**

1. Ormai gli scienziati sono convinti che l'ambiente dovrebbe essere la priorità di tutti i governi, così come di ogni singolo cittadino. Esprimete la vostra opinione in merito proponendo eventuali misure. _(120-160 parole)_

2. Immaginate di vivere nel 2050: qual è la situazione del pianeta? Come si vive in città? Com'è la campagna? _(120-160 parole)_

 Test finale

Gli italiani e l'ambiente

L'agriturismo

Agriturismo significa che il turista è ospitato presso un'azienda agricola (quelle che una volta erano chiamate "fattorie"). Inizialmente è stato concepito* per offrire a chi viveva in città la possibilità di fare un'esperienza di vita alternativa, spesso legata al lavoro in campagna. Gradualmente è diventato una vera e propria forma di turismo, sempre in relazione all'ospitalità in un'azienda agricola.

Infatti, se all'inizio una vacanza in un agriturismo significava anche poter condividere i lavori e le fatiche del lavoro agricolo, nel corso degli ultimi anni il soggiorno in un agriturismo è diventato piuttosto un'opportunità per vivere a contatto con la natura e soprattutto poter mangiare prodotti direttamente coltivati nell'azienda agricola, che comprende l'allevamento di animali.

Il numero dei servizi offerti da un'azienda agrituristica sono quindi molteplici: dal pernottamento (di solito il numero di stanze è limitato) alla ristorazione, dalle fattorie didattiche (nelle quali le aziende agricole ospitano le scolaresche) alle degustazioni* di prodotti tipici.

Sono più di 10.000 le aziende agrituristiche in Italia e il fenomeno è in crescita. Non c'è regione italiana dove non siano presenti agriturismi più o meno grandi. Il fenomeno dell'agriturismo ha creato nuove opportunità di sviluppo e contribuisce alla salvaguardia* del territorio rurale*, contribuendo alla permanenza delle giovani generazioni nelle campagne.

1. L'agriturismo è:
- ☐ a. un'azienda agricola dove tutti lavorano
- ☐ b. un modo di vivere all'aperto
- ☐ c. un'azienda agricola che ospita turisti
- ☐ d. un altro termine per indicare le vecchie fattorie

2. Si va in un agriturismo soprattutto per:
- ☐ a. condividere il lavoro con i contadini
- ☐ b. mangiare prodotti tipici
- ☐ c. soggiornare in grandi gruppi
- ☐ d. dormire all'aria aperta

3. Il fenomeno dell'agriturismo:
- ☐ a. ha avuto grande successo negli anni passati
- ☐ b. è presente in poche regioni italiane
- ☐ c. è stato un esempio imitato all'estero
- ☐ d. ha trattenuto i giovani nelle campagne

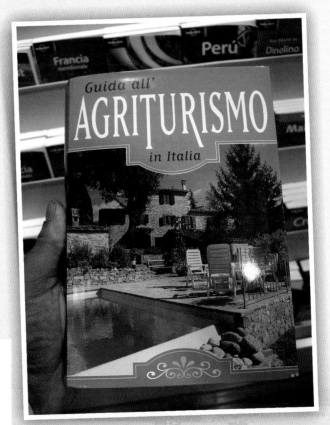

Glossary: <u>concepire</u>: to conceive; <u>degustazione</u>: tasting; <u>salvaguardia</u>: safeguard; <u>rurale</u>: rural; <u>patrimonio</u>: heritage; <u>circolo</u>: club, circle; <u>campagna</u>: campaign; <u>goletta</u>: schooner; <u>volontariato</u>: volunteering; <u>coscienza</u>: awareness; <u>ecoturismo</u>: eco-tourism; <u>escursionista</u>: excursionist.

Legambiente

Tutela dell'ambiente, difesa della salute dei cittadini, salvaguardia del patrimonio* artistico italiano... Sono molti i campi in cui *Legambiente* è quotidianamente impegnata, a livello nazionale e locale. La più diffusa associazione ambientalista italiana, infatti, alle grandi battaglie affianca la quotidiana attività di più di 100.000 soci e circa mille tra circoli* e gruppi per l'ambiente sparsi su tutto il territorio nazionale. Le sue campagne* nazionali (come il *Treno Verde*, la *Goletta* Verde, l'*Operazione Fiumi* e *Salvalarte*) e le grandi giornate di volontariato* (come *Puliamo il Mondo* e l'*Operazione Spiagge Pulite*), hanno ogni anno grandissimo successo, grazie alla numerosa partecipazione dei cittadini.

In Italia ci sono oggi oltre 4 milioni di volontari. Purtroppo, però, oltre ai poveri, ai malati e agli anziani anche l'ambiente ha bisogno d'aiuto. Nella foto un gruppo di volontari pulisce una spiaggia dal petrolio.

Il Parco Nazionale dello Stelvio, *nelle Alpi centrali è il più grande d'Italia. Negli ultimi anni, la superficie dei parchi nazionali è aumentata continuamente e oggi copre più del 10% del territorio italiano. Si può dire ormai che la coscienza* ecologica coinvolge, oltre ai cittadini, anche lo Stato italiano.*

Attività online

Trekking sul Vesuvio. L'ecoturismo è molto diffuso in Italia, grazie ovviamente ai bellissimi paesaggi che attirano escursionisti* da molti paesi. Il* Sentiero Italia *è infatti il più lungo del mondo fra quelli aperti alla partecipazione di tutti. Ideato negli anni '80, va dalla Sicilia alle Alpi, comprendendo anche la Sardegna.*

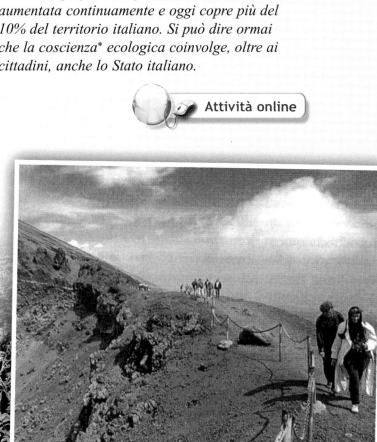

Autovalutazione
Che cosa ricordate delle unità 6 e 7?

1. Abbinate le frasi. Nella colonna a destra ce n'è una in più.

1. Ma come ce l'hai fatta?
2. Anche se...
3. Nonostante...
4. In altri termini...
5. Non sa la strada?

a. mi conosceva, non mi ha salutato.
b. Chieda al vigile!
c. fosse già tardi, non siamo andati via.
d. Semplice, con un po' di aiuto.
e. il clima non è più quello di una volta.
f. Si sieda pure!

2. Sapete...? Abbinate le due colonne.

1. dare istruzioni
2. dare il permesso di fare qualcosa
3. presentare un fatto come facile
4. esprimere un desiderio
5. porre condizioni

a. Ci sarei andata a patto che non ci fosse Andrea.
b. Per informazioni vada al primo piano.
c. Magari tu fossi qui adesso!
d. Certo! Apra, non mi dà fastidio.
e. Mah, una cosa da niente!

3. Scegliete la parola adatta per ogni frase.

1. Carla e Fabio vivono in un bell' ... in periferia.   *angolo/appartamento/area/ingresso*
2. Molte grandi città sono diventate ...   *invivibili/riciclabili/rinnovabili/introvabili*
3. Presto le ... naturali del pianeta si esauriranno.   *energie/raccolte/bellezze/risorse*
4. L' ... ha distrutto la produzione agricola.   *alluminio/alluvione/ecologia/elettricità*
5. In Italia ci sono molti ... che difendono la natura.   *volontari/sprechi/riciclaggi/incendi*

4. Completate o rispondete.

1. Un'associazione ambientalista italiana: ....
2. Una forma di turismo ecologico: ....
3. Un compositore italiano: ....
4. Tre congiunzioni che richiedono il congiuntivo: ....
5. Il congiuntivo imperfetto di *dare* (prima pers. singolare): ....

Verificate le vostre risposte a pagina 182. Siete soddisfatti?

Isola Bella, Lago Maggiore (Lombardia)

Per cominciare...

 1 Osservate i disegni: in quale di queste immagini vi riconoscete? Cosa fate più spesso?

 35 2 Ascoltate l'inizio del dialogo (fino a "Bravo!"): di quale attività tra quelle viste si parla?

36 3 Ascoltate l'intero dialogo e indicate le informazioni presenti.

   1. Amedeo invita Luigi al cinema.

   2. Luigi sembra indeciso.

   3. Luigi ha comprato un nuovo videogame.

   4. Amedeo vorrebbe giocare con Luigi.

   5. Amedeo accusa Luigi di essere cambiato.

   6. Luigi ama giocare per molte ore al giorno.

   7. Secondo Amedeo, Luigi esagera con i videogiochi.

   8. Amedeo, invece, preferisce stare con gli amici.

   9. Luigi pensa solo a nuovi videogiochi da comprare.

10. Alla fine, Luigi accetta di uscire con gli amici.

In this unit... (Glossary on page 203)

1. ...we learn to make a compliment/congratulate someone, to make hypotheses, to express approval and disapproval and to speak about technology

2. ...we learn about the periodo ipotetico, the various uses of ci and ne

3. ...we find information about some Italian scientists and inventors

A   Se provassi anche tu...

1   **Ascoltate e leggete il dialogo per confermare le risposte all'attività precedente.**

Amedeo: Stasera vieni con noi, no?

Luigi: Mah, non lo so... Sinceramente sono un po' stufo delle solite cose: cinema, pizza... E poi ho comprato quel videogioco di cui ti parlavo!

Amedeo: Ma come, preferisci un videogame ai tuoi amici?! Bravo!

Luigi: Lo devi vedere questo gioco, è straordinario: ha una grafica fantastica, degli effetti che non ti dico e se riesci a raggiungere il livello 5...

Amedeo: Ma quale livello 5?! Guarda che se vai avanti così, ti isolerai: presto non avrai più amici! Tu che eri così estroverso e socievole! Se non ti conoscessi da anni, penserei che sei una persona superficiale.

Luigi: Ma che c'entra l'essere superficiali?! E andare sempre al pub, allora? Se provassi anche tu a giocare, vedresti quanto è interessante.

Amedeo: Ho giocato anch'io, mi piace, ma ci deve essere un limite! Se si imparasse almeno qualcosa, ne varrebbe la pena.

Luigi: Ma sai quante cose ho imparato?

Amedeo: Certo, le caratteristiche di tutti i giochi sul mercato! Se avessi passato tanto tempo a parlare e a divertirti con altre persone, avresti imparato molte più cose... sulla vita, non sulla realtà virtuale.

Luigi: Uffa, parli come mia madre! Ah, a proposito: ti ricordi di quel videogioco di realtà virtuale che aspettavo? È uscito, finalmente!

Amedeo: Ma basta! Ma chi se ne frega?! Va bene, tu resta con i tuoi giochi ed io uscirò con Lidia e Chiara!

2 Lavorate in coppia. Qual è il significato di queste espressioni pronunciate da Amedeo (A) e Luigi (L)? Abbinate le due colonne.

Ma come... (A) ········■■■

...che non ti dico... (L) ■·■·■■■

Ma che c'entra...?! (L) ■·■·■■

...ne varrebbe la pena... (A) ■■

...a proposito... (L) ····■·■■■

Ma basta! (A) ········■·■■■

■ Non voglio sentire altro!

■ Ma che relazione ha...?

■ ...relativamente a questo...

■ ...avrebbe senso...

■ ...bellissimi, eccezionali...

■ È incredibile...

3 Amedeo racconta a Chiara cos'è successo. Completate il dialogo con i verbi adatti.

Chiara: Di nuovo Luigi non è venuto?

Amedeo: No. Sarebbe venuto, se non avesse comprato/avesse visto un nuovo gioco!!!

Chiara: Sbaglio o sei arrabbiato con lui?

Amedeo: Un po' sì. Sai, è molto cambiato ultimamente: sta ore e ore davanti al computer e il suo tempo libero lo passa tutto in internet.

Chiara: E sarebbe/avrebbe meglio se guardasse la tv?

Amedeo: No, ma tu credi che sia normale? Ormai l'unica cosa che gli interessa sono i videogiochi.

Chiara: Ma tu hai provato a giocare con lui?

Amedeo: Se avrò/avessi sedici anni, mi sembrerebbe naturale, ma non a questa età. Dimmi una cosa: se Lidia preferisse/cominciasse leggere anziché uscire con te, saresti contenta?

Chiara: Se Lidia si metterà a leggere ho cominciato/comincerò a preoccuparmi veramente! Se, invece, è/fosse un'appassionata di computer, probabilmente faremmo/facciamo insieme nuove amicizie via internet!

Amedeo: Ma che succede? Solo io uso il computer per lavorare?!

4 Lavorate in coppia. Alcune coppie, a scelta, riassumeranno il dialogo introduttivo con una frase di circa 10-15 parole, mentre le altre con due frasi di circa 20-25 parole in tutto. Alla fine confrontate i vostri riassunti.

5 Nel dialogo introduttivo abbiamo visto frasi come "Se *vai* avanti così, *ti isolerai*". Osservate la tabella riguardante il periodo ipotetico. Come si forma?

> ### Periodo ipotetico, 1° tipo: realtà - certezza
>
> Se **vengono** le ragazze, **vengo** anch'io.
> Se non **verranno**, allora **resterò** a casa.

6 Completate liberamente le frasi che seguono.

1. Se stasera ci sarà qualche bel film alla televisione...
2. Se il fine settimana farà bel tempo...
3. Secondo me, se uno vuole divertirsi...
4. Se non sarò impegnato...

7 Osservate anche la seguente tabella. In quali occasioni usereste questo secondo tipo di periodo ipotetico?

> ### Periodo ipotetico, 2° tipo: possibilità / impossibilità nel presente
>
> Secondo te, **sarebbe** meglio **se guardasse** la TV?
> Se Lidia **preferisse** leggere anziché uscire, ti **sembrerebbe** logico?
> Se **potessi** essere un animale, **vorrei** essere un leone.
> Se **fossi** in te, non lo **farei**.

8 Completate il testo coniugando i verbi tra parentesi. Cosa farebbe un bambino napoletano se fosse miliardario?

Se fossi miliardario

Se *(essere)* .... miliardario non *(fare)* .... come Berlusconi. Lui è miliardario solo per sé e per la sua famiglia, ma per gli altri non lo è. Io se *(essere)* .... ricco come lui, *(fare)* .... il bene, per andare in Paradiso.

Se io fossi miliardario *(dare)* .... tutto ai poveri, ai ciechi e al Terzo Mondo.

Se io *(avere)* .... molti soldi *(costruire)* .... tutta Napoli nuova e *(fare)* .... i parcheggi. Ai ricchi di Napoli non *(dare)* .... una lira, ma ai poveri tutto.

Per me *(comprare)* .... una Ferrari vera e una villa. Se *(avere)* .... molti miliardi a papà non lo farei più lavorare, ma lo *(fare)* .... stare in pensione a riposarsi.

Io tutto questo lo potrò fare, se *(vincere)* .... il biglietto delle lotterie che ha comprato papà.

tratto dal libro *Io speriamo che me la cavo* di Marcello D'Orta

E voi cosa fareste se diventaste molto ricchi?

B Complimenti!

 1 Ascoltate i mini dialoghi e indicate in quali la reazione è positiva e in quali negativa.

	positiva	negativa
1.		
2.		
3.		
4.		
5.		
6.		
7.		
8.		

 2 Ascoltate di nuovo e completate.

Congratularsi - Approvare	Disapprovare
Complimenti!	....
....	....
:...	....
....	....

 Role-play **3** Sei *A*: parla a *B*...   Sei *B*: rispondi a quello che ti dice *A* usando le espressioni appena ascoltate.

del computer molto potente che hai comprato

dello sciopero generale di domani

dell'esame che hai superato

del film che volevate vedere e che non danno più

della tua intenzione di stare a casa per giocare con il computer

del tuo nuovo videofonino

4 Confrontate le due frasi: che differenza c'è, secondo voi, tra i due tipi di periodo ipotetico?

Se non giocasse sempre con il computer, uscirebbe più spesso con noi.

Se non avesse giocato tutta la sera al computer, sarebbe uscito con noi.

5 Osservate la tabella e completate liberamente le frasi che seguono.

> **Periodo ipotetico, 3° tipo: impossibilità nel passato**
>
> Se **fossimo tornati** prima, **avremmo visto** tutto il film.
> Se tu **avessi letto** quell'articolo, **ti saresti arrabbiato** molto.

1. Se le avessi proposto di sposarmi...
2. Se ieri tu fossi venuto con noi...
3. Se mi avessero avvisato…
4. Se avessi telefonato in tempo...

6 Adesso confrontate queste due frasi. Che cosa notate?

> Se avessi finito l'università, *sarei diventato* un avvocato.
> Se avessi preso la laurea, oggi *sarei* un avvocato di successo.

7 Osservate la tabella e, in coppia, scrivete una frase simile.

> **Ipotesi al passato con conseguenza nel presente**
>
> Se tu **avessi accettato** quella proposta, *ora* **saresti** molto ricco.
> Se non **fosse partito** per l'America, *oggi* **sarebbe** un impiegato.
>
> Other forms of the *periodo ipotetico* in the Appendix on page 178.

4 - 9

C   Tutti al computer!

1 Descrivete e commentate queste foto.

2 **Rispondete.**

1. Voi conoscete bambini che usano molto il computer? Parlatene.
2. Secondo voi, la realtà che descrivono le foto è positiva o negativa?
3. Ricordate i primi computer che avete usato? Cosa è cambiato da allora?
   Scambiatevi idee e... ricordi.
4. Quanti di voi usano la posta elettronica e per quali motivi?

3 **Nelle e-mail che ricevete cosa vi dà fastidio o non vi piace? Leggete il testo per vedere se sono le stesse cose che segnala l'autore. Infine, rispondete alle domande.**

Le cose che facciamo al computer

Forse i primi italiani che usavano il telefono ci gridavano dentro come se fosse un megafono (alcuni miei conoscenti lo fanno ancora). Poi gli utenti hanno capito che il nuovo mezzo imponeva nuove regole. Non si poteva chiamare la gente alle quattro del mattino e, soprattutto, non si doveva mai, in nessun caso, telefonare a qualcuno e dire: "Pronto chi parla?".
La posta elettronica ha attraversato la stessa fase pionieristica, ma forse ha ancora bisogno di regole. Eccone alcune, frutto di una certa pratica (e alcune sofferenze).

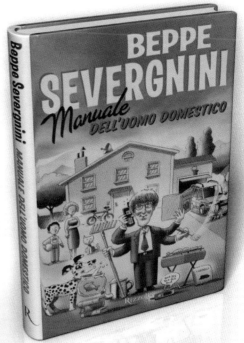

1. Non è necessario spedire il messaggio in cinque copie. Una, basta.
2. Non è il caso di telefonare per sapere se il messaggio è arrivato.
3. Evitate messaggi lunghi. Tre paragrafi è il massimo consentito (se è una dichiarazione d'amore, due bastano).
4. Evitate messaggi troppo cerimoniosi. "Spett. Dott. Ing.", "Ch.imo Dr. Prof." fanno già ridere sulla carta. Sullo schermo sono grotteschi.
5. Evitate messaggi troppo informali. Se scrivete a Umberto Eco, non potete cominciare con: "Ehilà, Berto!".
6. Rispondere è cortese, ma non è obbligatorio.
7. Soprattutto evitate di spedire disegnini, canzoncine, foto del gatto, a meno che non siate in confidenza col destinatario (o non vogliate punirlo).
8. Noi italiani, in cerca di rassicurazione, abbiamo chiamato "chiocciolina" il simbolo @ (in inglese: at), rifilando il nome dell'animale più lento al mezzo di comunicazione più veloce. Chiamare il computer Fido e il mouse Sorcetto, però, è eccessivo.
9. Non preoccupatevi troppo della sintassi o dell'ortografia. Ma un po', sì. Rileggete almeno una volta. Evitate di scrivere: "Caro Teresa, devi spere cheho fto tardi ieri sera e non è star possibile chiamlareti al telefono; Fatt viva. Ciao, Monica". In un messaggio un errore, frutto della fretta, è perdonabile. Quindici no!
10. Scrivete solo se avete qualcosa da dire!

tratto da *Manuale dell'uomo domestico* di Beppe Severgnini

1. Quale "regola" vi sembra più importante? In quale "errore" vi riconoscete? Parlatene.
2. Avete capito la frase tra virgolette del punto 9? Vediamo chi riesce a... correggerla meglio!

4 Usate internet e per quali motivi? Secondo voi, quali sono i pro e i contro di questo mezzo?

5 Quali delle parole che seguono conoscete già? Potete indovinare il contenuto della trasmissione che ascolteremo?

eccessivo abuso incollato dipendenza patologia terapia

6 Ascoltate il brano e indicate le affermazioni veramente esistenti.

1. La trasmissione è dedicata ai vantaggi che offre la tecnologia.
2. Il tribunale ha condannato un uomo a stare lontano dal pc per un anno.
3. L'uomo passava davanti al computer circa 12 ore al giorno.
4. La moglie dell'uomo si è rivolta ad uno psicologo.
5. L'uomo era completamente estraneo al mondo circostante.
6. Per il compleanno della figlia, l'uomo le ha regalato un microfono per pc.
7. Esiste una clinica per curare la dipendenza da pc.
8. La clinica è la prima al mondo nel suo genere.
9. Il percorso di disintossicazione dura circa 2 mesi.

7 Nelle notizie appena ascoltate abbiamo incontrato diversi usi di *ci*: "oggi *ci* occuperemo", "*ci* passa 10-12 ore al giorno", "non *ce la fa* più". Lavorate in coppia e abbinate gli esempi dati all'esatta funzione svolta da *ci*.

Usi di *ci*

Ciao, **ci** vediamo..., **ci** sentiamo... Insomma, a presto!	*ci* pleonastico
È molto gentile: **ci** saluta sempre!	pronome diretto (*noi*)
I tuoi genitori **ci** hanno portato i dolci?! Come mai?	pronome riflessivo
-Hai tu le mie chiavi? -No, non **ce** le ho io.	espressioni particolari
Lui ha inventato una scusa, ma non **ci** ho creduto!	pronome indiretto (*a noi*)
Con Donatella? **Ci** sto molto bene.	ad una cosa / persona
A Roma? Sì, **ci** sono stata due volte.	con qualcosa / qualcuno
Ragazzi, andate più piano; non **ce** la faccio più!	in un luogo

In the Appendix on page 178, you will find a complete list of the uses of *ci*.

10

D   Pronto, dove sei?

1   Leggete questa pagina web promozionale e rispondete alle domande *(15-25 parole)* cercando di non ripetere le parole del testo.

1. Che cosa si pubblicizza?

....

....

....

2. A chi si rivolge questa offerta?

....

....

....

3. Potreste proporre un'offerta diversa a voi più conveniente?

....

....

....

2 Nella pagina precedente abbiamo visto "Ogni giorno *ne* vale 100". *Ne* è una parola che assume significati diversi: *ne* partitivo, "di qualcosa/qualcuno", "da un luogo/una situazione". A coppie, abbinate domande e risposte.

Usi di *ne*

1. Quante e-mail ricevi al giorno?	a. **Ne** ho ventitré.
2. Quanti anni hai, Franco?	b. Perché non **ne** so niente.
3. Come va con Gino?	c. Sì... e non so come uscir**ne**.
4. Gli hai parlato del prestito?	d. Sì, ma non **ne** vuole sapere!
5. Ma perché tante domande su Serena?	e. **Ne** sono innamorata come il primo giorno!
6. È così brutta questa situazione?	f. **Ne** ricevo parecchie.

In the Appendix on page 179, you will find a complete list of the uses of *ne*.

---

3 Completate le frasi con *ci* o *ne*.

1. Mi ha proposto di lavorare con lui e gli ho risposto che .... devo pensare.
2. Io sono sicuro che vincerà l'Inter: .... scommetti?
3. Non voglio scommettere perché io non .... sono sicuro.
4. Non vi piace questo libro? Purtroppo .... sono l'autore!
5. Ah, l'amore: a tuo nonno piaceva parlar.............. ...quando era giovane!
6. .... ha parlato della sua decisione di andare in pensione.

➡11 e 12

4 L'uomo nella foto è Martin Cooper, l'inventore del cellulare. Il primo modello del 1973 pesava un chilo e aveva una batteria ricaricabile in 10 ore...! Come sarebbe la nostra vita senza questa invenzione? Come pensate che si svilupperà la tecnologia legata ai telefonini? Parlatene.

5 In coppia, cercate di capire eventuali parole che non conoscete. Poi, individualmente, completate il testo che segue con le parole adatte.

	a)	b)	c)	d)
1.	a) pensato	b) previsto	c) saputo	d) sentito
2.	a) fischia	b) batte	c) squilla	d) urla
3.	a) Sento	b) Ascolto	c) Riconosco	d) Noto
4.	a) bello	b) necessario	c) utile	d) importante
5.	a) possibile	b) normale	c) giusto	d) regolare
6.	a) commentare	b) approvare	c) valutare	d) criticare
7.	a) minimo	b) massimo	c) minore	d) migliore
8.	a) innamorati	b) sensi	c) sentimenti	d) problemi
9.	a) bellezza	b) allegria	c) gioia	d) onore
10.	a) accorto	b) pensato	c) preoccupato	d) notato

In treno

Prendo l'Intercity Roma-Napoli delle 10.30. Ho con me un libro piuttosto difficile da digerire: *Essere e tempo* di Heidegger. Sono d'accordo: per un viaggio Roma-Napoli andava meglio una cosina più leggera. Non avevo (1) ...., infatti, la presenza dei telefonini. Nel mio scompartimento ce ne sono due e tutti e due in funzione. Ho appena cominciato a leggere che (2) .... il primo telefonino, quello del signore che mi sta seduto accanto. In quel momento sono alle prese con quel brano di Heidegger dove il filosofo si chiede se l'essenza dell'essere coincide con la verità. (3) .... lo squillo e mi blocco. Dico a me stesso: "Voglio proprio vedere adesso questo scostumato che cosa ha da dire di tanto (4) ....".

"Ciao cara", dice lo scostumato, "abbiamo appena superato Valmontone".

Roba da non credere! Sono le 10.45 e siamo partiti alle 10.30. È (5) ...., quindi, che abbiamo appena superato Valmontone! A me non sembra una notizia così importante da giustificare il disturbo arrecato a tutto lo scompartimento. Non faccio in tempo, però, a (6) .... il mio vicino che il giovanotto che mi sta di fronte viene anche lui chiamato da un telefonino.

"Ciao Deborah", dice il giovanotto, "lo sai che ieri non sono riuscito a prender sonno? E sai perché? Perché pensavo a te e a tutte le cose carine che mi avevi detto. Poi ti ho sognato e tu mi hai abbracciato come solo tu sai fare".

Ora, io dico: tu devi comunicare a una persona dei pensieri piuttosto intimi; il (7) .... che puoi fare è andar in corridoio e dire tutto quello che vuoi: "Ti amo, ti adoro, ti desidero" e via dicendo. Quello che non puoi fare è rendere partecipi dei tuoi (8) .... due estranei che ti stanno seduti di fronte. [...]

Non passano due minuti quand'ecco squillare di nuovo il telefonino del playboy. "Ciao Simonetta, come stai? Che (9) .... sentirti... Ma che dici? Io penso solo a te".

"Scusi", avrei voluto dirgli, "ma lei non pensava solo a Deborah? Perché non lo dice anche a Simonetta che pensava solo a Deborah?"

Il mio vicino di posto, essendosi (10) .... che non ho un telefonino, mi dice: "Mi permetta, ingegnere: ho visto che lei non ha un telefonino. Ora, senza complimenti, se vuole approfittare del mio... che so io... magari per fare una telefonata a casa..." e me lo piazza in mano.

"Grazie" gli dico, "farò un salutino a mia figlia. Magari le farà piacere".

"Ciao Paola, sono papà... sto in treno... sì, sì..., abbiamo appena superato Valmontone".

adattato da *Il pressappoco* di Luciano De Crescenzo

6   Rispondete.

1. Fate un breve riassunto del testo.
2. Avete il cellulare? Quanto è importante per voi? Potreste/Vorreste farne a meno?
3. In quali occasioni il telefonino vi dà fastidio e perché? Come vi comportate in questi casi?

E   Vocabolario e abilità

1   Abbinate immagini e parole.

1. schermo   2. tastiera   3. mouse   4. stampante   5. lettore cd   6. altoparlante
7. cuffie   8. processore   9. macchina fotografica digitale   10. scheda memoria
11. cavo/filo   12. destinatario   13. oggetto   14. allegato

2 Lavorate in coppia. Completate la griglia come nell'esempio. Per ogni verbo viene indicato tra parentesi il numero dei possibili abbinamenti.

	il volume	la batteria	un'e-mail	canzoni da Internet	un tasto	un pro-gramma	un file
scaricare (4)							✓
installare (1)							
salvare (3)							
premere (1)							
inviare (2)							
alzare (1)							
ricaricare (1)							

3 **Ascolto** Workbook (p. 130)

4 **Situazioni**

Role-play

1. **Sei *A***: anche se sai usare un po' il computer, credi che un corso specifico ti sarebbe molto utile. Non ti interessa tanto un certificato quanto imparare le cose fondamentali: il sistema operativo, i programmi più diffusi e Internet. Chiami una scuola di computer e fai delle domande su lezioni, orari, prezzi ecc.
   Sei *B*: a pagina 186 troverai tutte le informazioni di cui ha bisogno *A*.

2. **Sei *A***: stai viaggiando in treno e ti sei quasi addormentato quando squilla il cellulare della persona seduta accanto a te (*B*) che parla ad alta voce come se fosse a casa sua! Le chiedi gentilmente di abbassare la voce e di togliere la suoneria. In quel momento, però, squilla il tuo telefonino. Rispondi e poi ti giustifichi spiegando che era un'emergenza.
   Sei *B*: rispondi ad *A* spiegandogli i motivi per cui non puoi accontentarlo.

5 **Scriviamo**

1. Hai comprato alcuni libri su una libreria online e hai pagato con la tua carta di credito. Tutto sembra a posto, ma due settimane dopo i libri non sono arrivati. Scrivi un'e-mail ai responsabili del sito per esporre la situazione e chiedere spiegazioni o il rimborso della somma spesa.

2. "Penso che nel mondo ci sarà mercato forse per 4 o 5 computer" (Thomas Watson, Presidente della IBM, 1943): a volte non si comprende subito il valore o l'importanza di certe scoperte. Scrivi le tue impressioni e le tue idee in proposito. *(120-140 parole)*

 Test finale

Scienziati e inventori italiani

Se la tecnologia ci circonda è anche merito del genio* di alcuni scienziati italiani. Vediamo in breve chi sono stati e qual è stato il loro contributo* al progresso dell'umanità.

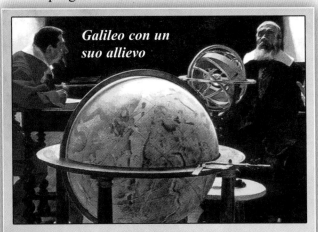

Galileo con un suo allievo

Galileo Galilei (1564-1642). Fu il fondatore del metodo scientifico sperimentale*. Compì importantissimi studi ed esperimenti di meccanica, costruì il termoscopio*, ideò e costruì il compasso*, perfezionò il telescopio con il quale scoprì i satelliti di Giove e le macchie solari, la cui osservazione gli provocò problemi di vista, e, infine, inventò il microscopio.

Le sue scoperte astronomiche lo portarono a sostenere la teoria di Copernico, secondo la quale era la Terra a girare intorno al Sole e non il contrario. Tale teoria, però, contraddiceva quella della Chiesa che voleva la Terra al centro dell'universo. Davanti all'Inquisizione*, per evitare la condanna al carcere, l'ormai vecchio Galileo preferì rinnegare* pubblicamente la teoria copernicana. In seguito, però, pronunciò la famosa frase, riferendosi alla terra: "Eppur si muove!".

Alessandro Volta (1745-1827). È dal suo nome che deriva il *volt*, l'unità di misura dell'elettricità. Nel 1779, quando ottenne la cattedra di fisica sperimentale all'Università di Pavia, era già conosciuto per l'invenzione dell'elettroforo, strumento per accumulare* cariche elettriche*. Nel 1800, dopo vari esperimenti, inventò la batteria elettrica, un'invenzione che aprì la via all'uso pratico dell'elettricità.

Antonio Meucci (1808-1889). Nel 1863 riuscì a costruire un apparecchio telefonico, usando la stessa tecnica di trasmissione della voce che si usa ancora oggi. Purtroppo, non aveva i soldi né per brevettare*, né per produrre la sua invenzione, come fece invece Graham Bell, tredici anni dopo, con un apparecchio simile. In seguito, Meucci morì in povertà dopo aver perso la causa contro Bell, che per più di un secolo è stato considerato l'inventore del telefono.

Marconi davanti alla sua invenzione

Guglielmo Marconi (1874-1937). Intuì per primo la possibilità di utilizzare le onde elettromagnetiche per trasmettere messaggi a distanza senza l'uso di fili. A questo scopo perfezionò l'apparecchio trasmittente e quello ricevente con l'uso di un'antenna. Nel 1896 brevettò la sua invenzione e l'anno successivo riuscì a trasmettere segnali a una nave a oltre 15 km di distanza. Negli anni successivi realizzò altri impressionanti esperimenti, tra cui il primo collegamento radiotelegrafico attraverso l'Atlantico. Nel 1909 ottenne il premio Nobel per la Fisica. In seguito si dedicò al perfezionamento della radiotelegrafia e della radio. Con le sue invenzioni, Guglielmo Marconi cambiò praticamente il mondo ed è giustamente considerato il "padre" delle telecomunicazioni.

1. Galileo Galilei

☐ a. influenzò in modo decisivo la scienza
☐ b. era solo inventore
☐ c. non era d'accordo con Copernico
☐ d. rinunciò definitivamente alla sua teoria

2. Sia A. Volta che A. Meucci

☐ a. ottennero il riconoscimento che meritavano
☐ b. diventarono ricchi
☐ c. fecero invenzioni pratiche
☐ d. erano docenti universitari

3. Guglielmo Marconi inventò

☐ a. il telefono cellulare
☐ b. la televisione
☐ c. il telegrafo senza fili e la radio
☐ d. l'antenna

Quale personaggio o invenzione ritenete più importante e perché? Scambiatevi idee.

Leonardo da Vinci (1452-1519). Fu un grande pittore (nella prossima unità vedremo alcuni dei suoi capolavori), ma fu anche uno dei più grandi geni di tutti i tempi: le sue opere di ingegneria e le sue innumerevoli invenzioni ne sono la prova. Vediamo di seguito alcune di quelle che concepì per primo e che sono state realizzate solo molto tempo dopo la sua morte.

A sinistra il progetto di Leonardo per l'elicottero; al centro la bicicletta e, sopra, una ricostruzione dell'automobile che ideò.

Glossary: genio: genius; contributo: contribution; sperimentale: experimental; termoscopio: Galilean thermometer; compasso: pair of compasses; Inquisizione: Inquisition; rinnegare: to repudiate, to renounce; accumulare: to accumulate; carica (elettrica): (electric) charge; brevettare: to patent.

Attività online

Autovalutazione
Che cosa ricordate delle unità 7 e 8?

1. Sapete...? Abbinate le due colonne. Nella colonna a destra c'è una frase in meno.

1. congratularsi
2. disapprovare
3. fare una domanda indiretta
4. formulare un'ipotesi realizzabile
5. formulare un'ipotesi impossibile
6. presentare un fatto come facile

a. Non è stato un problema, anzi.
b. Se avessi potuto, sarei venuta.
c. Se è così, ti faccio i complimenti!
d. Ha chiesto se tu avessi dei problemi.
e. Ma non è possibile, sempre questa storia!

2. Abbinate le frasi.

1. Stefania ha perso il cellulare.
2. Perché avete cambiato idea?
3. Papà, anche questa volta non ce l'ho fatta.
4. Ecco, il cd che mi avevi chiesto.
5. Congratulazioni, come avete fatto?

a. Perché non ne valeva la pena.
b. Bravo, credevo l'avessi dimenticato.
c. È incredibile... è la terza volta in un mese!
d. Mah, una cosa da nulla.
e. Ma non è possibile! Avevi studiato tanto!

3. Completate o rispondete.

1. Il 'padre' delle telecomunicazioni: ....
2. Altri due grandi scienziati italiani: ....
3. *Ci* può sostituire vari tipi di pronomi, scrivetene due: ....
4. Il congiuntivo trapassato di *essere* (seconda pers. plurale): ....

4. Scrivete i verbi da cui derivano i sostantivi e viceversa.

1. l'installazione ....
2. il collegamento ....
3. allegare ....
4. chiamare ....
5. inventare ....
6. stampare ....
7. il riciclaggio ....
8. il clic ....

Verificate le vostre risposte a pagina 182. Siete soddisfatti?

Duomo di Amalfi (Campania)

Per cominciare...

 1 Secondo voi, qual è il titolo e l'autore di queste opere? In coppia, fate gli abbinamenti. Quale di queste opere vi piace di più e perché?

> 1. **Caravaggio**, *Ragazzo con il liuto* (1595), 2. **Leonardo da Vinci**, *La Monna Lisa* (1510-15),
> 3. **Michelangelo**, *La creazione di Adamo* (1510), 4. **Botticelli**, *La Nascita di Venere* (1484), 5. **Giorgio De Chirico**, *Mistero e malinconia di una strada* (1914), 6. **Raffaello**, *La scuola di Atene* (1509)

 2 Ascoltate il dialogo. Quali degli artisti del punto precedente avete sentito nominare?

 3 Ascoltate di nuovo e indicate le affermazioni corrette.

1. Francesco si meraviglia che
   - a. siano state rubate tante opere
   - b. ci sia stato un furto agli Uffizi
   - c. siano state rubate opere famose
   - d. la polizia abbia già arrestato i ladri

2. Il furto è avvenuto
   - a. subito dopo la chiusura
   - b. prima dell'apertura della Galleria
   - c. mentre la Galleria era piena di gente
   - d. durante la notte

3. I ladri
   - a. lavoravano come guardiani
   - b. hanno arrestato i guardiani
   - c. si sono vestiti da guardiani
   - d. sono fuggiti senza problemi

4. Le opere rubate
   - a. sono state trovate
   - b. non sono facili da vendere
   - c. sono state vendute a un prezzo altissimo
   - d. non sono molto importanti

In this unit... (Glossary on page 204)

1. ...we learn to report facts, to ask for/give confirmation and to talk about art
2. ...we learn about the forma passiva *and the* si passivante
3. ...we find some Italian proverbs, information on Italian art and artists

A   Furto agli Uffizi!

 1   In base a quello che ricordate, completate il dialogo. In seguito, riascoltatelo per confermare le vostre risposte.

Stefania: Hai sentito del furto agli Uffizi, no?

Francesco: Agli Uffizi?! Dai... Ma, sul serio?!

Stefania: Sì, una cosa ....! Dalla sala restauro sono state rubate opere di Tiziano, di Caravaggio e di Leonardo!

Francesco: Dio mio! Agli Uffizi che è considerato uno dei .... più sicuri del mondo?!

Stefania: È veramente un mistero. A quanto pare, il furto è avvenuto sabato mattina!

Francesco: E pensare che la Galleria viene visitata da .... di persone ogni giorno. Magari i ladri si saranno vestiti da guardiani. L'ho visto fare in un film...

Stefania: Non credo. Secondo il telegiornale, hanno approfitta-to della ...., non sono stati notati dai guardiani, quelli veri, e poi chi si è visto si è visto.

Francesco: E ora, chissà a che cifre saranno venduti questi ....!

Stefania: Dici? Mah, non lo so, sono troppo noti e anche trop-po cari. Chi li potrebbe comprare? Certo non un altro museo!

Francesco: No, ma possono essere comprati da qualche .... Ricordo un film in cui c'era un ricco imprenditore che commissionava a dei ladri furti di opere d'arte per poterle .... da solo, in solitudine.

Stefania: Comunque, ho sentito che i custodi vengono interrogati dai Carabinieri. Secondo me, qualcuno di loro è coinvolto nel ....

Francesco: Non c'è dubbio: anche questo l'ho visto in un film!

La Galleria degli Uffizi e, sullo sfondo, Palazzo Vecchio.

2 Lavorate in coppia. Scegliete le affermazioni corrette.

1. Quando viene a sapere del furto, Francesco dice "Dai..." perché: a. aveva già sentito la notizia, b. la notizia non lo sorprende, c. non si aspettava questa notizia.

2. Stefania dice "A quanto pare..." come per dire: a. "sicuramente", b. "probabilmente", c. "incredibilmente".

3. Quando poi Stefania dice "chi si è visto si è visto!" intende che: a. la polizia sa chi sono i ladri, b. c'è chi ha visto i ladri, c. i ladri sono scappati via.

4. Francesco, infine, parla di qualcuno che "commissionava furti di opere d'arte" nel senso che: a. le rubava per abitudine, b. qualcun altro le rubava per lui, c. le rubava molto spesso.

3 Vediamo ora il servizio del telegiornale sul furto agli Uffizi. Completate il testo con i verbi che seguono: *sono stati rubati, saranno interrogati, sono state rubate, è considerata, sono stati notati, sono stati ripresi, viene visitata.*

giornalista: Apriamo il nostro telegiornale con il clamoroso furto avvenuto ieri alla *Galleria degli Uffizi*, a Firenze: dalla sala restauro .... preziosissime opere di Tiziano, di Caravaggio e di Leonardo da Vinci. Ci colleghiamo subito con il nostro inviato, Filippo Giornalini. Buongiorno, Filippo.

inviato: Buongiorno, Anna. Come hai detto, ... quadri di inestimabile valore... e pensare che quella degli Uffizi .... una delle gallerie più sicure del mondo e ogni giorno .... da migliaia di persone.

giornalista: Filippo, i ladri .... dalle telecamere?

inviato: Probabilmente no. E purtroppo non .... neanche dai guardiani. Come ha annunciato stamattina il Ministro per i Beni Culturali, i custodi .... dai Carabinieri: pare che uno di loro sia coinvolto nel furto.

giornalista: Ma ci sono già informazioni al riguardo?

inviato: No, Anna, ma è chiaro: nei film succede sempre così!!!

4 Che fine hanno fatto i quadri rubati? Scrivete un breve testo *(60-80 parole)* in cui immaginate che cosa è successo alle opere dopo il furto.

5 I verbi dati nell'attività 3 sono alla forma passiva. Come si forma in italiano? E nella vostra lingua?

6   Osservate la tabella e poi cercate di completare le frasi.

La forma passiva

Forma attiva: I Carabinieri   interrogano   i custodi.

Forma passiva: I custodi   sono (vengono) interrogati   dai Carabinieri.

ATTIVA	PASSIVA
Il pittore **dipinge** un quadro.	Un quadro **è / viene dipinto** dal pittore.
Morandi **ha creato** molte opere.	Molte opere .... **create** da Morandi.
Il padre .... i figli allo zoo.	I figli **erano / venivano portati** allo zoo dal padre.
Marco mi **aveva spiegato** tutto.	Mi **era stato spiegato** tutto da Marco.
Luca **avviserà** tutti.	**Saranno / Verranno** .... tutti da Luca.
Maria **avrà preso** la bici.	La bici **sarà stata presa** da Maria.
Molti **leggerebbero** quest'articolo.	Quest'articolo **sarebbe / verrebbe letto** da molti.
Spero che la casa la **compri** tu.	Spero che la casa **sia / venga comprata** da te.
Speravo che la casa la **comprassi** tu.	Speravo che la casa **fosse / venisse comprata** da te.

Observations:

1. We use the *forma passiva* when we concentrate our attention more on the action (*I custodi vengono interrogati*) and not so much on who does it (*...dai Carabinieri*).
2. As you can notice, in simple tenses we can use both *essere* and *venire*. In compound tenses, however, only the verb *essere*.
3. The *forma passiva* is always composed of an extra word compared to the *attiva*.

You will find *pronomi diretti* in the *forma passiva* in the Appendix on page 179.

7   Abbinate le due colonne.

1. I quadri *sono stati*
2. Il nuovo museo *sarà*
3. A Roma *verrà*
4. Sperava che il suo libro *venisse*
5. Le sue opere *sarebbero*
6. L'indagine *è*

a. *organizzata* un'importante mostra d'arte.
b. *apprezzate* di più, se fossero comprensibili.
c. *letto* da tutti.
d. *comprati* da un collezionista.
e. *inaugurato* domenica prossima.
f. *condotta* a livello internazionale.

8   Completate le frasi mettendo il verbo tra parentesi alla forma passiva.

1. La notizia *(pubblicare)* ieri su tutti i giornali.
2. Ho sentito che il direttore vendite *(licenziare)* domani.
3. Questi maglioni *(fabbricare)* in Italia.
4. Un'auto elettrica *(comprare)* da tutti, se costasse poco.
5. *'O sole mio (cantare)* anche da Elvis Presley, con il titolo *It's now or never.*

B   Certo che è così!

1   Ascoltate i mini dialoghi e abbinateli alle foto. C'è un mini dialogo in più!

2   Ascoltate di nuovo e completate la tabella con alcune delle espressioni che avete ascoltato.

Chiedere conferma / Confermare	
Chiedere conferma	**Confermare qualcosa**
....?	È ....
....?	Non ....
È vero che...?	Ti posso garantire che...
Davvero...?	Ti assicuro che...
...è così, vero?	Non scherzo... / Dico sul serio...

3   Scrivete due frasi (domande o risposte) in cui usate le espressioni del punto precedente.

....

....

�549 7

4 In coppia, cercate di risalire alla forma *attiva* di questa frase:

Il volo deve essere confermato dai viaggiatori. ....

5 Osservate la tabella e completate le frasi.

> ### La forma passiva con *dovere* e *potere*
>
> Tu dovrai consegnare personalmente tutti gli inviti.
> Tutti gli inviti **dovranno essere consegnati** da te personalmente.
> Nessuno può comprare una statua di Michelangelo.
> Una statua di Michelangelo non **può essere comprata** da nessuno.

1. Mi hanno avvisato che i nostri bagagli non *(potere spedire)* oggi.
2. Mi raccomando, signorina, il fax *(dovere inviare)* al più presto.
3. Questo capitolo *(dovere spiegare)* meglio: è molto importante.
4. Secondo il giornale, i contratti *(potere firmare)* anche ieri.

6 Leggete il testo e le didascalie delle immagini e indicate le affermazioni veramente esistenti.

Michelangelo Buonarroti

È uno dei più grandi artisti di tutti i tempi. Nasce a Caprese nel 1475. Dopo le prime opere va a Roma dove, nel 1500, scolpisce la *Pietà* esposta in San Pietro in Vaticano. Tornato a Firenze, dipinge *La Sacra famiglia* (Uffizi) e scolpisce il *David*, allora collocato in Piazza della Signoria (oggi l'originale si trova nell'Accademia). Nel 1508 Michelangelo comincia ad affrescare la volta della Cappella Sistina. Con gravi problemi alla vista, a causa delle difficili condizioni di lavoro, nel 1512 termina il magnifico affresco e l'anno dopo crea un'altra statua, il *Mosè* che si trova in San Pietro in Vincoli.

Nel 1534, dopo alcuni anni a Firenze, torna a Roma dove fino al 1541 lavora all'affresco del *Giudizio Universale* nella stessa Cappella Sistina. Nell'ultima fase della sua vita si dedica soprattutto all'architettura, con la risistemazione di Piazza del Campidoglio, oggi sede del Comune di Roma, e l'edificazione della cupola di San Pietro. Muore nel 1564 a Roma.

A fianco, gli affreschi della volta della *Cappella Sistina* dopo il restauro (durato molti anni e costato parecchi milioni di euro): uno dei più grandi capolavori artistici mai creati. Tra le figure e gli episodi biblici si possono osservare *Il Peccato originale* (1) e più in basso *La Creazione dell'Uomo* (2).

Cristo Giudice al centro dell'affresco del *Giudizio Universale*. Il restauro ha fatto riemergere gli autentici e vivaci colori usati dal grande Maestro quasi cinque secoli fa. L'opera rappresenta la fine del mondo e la condanna definitiva dei peccatori che si trovano intorno a Dio.

☐ 1. Il talento di Michelangelo fu riconosciuto molto presto.
☐ 2. Il lavoro nella Cappella Sistina gli provocò problemi di salute.
☐ 3. Preferiva scolpire statue piuttosto che dipingere.
☐ 4. Il *David* è la sua statua più importante.
☐ 5. Concluse gli affreschi della Cappella Sistina in circa vent'anni.
☐ 6. Fu l'architetto della famosa cupola di San Pietro.
☐ 7. I soggetti delle sue opere erano soprattutto religiosi.
☐ 8. L'ultimo restauro della Cappella Sistina è durato cinque anni.

C Opere e artisti

1 Roma è famosa anche per le sue fontane, ma le più visitate dai turisti e dai romani stessi sono queste tre. Come si chiamano? Ascoltate il brano e verificate le vostre risposte.

....

2 Ascoltate il brano e completate le affermazioni (massimo quattro parole).

1. I lavori, su progetto di Nicola Salvi, ...

2. Una celebre tradizione vuole che porti fortuna lanciare una moneta nella fontana, perché in questo modo si ....

3. Il papa potè finanziare la fontana disegnata da Bernini grazie ad alcune ....
....

4. Il gigante che rappresenta il Rio della Plata è stato raffigurato con il braccio alzato ....
....

5. La fontana della Barcaccia, in Piazza di Spagna, è la meno appariscente ....
....

6. Bernini progettò una vecchia barca semiaffondata, una *barcaccia*, che giace ....
....

3   Rispondete.

1. Perché è famosa la Fontana di Trevi?
2. Dove si trova la Fontana dei Quattro Fiumi?
3. Cosa hanno in comune la Fontana dei Quattro Fiumi e la Barcaccia?

4   Osservate la tabella e riformulate le frasi che seguono.

> ### La forma passiva con il verbo *andare*
>
> Questo problema **va risolto** con calma. = *deve essere risolto*
> La trasmissione **andava vista** a tutti i costi. = *doveva essere vista*
> I regali **vanno** sempre **accettati**. = *devono essere accettati*
> Le persone anziane **vanno rispettate**. = *devono essere rispettate*

1. Secondo l'autore, il libro *doveva essere letto* da tutti.
2. Le merci *devono essere spedite* quanto prima.
3. L'insegnante ha detto che la forma passiva *doveva essere studiata*.
4. Un segreto non *deve essere rivelato* a nessuno.

5   Completate il testo con le parole mancanti. Usate una sola parola per ogni spazio.

La Gioconda o Monnalisa

Leonardo da Vinci

L'artista. Nel 1472, a soli vent'anni, dipinge a Firenze l'*Annunciazione* (Uffizi). Nel 1481 comincia l'*Adorazione dei magi* (Uffizi) (1)...................... lascia incompiuta per andare a Milano, dove (2)...................... circa vent'anni è al servizio di Ludovico il Moro (3)...................... pittore, scultore, architetto, regista e scenografo. A questo periodo appartengono *La Vergine delle rocce* e il famosissimo *Cenacolo* o *Ultima cena*, che si (4)...................... nel convento di Santa Maria delle Grazie, a Milano.

Nel 1501 torna di (5)...................... a Firenze dove dipinge *La Gioconda* (Louvre), sul (6)...................... sorriso enigmatico sono state avanzate tante teorie. Passa un secondo periodo fertile a Milano e muore in Francia nel 1517, dove era stato chiamato dal re Francesco I, suo (7)...................... ammiratore. Nei suoi dipinti applica la tecnica dello sfumato, cioè del morbidissimo chiaroscuro, frutto della sua sperimentazione tecnica.

Lo scienziato. Si occupa di anatomia, astronomia, idraulica, fisica, matematica e ottica. Le sue invenzioni e i suoi studi fanno di Leonardo forse il più grande genio di (8)...................... i tempi. Disegnò tantissime macchine (ad esempio elicotteri, carri armati) tutte rivoluzionarie per quell'(9)...................... . Lasciò oltre 7.000 manoscritti con schizzi, disegni, commenti, studi, tra cui il *Codice Atlantico*, il *Codice Arundel* e quello *sul* (10)...................... *degli uccelli* (anche per questo l'aeroporto di Roma si chiama *Leonardo da Vinci*).

L'*Ultima cena* (o *Cenacolo*): in questa meravigliosa opera Leonardo cerca di interpretare in maniera moderna un tema più volte affrontato in pittura. Così dà importanza alle reazioni emotive degli Apostoli all'annuncio di Gesù che qualcuno di loro lo tradirà.

 6 **Rispondete.**

1. Quali sono le opere più famose di Leonardo da Vinci? Cosa ne pensate? Scambiatevi idee.
2. Conoscete qualche teoria sul sorriso di Monnalisa? Parlatene.
3. Fate un breve confronto tra Michelangelo e Leonardo.

D Si vede?

 1 In coppia, leggete i due slogan pubblicitari e riflettete. Che cosa non si paga? Cosa si giudica dall'etichetta?

IL DESIGN C'È, SI VEDE, MA NON SI PAGA.

UN DIVANO 3 POSTI IN VERA PELLE A PARTIRE DA 70 EURO AL MESE.

LA QUALITÀ E LA BONTÀ DI UN GRATTUGIATO SI GIUDICANO DALL'ETICHETTA

Parmigiano Reggiano, Grana Padano ed Emmentaler Svizzero stagionati con cura, grattugiati e confezionati freschi, per garantirti il massimo della qualità. E' GranMix, la ricetta più classica di Ferrari. Al suo gusto unico, è impossibile resistere.

Ferrari. Dal 1823, solo il meglio.

2 Completate la tabella.

si passivante

L'espresso *è bevuto* a tutte le ore.	⇨	L'espresso **si beve** a tutte le ore.
La pasta *viene mangiata* al dente.	⇨	La pasta .... al dente.
Ormai non *vengono letti* molti libri.	⇨	Ormai non **si leggono** molti libri.
Ogni giorno *vengono inviate* molte e-mail.	⇨	Ogni giorno **si inviano** molte e-mail.

The *si passivante* is an impersonal passive form and is often preferable when we do not know who does the action. The verb (*si inviano*) always has a subject (*e-mail*) with which it agrees.

In the Appendix on page 179 you will find a complete table on the *si passivante*.

3 Formate delle frasi con il *si* passivante.

1. Il buon giorno *(vedere)* dal mattino.
2. Durante una lite spesso *(dire)* cose che possono far male.
3. Scherzi così non *(fare)*: qualcuno potrebbe offendersi.
4. Purtroppo in TV *(trasmettere)* scene di violenza anche nel pomeriggio!
5. In Italia *(vendere)* moltissime automobili Fiat.

11 - 13

4 La frase 3.1 è un proverbio italiano. Lavorando in coppia, cancellate la versione che non vi sembra logica, come nell'esempio, e scopritene altri.

1. Una rondine non fa primavera / ~~niente~~.

2. Tra il dire e il parlare / fare c'è di mezzo il mare.

3. Troppi galli a cantar non fa mai giorno / freddo.

4. Quando il gatto non c'è i topi lo cercano / ballano.

5. Peccato confessato non è / è mezzo perdonato.

6. L'abito non fa il monaco / la moda.

7. Non tutto il male vien a cena / per nuocere.

8. Tra moglie e marito non tagliare / mettere il dito.

9. L'appetito / Mio zio vien mangiando.

10. Moglie e buoi dei paesi tuoi / europei.

11. Le bugie hanno le gambe brutte / corte.

12. I panni sporchi si lavano in lavanderia / famiglia.

13. Patti chiari amicizia / giornata lunga.

14. Meglio tardi che sempre / mai.

5 Rispondete.

1. Avete capito tutti i proverbi? Quali esistono anche nella vostra lingua?
2. Cercate di tradurre in italiano due o tre noti proverbi del vostro paese. Poi leggeteli ai compagni: avete pensato agli stessi proverbi?

6 Scrivete una composizione *(120-140 parole)* che finisca o che cominci con uno dei proverbi visti. In alternativa potete scrivere due brevi racconti *(60-80 parole ciascuno)*.

7 Osservate le prime due frasi. Poi, in coppia, completate le altre due.

Il *si* passivante nei tempi composti

Si è costruito un nuovo parcheggio accanto alla stazione del metrò.
I risultati **si sono ottenuti** dopo tanto lavoro e molti sacrifici.

In Italia non *(investire)* **si** .... mai molto denaro nella ricerca.
Per arrivare all'accordo *(superare)* **si sono** .... tante difficoltà.

➡14

E   Ladri per natura?

1 Secondo voi, chi ruba è sempre da condannare? Leggete il testo per vedere se le vostre idee coincidono con quelle del protagonista.

Ladri in chiesa

Che fa il lupo quando la lupa e i lupetti hanno fame e stanno a pancia vuota litigando tra loro? Io dico che il lupo va in cerca di roba da mangiare e magari, dalla disperazione, scende al paese ed entra in una casa. E i contadini che l'ammazzano hanno ragione di ammazzarlo; ma anche lui ha ragione di entrare in casa loro e di morderli.

Quell'inverno io ero come il lupo e, anzi, proprio come un lupo, non abitavo in una casa ma in una grotta, laggiù, sotto Monte Mario. La sera quando ci tornavo e vedevo mia moglie sul materasso che mi guardava, e il bambino che teneva al petto che mi guardava, e i due bambini più grandi che giocavano per terra che mi guardavano, e leggevo in quegli otto occhi la stessa espressione affamata, pensavo: "Uno di questi giorni se non gli porto da mangiare, vuoi vedere che mi mordono?"

Fu Puliti che mi suggerì l'idea della chiesa e mi mise una pulce nell'orecchio, sebbene, poi, non ci pensassi e non ne parlassi più. Ma le idee, si sa, sono come le pulci e, quando meno te lo aspetti, ti danno un morso e ti fanno saltare in aria. Così, una di quelle sere ne parlai a mia moglie. Ora bisogna sapere che mia moglie è religiosa e al paese, si può dire, stava più in chiesa che in casa. Disse subito: "Che, sei diventato matto?" Io le risposi: "Questo non è un furto... la roba, nella chiesa perché ci sta? Per fare il bene... Se noi prendiamo qualche cosa, che facciamo? Facciamo il bene... A chi, infatti, si dovrebbe fare il bene se non a noi che abbiamo bisogno? Non è scritto forse che bisogna dare da mangiare agli affamati?" "Sì." "Siamo o non siamo affamati?" "Sì." "Ebbene in questo modo facciamo un'opera buona." Insomma tanto dissi, sempre insistendo sulla religione che era il suo punto debole, che la convinsi...

adattato da Racconti romani di Alberto Moravia

2 Rispondete.

1. Come riesce il protagonista a convincere sua moglie?
2. In che condizioni vive la famiglia? Da quali espressioni si capisce?
3. Immaginate e raccontate la fine del racconto.

Alberto Moravia

3 In coppia individuate quali delle affermazioni che seguono sono vere e quali sono false. Potete consultare anche le tabelle delle pagine precedenti. Le risposte le troverete alle pagine 179 e 180.

V	F	Tutti i verbi possono avere la forma passiva.
V	F	Il verbo *venire* si usa solo nei tempi semplici.
V	F	Preferiamo la forma passiva quando ci interessa chi fa l'azione.
V	F	Il verbo *andare* dà un senso di necessità.
V	F	La forma passiva dei verbi modali (*dovere - potere*) si forma con l'infinito del verbo *avere*.
V	F	La differenza tra il *si* impersonale e il *si* passivante sta nel fatto che il verbo di quest'ultimo ha un soggetto con cui concorda.

15 - 17

F Vocabolario e abilità

1 Lavorate in coppia. Nove di queste parole sono relative all'arte. Quali?

pittura	architetto	ufficio	astratta
capolavoro	restauro	carabinieri	capelli
scultore	mostra	affresco	statua

2 Abbinate le parole alle immagini.

a. natura morta   b. ritratto   c. paesaggio

3 Raccontate, oralmente o per iscritto, la storia che segue.

4 **Ascolto** Workbook (p. 143)

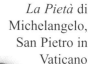

La Pietà di
Michelangelo,
San Pietro in
Vaticano

5 **Situazioni**

Role-play

1. **Sei *A***: visiterai Roma per la prima volta. Chiama *B*, che ci è già stato più volte, per chiedere informazioni sui musei più importanti della capitale, su come arrivarci, sugli orari, su alcune opere che vorresti vedere e così via.

   Sei *B*: consulta la breve guida che si trova a pagina 187 e fornisci ad *A* le informazioni richieste.

2. Sei *A*: vai in una galleria d'arte che vende quadri per trovare un dipinto per la tua casa/camera. Non hai le idee molto chiare, ti guardi intorno e chiedi aiuto al commesso. Lui (*B*) ti propone riproduzioni di opere classiche, ad esempio del Rinascimento italiano, ma tu vorresti qualcosa di più originale.

◆ Test finale

L'arte in Italia

Italia significa arte. È in Italia, infatti, che troviamo buona parte del patrimonio artistico mondiale ed è sempre in Italia che sono nati o si sono sviluppati importanti movimenti artistici, come ad esempio il Rinascimento*.

*Il famosissimo colonnato di Piazza S. Pietro, realizzato da **Gianlorenzo Bernini** alla metà del '600.*

Dal 1600 a oggi

L'arte italiana, naturalmente, non si esaurisce con Leonardo e Michelangelo. Bernini e Caravaggio nel '600; Luigi Vanvitelli, l'architetto della Reggia* di Caserta (pagina 148), nel '700; il pittore Giovanni Fattori nell'Ottocento: sono solo alcuni nomi di spicco* di una lunga e ricca tradizione artistica. Ma l'Italia ha continuato ad avere grandissimi esponenti in tutti i campi dell'arte anche nel '900. Tra i più noti, ricordiamo i pittori-scultori Amedeo Modigliani e Umberto Boccioni; i pittori Giorgio Morandi, famoso per le sue nature morte, e Renato Guttuso, uno dei più valutati in Italia; e, infine, lo scultore Arnaldo Pomodoro.

***Caravaggio**, "La conversione* di S. Paolo" (1601): lo stile rivoluzionario di Caravaggio ha esercitato una grande influenza su grandi pittori europei (Velasquez, Rembrandt).*

***Renato Guttuso**, "Vucciria" (1974). Il pittore ha svolto un ruolo fondamentale nell'evoluzione in senso "realista" e "impegnato"* della pittura italiana.*

***Amedeo Modigliani**, "Jeanne Hebuterne con grande cappello" (1918): uno dei tanti ritratti femminili dalla caratteristica figura allungata. Lo stile lineare dell'artista risente dell'arte africana e del cubismo.*

***Umberto Boccioni**, massimo esponente del movimento futurista* nei primi anni 20 del '900. La sua opera più famosa, "Forme uniche nella continuità dello spazio" (1913), è raffigurata sul retro delle monete italiane da 20 centesimi d'euro.*

Arnaldo Pomodoro,
"Grande Disco"
(1972), Milano,
Piazza Meda.

Gae Aulenti, Musée
d'Orsay, Parigi.

"London Bridge Tower"
(la "scheggia") di
Renzo Piano.

Sergio Pininfarina
accanto a uno dei tanti
modelli da lui disegnati.

Il "Pendolino"
firmato Giugiaro.

L'arte contemporanea è... a portata di mano!

Molti artisti contemporanei, come i loro più famosi predecessori, hanno realizzato opere su commissione* in tutto il mondo. Si tratta certamente di opere diverse, più attuali: monumenti cittadini, aeroporti, stazioni ferroviarie, grattacieli e così via.

Il gusto e l'estetica italiani, così celebrati* all'estero, sono infatti la degna* eredità dei grandi artisti del passato: architetti e designer contemporanei lavorano oggi in ogni angolo del mondo non solo per realizzare importanti edifici o monumenti, ma anche per disegnare la linea sinuosa* di mezzi di trasporto, come l'ultimo modello dell'*Alfa Romeo* o alcuni treni ad alta velocità fino a oggetti di uso quotidiano. I loro nomi sono forse meno noti al grande pubblico, ma sicuramente ognuno di noi, ovunque si trovi, ha "usato" le loro creazioni più di una volta! Potreste infatti aver viaggiato su un treno disegnato da Giugiaro per raggiungere un aeroporto progettato da Renzo Piano o aver visitato un museo realizzato da Gae Aulenti, aver atteso il vostro volo seduti comodamente su una poltrona *Frau*. Insomma, la nuova arte non è più solo nei musei: per apprezzarla basta... guardarsi bene intorno!

Glossary: <u>Rinascimento</u>: Renaissance; <u>reggia</u>: royal palace; <u>di spicco</u>: standout, leading; <u>conversione</u>: conversion; <u>impegnato</u>: committed; <u>futurista</u>: futurist; <u>commissione</u>: commission, order; <u>celebrare</u>: to celebrate, to praise; <u>degno</u>: worthy, dignified; <u>sinuoso</u>: sinuous.

Dopo aver letto i testi e le didascalie rispondete alle domande.

1. Perché l'arte di Caravaggio è stata importante a livello europeo?
2. Chi è stato il massimo esponente del Futurismo italiano?
3. Qual è la caratteristica principale delle donne di Modigliani?
4. Che tipo di opere creano gli artisti italiani contemporanei?
5. Che cosa hanno in comune Gae Aulenti e Renzo Piano?

Attività online

Autovalutazione
Che cosa ricordate delle unità 8 e 9?

1. Abbinate le frasi.

1. È arrivata la lettera che aspettavi.
2. Sai, Mario esce con Daniela.
3. Ma tu come l'hai capito?
4. Presto sapremo se dice la verità.
5. Ma ha fatto tutto da solo?

a. Ma chi se ne frega!?
b. No, si faceva aiutare da suo fratello.
c. Carla mi ha messo la pulce nell'orecchio.
d. Meglio tardi che mai.
e. Eh, le bugie hanno le gambe corte...

2. Sapete...? Fate l'abbinamento.

1. fare un'ipotesi realizzabile
2. chiedere conferma
3. confermare qualcosa
4. riallacciarsi a un discorso
5. congratularsi

a. Ti assicuro che le cose sono andate così.
b. Ma sul serio ha detto così?
c. Ingegnere, mi complimento con Lei!
d. Se mi dicessi la verità, ti potrei aiutare.
e. A proposito, com'era la festa?

3. Completate le frasi con le parole date. Dove necessario mettete le parole al plurale.

ladro rubare scultore artista capolavoro pittore opera furto Carabiniere

1. Con le moderne misure di sicurezza è molto difficile che si riesca a .... una famosa .... d'arte.
2. Il .... è stato arrestato dai .... un mese dopo il ....
3. Botticelli fu tra i più grandi .... del '400 e *La nascita di Venere* è uno dei suoi ....
4. Michelangelo non era solo un ....: infatti, è considerato anche uno dei più grandi .... di tutti i tempi.

4. Completate o rispondete.

1. L'autore dell'*Ultima cena*: ....
2. L'autore degli affreschi della Cappella Sistina: ....
3. Disse "Eppur si muove!": ....
4. La forma passiva di "Gianni invitava spesso Teresa": ....
5. "Va visto" significa: ....

Verificate le vostre risposte a pagina 182. Siete soddisfatti?

La Reggia
di Caserta (Campania)

Paese che vai, problemi che trovi

Per cominciare...

 1 Lavorate in coppia. Quali di queste parole conoscete? Potreste spiegarne, in italiano, il significato ai vostri compagni?

furto	tizio
rubare	porta blindata
ladro	allarme

 2 Ascoltate le prime quattro battute (fino ad "allarme modernissimo.") del dialogo che racconta una storia vera! Secondo voi, che cosa è successo a Ivana?

 3 Ascoltate ora l'intero dialogo e verificate le vostre ipotesi.

 4 Ascoltate di nuovo e indicate le affermazioni veramente presenti.

    1. C'è stato un furto in un appartamento.
    2. Ivana vive da sola.
    3. Il sistema d'allarme non ha funzionato.
    4. L'appartamento di Ivana aveva una porta blindata.
    5. I ladri non hanno fatto in tempo a rubare molte cose.
    6. Ivana ha visto i ladri in faccia.
    7. I ladri hanno rubato anche il televisore di un vicino.
    8. I ladri erano mascherati.
    9. Ivana ha parlato con i ladri.
    10. Quando Ivana è entrata in casa è rimasta senza parole.

In this unit... (Glossary on page 205)

1. ...we learn to express a negative experience, to quote someone's words, to express indifference, to speak about social problems
2. ...we get to know the difference between the discorso diretto and indiretto
3. ...we find information about some aspects and problems of Italian society today

A Criminalità e altre... storie

1 **Leggete il dialogo e verificate le vostre risposte all'attività precedente.**

Luca: Hai sentito cos'è successo a Ivana?

Anna: A Ivana? No! Che cosa le è capitato?

Luca: L'ho vista stamattina che usciva dalla Questura, mi ha detto che ieri le sono entrati i ladri in casa...

Anna: No! Ma... a quanto ne so aveva installato un sistema d'allarme modernissimo!

Luca: No, mi ha detto che era troppo caro e aveva comprato "solo" una porta blindata.

Anna: "Solo", eh? Evidentemente non è bastata. E cosa hanno rubato?

Luca: Tutto, in pratica: hanno preso i divani, le poltrone, i quadri, i tappeti, il televisore... ma la cosa più assurda è che mi ha detto di aver visto praticamente i ladri all'opera!

Anna: Cosa???

Luca: Sì, ha notato sotto casa il camion di una ditta di traslochi, e poi dalle scale ha visto scendere dei tizi che portavano via un grande televisore e Ivana ha subito notato che era come il suo!

Anna: ...Quelli erano i ladri!?

Luca: Sì, travestiti da facchini! Sai che le hanno detto? "Signora, questo modello ormai ce l'hanno tutti!"

Anna: Che faccia tosta!

Luca: Sì, davvero! Allora Ivana si è messa a parlare con loro: "Che caldo che fa, eh?", gli ha detto; "Non deve essere facile lavorare con questa umidità!" e ha aperto il portone per aiutarli!

Anna: Ma è il colmo! E loro?

Luca: Niente, le hanno detto "Grazie mille, signora!" e sono usciti tranquillamente!

Anna: Immagino che faccia ha fatto Ivana quando è entrata in casa.

Luca: Sì, mi ha detto che non credeva ai suoi occhi. E pensare che li ha anche salutati!

2   **Indicate lo scopo comunicativo che hanno queste frasi nel dialogo.**

1. Nel dialogo Anna dice "a quanto ne so" e intende dire:
▢ a. "da quello che so"
▢ b. "non conosco il risultato"
▢ c. "non mi sembra"

2. Più avanti Anna dice "Ma è il colmo!", come per dire:
▢ a. "Che cosa divertente!"
▢ b. "Che bello!"
▢ c. "È una cosa davvero incredibile!"

3. Anna infine dice "Che faccia tosta!", intende dire che i ladri:
▢ a. non hanno avuto paura di Ivana
▢ b. non hanno provato vergogna
▢ c. non avevano una bella faccia

3   **Anna incontra Ivana. Completate il dialogo con:** era, doveva, quella, mi, faceva, scendevano, è, avevano.

Anna:	Ciao, Ivana, come stai? Luca mi ha raccontato quello che ti è successo l'altro giorno! È vero che...
Ivana:	...che .... sono entrati i ladri in casa? Sì, Anna, sono disperata! Tutto hanno portato via, tutto... anche i tappeti!
Anna:	Dio mio, Ivana, ma è vero che li hai visti?
Ivana:	Sì! Quando all'inizio ho visto che .... col mio televisore ho detto: "Toh, questo televisore .... proprio come il mio!" e loro mi hanno risposto che ormai ce l' .... in molti, quel modello... che faccia tosta!
Anna:	Eh sì, infatti!
Ivana:	La cosa che mi fa più rabbia è che li ho pure aiutati! Abbiamo anche parlato un po'!
Anna:	...Del tempo, mi ha detto Luca.
Ivana:	Incredibile, no? Io ho fatto notare che .... molto caldo e sicuramente non .... essere facile lavorare con .... umidità.
Anna:	E loro ti hanno risposto?
Ivana:	Sì, e sembravano anche simpatici! Pensa che uno di loro, pure un bel ragazzo, mi ha detto che lui al caldo ci .... abituato e, alla fine, mi ha ringraziato gentilmente prima di uscire!
Anna:	Insomma, un ladro gentiluomo!

 4   **Raccontate in breve *(50-60 parole)* quello che è successo a Ivana.**

5 Osservate queste frasi tratte dai dialoghi. Che cosa notate?

Ivana dice: Ivana ha detto che...

"...questo televisore è proprio come il mio!"   ⇨ ...quel televisore era proprio come il suo...

"Non deve essere facile lavorare..."   ⇨ ...non doveva essere facile lavorare...

6 Completate la tabella.

Discorso diretto e indiretto (I)

DISCORSO DIRETTO	DISCORSO INDIRETTO
PRESENTE ⇨ Maria ha detto: "Non *sto* tanto bene".	**IMPERFETTO*** Maria ha detto che non *stava* tanto bene.
IMPERFETTO ⇨ Disse: "Da giovane *viaggiavo* spesso".	**IMPERFETTO** Disse che da giovane *viaggiava* spesso.
PASSATO PROSSIMO ⇨ Disse: "*Ho lavorato* per 40 anni".	**TRAPASSATO PROSSIMO*** Disse che .... per 40 anni.
TRAPASSATO PROSSIMO ⇨ Mi ha detto: "*Ero entrato* prima di te".	**TRAPASSATO PROSSIMO** Mi ha detto che *era entrato* prima di me.
FUTURO (O PRESENTE come futuro) ⇨ Ha detto: "*Andrò* via".	**CONDIZIONALE COMPOSTO*** Ha detto che *sarebbe andato* via.
CONDIZIONALE SEMPLICE O COMPOSTO ⇨ Ha detto: "*Mangerei* un gelato". Ha detto: "*Sarei uscito*, ma piove".	**CONDIZIONALE COMPOSTO** Ha detto che ....* un gelato. Ha detto che *sarebbe uscito*, ma pioveva.

As you can see, in the passage from the *discorso diretto* to the *indiretto*, if the introductory verb is in the past a series of changes take place (also see the Appendix on page 180). *Changing the verbal tense is not necessary if the effects of the action are still apparent in the present time. For example:

PRESENTE ⇨ Mara ha detto (poco fa): "Non *sto* bene".	**PRESENTE** Mara ha detto che non *sta* bene. (Mara is still not well at this moment)

7 Trasformate oralmente le frasi al discorso indiretto.

1. "Mio padre è andato in pensione." Enrica ha detto che...
2. "Probabilmente venderò la mia macchina." Amedeo disse che...
3. "Quando ero piccola andavo spesso al mare." Amelia mi ha raccontato che...
4. "Non avete studiato abbastanza." Il professore ha detto che...
5. "Passeremmo volentieri le nostre vacanze a Capri." I signori Bassani dissero che...

1 - 5

B   Io no...

1   Leggete e commentate la canzone *Io no* di Jovanotti, un artista amatissimo dai giovani, nella quale comunica in un linguaggio moderno alcuni messaggi importanti.

C'è qualcuno che fa di tutto
per renderti la vita impossibile.
C'è qualcuno che fa di tutto
per rendere questo mondo invivibile.
Io no... Io no...
C'è qualcuno che dentro a uno stadio
si sta ammazzando per un dialetto.
E c'è qualcuno che da quarant'anni
continua a dire che tutto è perfetto.
C'è qualcuno che va alla messa
e si fa anche la comunione,
e poi se vede un marocchino per strada
vorrebbe dargliele con un bastone.
Ma a questo punto hanno trovato un muro
un muro duro, molto molto duro.
Siamo noi, siamo noi...
E c'è qualcuno che in una pillola
cerca quello che non riesce a trovare,
allora pensa di poter comprare

ciò che la vita gli può regalare.
Ci sono bimbi che non han futuro
perché da noi non c'è posto per loro.
Ci sono bimbi che non nasceranno
perché gli uomini si sono arresi.
Ma a questo punto hanno trovato un muro
un muro duro, molto molto duro.
Siamo noi, siamo noi...
Vorrei vedere i fratelli africani
aver rispetto per quelli italiani.
Vorrei vedere i fratelli italiani
aver rispetto per quelli africani,
per quelli americani,
per quelli africani.
E quelli americani per quelli italiani.
Quelli milanesi per quelli
palermitani, napoletani.
Roma, Palermo, Napoli, Torino.
Siamo noi, siamo noi...

Jovanotti

2   In coppia, lavorate sulla canzone.

1. Di quali problemi/aspetti sociali parla Jovanotti e in quali versi in particolare?
   ☐ droga, ☐ razzismo, ☐ violenza, ☐ ecologia, ☐ politica, ☐ povertà, ☐ aborto,
   ☐ criminalità, ☐ divario tra le generazioni, ☐ divario tra Nord e Sud, ☐ disoccupazione.
2. Scegliete i versi che vi piacciono di più e spiegatene il perché.

3   Ascoltate i mini dialoghi e abbinateli alle immagini.

46

4 Quante espressioni che esprimono indifferenza riuscite a ricordare dopo l'ascolto? Scrivetele sotto. Dopo ascoltate di nuovo per verificare le vostre risposte.

Esprimere indifferenza

Non mi interessa affatto!

....

....

....

....

Me ne infischio!

5 Sei *A*: informi *B* a proposito di...

Role-play

| un film giapponese che si dà in un cinema vicino | un concerto che Jovanotti terrà nella vostra città | una gita al mare a cui siete stati invitati |

| un salone di auto che apre domani | un'importante vittoria della Roma | una presentazione di un romanzo |

Sei *B*: rispondi ad *A* usando anche le espressioni del punto precedente.

6 Nel passaggio dal discorso diretto a quello indiretto cambiano anche gli indicatori di spazio e di tempo. In coppia, completate le frasi con *quel giorno, dopo, quelle, il giorno precedente*.

Discorso diretto e indiretto (II)

DISCORSO DIRETTO	DISCORSO INDIRETTO
"*Queste* scarpe sono mie."	Ha detto che .... scarpe erano sue.
"*Ora* non possiamo fare niente."	Disse che *allora* non potevano fare niente.
"*Oggi* i miei non lavorano."	Ha detto che .... i suoi non lavoravano.
"Partirò *domani*."	Ha detto che sarebbe partito *il giorno dopo*.
"L'ho visto *ieri*."	Ha detto che l'aveva visto ....
"Tornerò *fra* tre giorni."	Ha detto che sarebbe tornato tre giorni ....
"Li ho visti due ore *fa*."	Ha detto che li aveva visti due ore *prima*.

Note: The change of these indicators is not always obligatory:

Carlo dice (oggi): "Verrò *domani*".   Carlo ha detto (oggi) che verrà *domani*.

Further information in the Appendix on page 180.

7   Trasformate le frasi dal discorso indiretto a quello diretto.

1. Disse che lì dentro non c'era niente.
2. Ha detto che quella sera avrebbe guardato la tv.
3. Ha promesso che il giorno dopo avrebbe finito tutto.
4. Ha detto che solo allora capiva.
5. Mi ha detto che l'aveva incontrato due giorni prima.

6 - 8

C   In una pillola...

1   In *Io no* abbiamo trovato il verso "c'è qualcuno che in una pillola cerca quello che non riesce a trovare". Secondo voi, come e per quali motivi un giovane inizia a fare uso di droghe, leggere o pesanti?

2   Questo grafico descrive il problema della droga in Italia. In coppia, inserite i numeri dati in basso. (La soluzione è in fondo alla pagina). C'è qualche dato statistico che vi colpisce?

500.000	....	28.000	....	.... anni
IL NUMERO DI TOSSICODIPENDENTI IN ITALIA	TOSSICODIPENDENTI IN CURA PRESSO I 562 SERVIZI PUBBLICI	TOSSICODIPENDENTI IN CURA PRESSO LE 1.400 COMUNITÀ DI ACCOGLIENZA LAICHE E RELIGIOSE	CONSUMATORI DI DROGHE LEGGERE	ETÀ MEDIA DEI TOSSICODIPENDENTI

30, 300.000, 3.500.000

3   Osservate questa pubblicità. Secondo voi, di che cosa si tratta e che scopo ha?

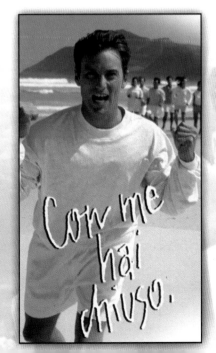

4   Per vedere se le vostre ipotesi erano giuste, girate pagina e leggete l'intero testo.

Soluzione dell'attività 2
in ordine: 300.000, 3.500.000, 30

5 Lavorate in coppia. Cercate nel testo parole o frasi che hanno un significato simile a:

stanchezza, sforzo:

....

ci puoi riuscire:

....

non perdere tempo:

....

risolvere il problema:

....

criminalità organizzata:

....

spaccio (commercio) di droga:

....

per sempre, definitivamente:

....

USCIRE DALLA DROGA SE VUOI INSIEME POSSIAMO

Non sarà facile. Ti costerà fatica, ma ce la puoi fare. Altri prima di te ci sono riusciti. Grazie alla loro volontà, grazie all'affetto di chi gli è stato vicino, grazie alle strutture a disposizione di chi vuole liberarsi dalla droga. Non rimandare neanche di un minuto. Ogni giorno che passa diminuiscono le possibilità di trovare una via d'uscita. Ogni giorno che passa il tuo corpo e la tua mente diventano sempre più deboli e la malavita che controlla il traffico di stupefacenti sempre più ricca. Trova il coraggio di chiedere aiuto, trova la forza di dire una volta per tutte: CON ME HAI CHIUSO.

Presidenza del Consiglio dei Ministri

D   Paure...

 1 Secondo voi, di che cosa hanno più paura gli italiani? Ascoltate una prima volta questo servizio radiofonico e sottolineate le parole veramente pronunciate.

arresti   immigrazione   prigione   delinquenti   rapina   spacciatori   accusato

tossicodipendenti   criminalità   giudice   minaccia   pena   carabinieri   furto

2 Ascoltate di nuovo e indicate le affermazioni veramente presenti.

1. Agli italiani fanno più paura le minacce "vicine". ▪
2. Il CENSIS ha condotto molte ricerche su questo argomento. ▪
3. In Italia ci sono moltissimi zingari. ▪
4. Gli italiani non hanno paura della microcriminalità. ▪
5. I tossicodipendenti non sono i criminali più temuti. ▪
6. C'è anche chi ha paura degli immigrati. ▪
7. La microcriminalità è un fenomeno degli ultimi anni. ▪
8. La mafia è considerata un pericolo lontano, non quotidiano. ▪
9. I piccoli reati creano negli italiani un senso di insicurezza. ▪
10. Ci sono molti più furti al Sud. ▪

3 Qual è la punizione peggiore per un ladro? Forse non quella che pensate. Completate questa notizia di cronaca con: carabinieri, accusato, giudice, prigione, pena, arresti.

20 | **Cronache** | LA STAMPA | MARTEDÌ 24 APRILE

Evade dagli arresti domiciliari:
"Non sopporto più i miei suoceri!"

MESSINA - Quando la convivenza coi suoceri diventa una (1).................. più dura di quella vera: almeno è stato così per un 29enne di Messina, Alessandro Boldi, "evaso" da casa dei genitori di sua moglie, dove era agli arresti domiciliari per tentato furto, perché non ne poteva più della convivenza con loro. Che fare, si è chiesto? "Meglio in carcere che continuare a stare coi miei suoceri", si è risposto il giovane ed è andato dritto alla caserma dei carabinieri. "Maresciallo, mi (2)........................ . Non ne posso più di loro", ha pregato. E i militari, infatti, lo hanno arrestato per evasione.

La storia è iniziata quando Boldi, (3)................................ di tentato furto, aveva ottenuto di poter scontare la sua (4)........................ in casa. Quando il giudice gli ha chiesto dove volesse abitare, l'uomo aveva indicato come domicilio proprio quello dei suoceri. Una scelta di cui Boldi si è pre-

sto pentito: disperato dalle continue liti, non aveva altra scelta che evadere. Poi, è andato direttamente alla stazione dei (5)........................, ai quali ha chiesto di metterlo in galera.

Ma non è mica così semplice evitare i suoceri: il (6)........................ lo ha sì condannato per l'evasione, ma non lo ha mandato in carcere come Boldi sperava: lo ha rispedito nuovamente agli arresti domiciliari...

da La Stampa

 4 Nel testo precedente abbiamo letto "ai quali ha chiesto di metterlo in galera" e "il giudice gli ha chiesto dove volesse abitare". In coppia, scegliete le forme giuste nella colonna a destra.

Discorso diretto e indiretto (III)

DISCORSO DIRETTO	DISCORSO INDIRETTO
"*Parla* più piano!"	Mi ha detto *di parlare/che parlavo* più piano.
"*Vengono* spesso a farmi visita."	Disse che *vanno/andavano* spesso a farle visita.
Le chiese: "*Hai visto* Marco?"	Le chiese se *avesse visto/abbia visto* Marco.
Mi ha chiesto: "A che ora *tornerai*?"	Mi ha chiesto a che ora *sarei tornato/tornerò*.

The answers are in the Appendix on pages 180 and 181.

➡ 9 e 10

E   Anche noi eravamo così.

1   Osservate queste due foto. Secondo voi, è stato più difficile rifarsi una vita per gli italiani che emigrarono all'estero un secolo fa o per chi emigra oggi, in Italia o in altri paesi?

primo '900   *oggi*

2   Leggete il testo, scritto da un famoso giornalista italiano.

"Vu' cumprà"

È brutto chiamare gli stranieri "vu' cumprà" o è anche un po' affettuoso? Sono troppi, non sappiamo come sistemarli, ma non sarebbe meglio se tentassimo di conciliare una regola giusta con un comportamento più corretto? Proprio noi, che mandavamo in giro i nostri compatrioti con il passaporto rosso, ammucchiati sui piroscafi che li portavano, in ogni senso, in "terre assai luntane"?

Quante offese avevano sopportato i piccoli siciliani e i piccoli napoletani, sbarcati con la valigia di fibra e il bottiglione dell'olio a Ellis Island. Li chiamavano "testa di brillantina", per quei capelli lucidi e divisi dalla riga come li portava Rodolfo Valentino nel *Figlio dello sceicco*; "dago", che vuol dire uno che viene dall'Italia; o "maccaroni", che non ha bisogno di spiegazioni. Molti non sapevano né leggere né scrivere, molti di loro ancora adesso dicono "giobbo" per lavoro.

Pensavo a queste storie seguendo le cronache del parlamento e anche della malavita: e mentre davo il solito obolo al solito giovanotto dalla pelle scura che ti offre l'accendino. Tra loro ci saranno pure dei delinquenti, ma circolano lavavetri che hanno una laurea in ingegneria, o camerieri che possiedono un diploma. Certo, è una massa di disperati, che tentano di sopravvivere: so, quasi sempre, da dove vengono, quali tragedie lasciano alle spalle. Buttarli fuori è una crudeltà, ma lo è anche lasciarli andare alla ventura, quando c'è una mezza Italia che è una grande Harlem, o la periferia di Washington con tante antenne tv, e centinaia di migliaia di "vu' cumprà" bianchi, che sono nostri fratelli...

adattato da I come italiani *di Enzo Biagi*

3 Lavorate in piccoli gruppi e svolgete uno dei seguenti compiti:

a. un gruppo seleziona 6 parole chiave del testo;

b. un gruppo riassume il testo in una frase;

c. un altro gruppo riassume il testo in un breve paragrafo;

d. un altro ancora esprime in 10-15 parole le sue reazioni e i suoi commenti su quello che ha letto.

Alla fine, confrontate il risultato del vostro lavoro con quello degli altri gruppi.

Look:

emigrare - emigrato ⇨ estero
immigrare - immigrato ⇨ interno

4 **Rispondete alle domande.**

1. Anche il vostro è un paese multietnico come l'Italia odierna? Ci sono differenze sociali che dipendono dalla nazionalità?
2. Nel passato, milioni di italiani emigrarono all'estero. Anche nel vostro paese si è verificato lo stesso fenomeno? Parlatene.
3. Ci sono milioni di italiani sparsi per il mondo. Da voi è presente una comunità italiana? Cosa ne sapete?

5 **All'inizio del testo della pagina precedente abbiamo letto "…se tentassimo di conciliare una regola giusta…". Come si trasformerebbe questa frase al discorso indiretto? Osservate:**

Il periodo ipotetico nel discorso indiretto	
DISCORSO DIRETTO	DISCORSO INDIRETTO
"Se *avessi* tempo, *viaggerei*." ⇨	Diceva che se *avesse* tempo, *viaggerebbe*. Diceva che se *avesse avuto* tempo, *avrebbe viaggiato*.
"Se *vinceremo*, *saremo* campioni." ⇨	L'allenatore ha detto che se *vinceranno*, *saranno* campioni.
Napoleone: "Se *vincerò*, *diventerò* imperatore". ⇨	Napoleone disse che se *avesse vinto*, *sarebbe diventato* imperatore.

Also in this case, if the introductory verb refers to the present, tenses do not change.

Further information is in the Appendix on page 181.

11 - 14

F Vorrei che tu fossi una donna...

1 Leggete la frase del titolo. Secondo voi, chi potrebbe averla pronunciata?

2 Un altro problema dell'Italia moderna è il calo delle nascite: gli italiani fanno sempre meno figli rispetto ad altri popoli e sicuramente rispetto al passato. Perché, secondo voi?

3 Vediamo ora cosa dice una donna incinta al bambino che aspetta.

Vorrei che tu fossi una donna. Vorrei che tu provassi un giorno ciò che provo io: non sono affatto d'accordo con mia madre la quale pensa che nascere donna sia una disgrazia. Lo so: il nostro è un mondo fabbricato dagli uomini per gli uomini, la loro dittatura è così antica che si estende perfino al linguaggio. Si dice uomo per dire uomo e donna, si dice bambino per dire bambino e bambina, si dice omicidio per indicare l'assassinio di un uomo e di una donna. [...] Eppure, o proprio per questo, essere donna è così affascinante. È un'avventura che richiede un tale coraggio, una sfida che non annoia mai. [...] Dovrai batterti continuamente. E spesso, quasi sempre, perderai. Ma non dovrai scoraggiarti. Battersi è molto più bello che vincere, viaggiare è molto più bello che arrivare: quando sei arrivato o hai vinto, avverti un gran vuoto. E per superare quel vuoto devi metterti in viaggio di nuovo, crearti nuovi scopi.

Ma se nascerai uomo io sarò contenta lo stesso. E forse di più perché ti saranno risparmiate tante umiliazioni, tanti abusi. Se nascerai uomo, ad esempio, non dovrai temere d'essere violentato nel buio di una strada. Non dovrai servirti di un bel viso per essere accettato al primo sguardo, di un bel corpo per nascondere la tua intelligenza. Non subirai giudizi malvagi quando dormirai con chi ti piace. Naturalmente ti toccheranno altre schiavitù, altre ingiustizie: neanche per un uomo la vita è facile, sai. Poiché avrai i muscoli più saldi, ti chiederanno di portare fardelli più pesanti. Poiché avrai la barba, rideranno se tu piangi e perfino se hai bisogno di tenerezza. Ti ordineranno di uccidere o essere ucciso alla guerra. Eppure, o proprio per questo, essere un uomo sarà un'avventura altrettanto meravigliosa. Se nascerai uomo, spero che sarai un uomo come io l'ho sempre sognato: dolce coi deboli, feroce coi prepotenti, generoso con chi ti vuole bene.

ridotto da Lettera ad un bambino mai nato di Oriana Fallaci

4 Senza preoccuparvi delle parole sconosciute, indicate a quale paragrafo corrisponde ogni affermazione.

	1°	2°
1. Per le donne la vita è difficile da sempre.		
2. Una bella presenza è sempre un vantaggio.		
3. A volte la lingua è poco democratica.		
4. Il risultato non è quel che conta di più.		
5. La vita non è facile neanche per gli uomini.		
6. Bisogna sempre guardare avanti.		
7. Avrai più libertà.		
8. Sono le difficoltà a rendere la vita interessante.		

5   Rispondete.

1. "*...viaggiare è molto più bello che arrivare*". Siete d'accordo?
2. "*Poiché avrai la barba, rideranno se tu piangi...*". Secondo voi, gli uomini non hanno il diritto di piangere? Cosa ne pensano le donne?
3. Oriana Fallaci scrisse questo libro negli anni '70. Cos'è cambiato da allora per la donna? Qual è la sua posizione sociale oggi? Esiste vera parità dei sessi?
4. Secondo voi, è più difficile essere donne o uomini? Scambiatevi idee.

G   Vocabolario e abilità

1   Vocabolario. Scrivete i sostantivi che derivano dai verbi e viceversa.

arrestare	convivenza ....
minacciare	evasione ....
aiutare	assassinio ....
rubare*	droga ....

* relativo al verbo, ma con un'altra radice

2   Ascolto Workbook (p. 154)

3   Situazione

Role-play

Una tua cugina (*A*) ti confida che da tempo esce con un ragazzo che in passato ha avuto problemi con la giustizia. Ormai dopo tre anni i due ragazzi pensano di sposarsi, però, c'è un piccolo problema: lei non sa come annunciarlo a suo padre che è un tipo tradizionalista. Tu (*B*) cerchi di sapere di più su questa relazione e proponi qualche idea per rendere l'annuncio e l'incontro tra i due uomini il più facile possibile.

4   Scriviamo

1. Raccontate una notizia di cronaca, vera o immaginaria, possibilmente originale e curiosa. *(120-140 parole)*

2. Siamo quasi alla fine di questo libro. Che cosa vi è piaciuto di più e cosa di meno, qual è stata l'unità più interessante? Scrivete una breve e-mail agli autori (redazione@edilingua.it) per esporre brevemente *(60-80 parole)* le vostre impressioni e proporre qualche idea!

 Test finale

Aspetti e problemi dell'Italia moderna

L'Italia è sicuramente uno dei paesi più belli del mondo. Tant'è vero che gli italiani stessi lo chiamano "Belpaese". Per quanto questa penisola sia unica, però, non è perfetta: vediamo in breve alcuni dei suoi problemi.

Una delle tante agenzie per il lavoro temporaneo in Italia

Uno dei grandi problemi dell'Italia di oggi è la "**sottoccupazione**", cioè il lavoro precario*, saltuario* e il lavoro nero*. I giovani alla ricerca di un lavoro, infatti, sono spesso costretti a lavorare senza contratto o con contratti a tempo determinato. Questo tipo di situazione preclude* ai giovani la possibilità di formarsi una famiglia, avere dei figli, avere in definitiva una vita "normale" come i loro genitori.

Un altro aspetto negativo dell'Italia è il grande **divario*** tra Nord e Sud. Altissimo livello di disoccupazione e basso grado di sviluppo economico del Sud sono purtroppo realtà che hanno una lunga storia e varie cause.

Uno dei problemi più gravi e profondi del Sud, ma che coinvolge l'intero Paese, è la **criminalità organizzata**, di cui la Mafia siciliana, o *Cosa Nostra*, è l'espressione più eclatante* e nota, grazie anche a numerosi film celebri. *Cosa Nostra* affonda le sue radici nell'Ottocento e controlla ancora oggi gran parte dell'attività economica dell'isola, come pure il traffico di droga e di armi, contando spesso sul sostegno di politici e giudici corrotti*. Chi cerca di combatterla sa di rischiare la vita e la lista delle vittime della Mafia è tristemente lunga. La vera forza della mafia è quindi l'*omertà*, la legge, cioè, del silenzio e della paura. Negli ultimi anni, lo Stato ha arrestato molti "boss" mafiosi, grazie alle testimonianze di uomini della malavita "pentiti". La mafia ha varie forme di organizzazione e, a seconda delle zone in cui si è radicata, nomi differenti: in Campania si chiama *camorra*, in Calabria *'ndrangheta*, mentre in Puglia si parla di *Sacra Corona Unita*.

Nonostante i non pochi problemi, l'immagine dell'Italia come "paese delle meraviglie" è ancora molto forte all'estero e ogni anno sono migliaia gli **immigrati** clandestini* che cercano di sbarcare sulle coste italiane in cerca di una vita migliore, che spesso però non trovano. Infatti, sono diventate sempre più rigorose le leggi che cercano di fermare l'immigrazione clandestina; allo stesso tempo, lo Stato italiano e le varie istituzioni fanno il possibile per aiutare gli immigrati regolari a integrarsi* (corsi d'italiano, assistenza sanitaria e così via).

Un "pentito" durante un processo di Mafia

Un altro preoccupante problema dell'Italia di oggi e... di domani è sicuramente il **calo delle nascite**. Il Belpaese ha, infatti, la più bassa percentuale di bambini per coppia in Europa: appena 1,20! Se da una parte nascono pochi bambini, dall'altra, vivendo più a lungo che in passato, gli italiani stanno diventando una nazione di anziani. Il crescente numero dei pensionati supera già quello dei giovani sotto i 25 anni e le previsioni per il futuro sono tutt'altro che ottimistiche. Negli ultimi anni la tendenza si è leggermente invertita, proprio grazie agli stranieri.

1. "Sottoccupazione" significa
☐ a. avere un salario molto basso
☐ b. mancanza di lavoro
☐ c. fare un lavoro precario
☐ d. lavorare per ditte poco importanti

2. *Cosa Nostra*
☐ a. non esiste più dagli anni Novanta
☐ b. ha spesso potenti alleati
☐ c. ha circa trecento anni di vita
☐ d. controlla l'economia italiana

Una foto "storica" e drammatica degli anni Novanta, quando arrivavano ogni giorno in Italia navi cariche di profughi.

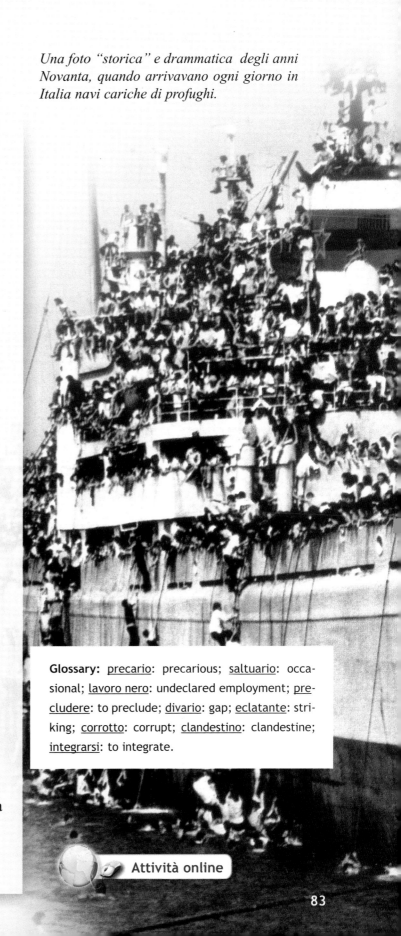

EUROPEI SEMPRE MENO
Proiezione della popolazione dell'Unione Europea dal al 2050 (in milioni)

	OGGI	2020	2050
Unione Europea	371,6	363,8	303,5
Austria	8,0	7,9	6,6
Belgio	10,1	9,9	8,4
Danimarca	5,2	5,1	4,3
Finlandia	5,1	5,0	4,2
Francia	58,0	59,3	52,3
Germania	81,5	79,1	63,4
Gran Bretagna	58,5	58,0	50,5
Grecia	10,4	10,4	9,1
Irlanda	3,6	3,7	3,1
Italia	57,3	52,8	40,5
Lussemburgo	0,4	0,4	0,4
Paesi Bassi	15,4	15,4	13,7
Portogallo	9,9	9,9	8,6
Spagna	39,2	39,2	30,5
Svezia	8,8	8,8	8,0

3. Lo Stato è riuscito a colpire la mafia grazie
☐ a. alla collaborazione di alcuni ex mafiosi
☐ b. all'omertà diffusa nelle zone del Sud
☐ c. ai giudici corrotti
☐ d. ad alcuni famosi film americani

4. L'immigrazione clandestina in Italia
☐ a. ha una lunga storia alle spalle
☐ b. è scoraggiata dallo Stato
☐ c. è costituita soprattutto da asiatici
☐ d. ha portato problemi di ordine pubblico

Glossary: precario: precarious; saltuario: occasional; lavoro nero: undeclared employment; precludere: to preclude; divario: gap; eclatante: striking; corrotto: corrupt; clandestino: clandestine; integrarsi: to integrate.

5. In Italia
☐ a. il tasso delle nascite è nella media europea
☐ b. presto ci saranno troppi pensionati
☐ c. ci sarà un aumento della popolazione
☐ d. i giovani saranno più degli anziani

Attività online

Autovalutazione
Che cosa ricordate delle unità 9 e 10?

1. Sapete...? Fate l'abbinamento.

1. esprimere indifferenza
2. chiedere conferma
3. confermare qualcosa
4. esprimere un parere soggettivo
5. esprimere simpatia per qualcuno

a. Ma veramente è successo così?
b. Poverino, non l'ha fatto apposta.
c. Francamente, me ne infischio!
d. Non scherzo, ha detto così!
e. A quanto ne so è onesto.

2. Abbinate le frasi.

1. Ieri mi ha telefonato Franca!
2. Lo vedi così elegante, ma è un maleducato.
3. Ha sposato il medico che l'aveva in cura.
4. E come si è giustificato?
5. È vero che gli affari vanno male?

a. Ha inventato una storia, come al solito.
b. Sì, andiamo di male in peggio.
c. E a me, che me ne importa?
d. Eh, non tutto il male vien per nuocere.
e. Si sa, l'abito non fa il monaco!

3. Completate o rispondete.

1. Quale parte dell'Italia ha avuto uno sviluppo più lento? ....
2. Come si chiama la criminalità organizzata della Campania? ....
3. Famosa Galleria di Firenze: ....
4. Nel discorso indiretto "domani" diventa: ....

4. Completate le frasi con le parole mancanti.

1. Sono più severe le pene per gli s................................
di droga che per i t.................................

2. È finito in c................................ perché il
g................................ non ha creduto alla sua storia.

3. Con l'arrivo di i................................ provenienti
da varie parti del mondo, l'Italia è diventata
un paese veramente mu................................

4. L'arresto del famoso b................................ è stato
un duro colpo per la c................................
organizzata calabrese.

5. Al *Metropolitan Museum* sono state esposte
o................................ dei maggiori
a................................ italiani del Rinascimento.

**Verificate le vostre risposte a pagina
182. Siete soddisfatti?**

I trulli di Alberobello (Puglia)

Per cominciare...

 1   Lavorate in coppia. Secondo voi, a quale genere letterario appartiene ciascun libro?

- ☐ romanzo storico
- ☐ favola
- ☐ giallo
- ☐ romanzo d'amore
- ☐ teatro
- ☐ saggio

 2   Vi piace leggere? Che genere preferite? Come scegliete un libro?

 3   Ascoltate una volta il dialogo e indicate le affermazioni corrette.

1. Il cliente
- ☐ a. cerca un libro in particolare
- ☐ b. vuole comprare tre libri
- ☐ c. chiede consiglio alla commessa
- ☐ d. conosce bene la commessa

2. All'inizio la commessa
- ☐ a. chiede al cliente un consiglio
- ☐ b. gli consiglia un libro che le piace
- ☐ c. gli fa una domanda personale
- ☐ d. gli chiede la data di nascita

3. La commessa cerca di indovinare
- ☐ a. l'autore preferito dal cliente
- ☐ b. il genere di libri che preferisce
- ☐ c. il suo lavoro
- ☐ d. il suo segno zodiacale

4. Alla fine il cliente
- ☐ a. consiglia alla commessa di leggere di più
- ☐ b. la ringrazia dei suoi consigli
- ☐ c. le chiede di che segno è
- ☐ d. chiede un libro sull'astrologia

In this unit... (Glossary on page 207)

1. ...we learn to ask for and give advice about purchasing a book, to speak about the horoscope, books and literature
2. ...we get to know the gerundio semplice and composto, the infinito presente and passato, the participio presente and passato and the parole alterate
3. ...we find information about Italian literary history

A È Gemelli per caso?

1 Le battute della commessa sono in ordine, ma quelle del cliente no! In coppia, ricostruite il dialogo. In seguito ascoltatelo per confermare le vostre risposte.

1	*cliente:*	Scusi, mi potrebbe aiutare? Sono un po' confuso.
	cliente:	In che senso?!
	cliente:	Sì, è vero, sono indeciso tra questi libri. Li comprerei tutti e tre perché leggere mi piace molto. Avendo più tempo libero, forse...
	cliente:	Dice? A pensarci bene, forse è meglio qualcosa di diverso... magari un romanzo d'amore.
	cliente:	Dio mio, cosa intende?!
	cliente:	Ma che Ariete, signorina! Piuttosto, saprebbe dirmi qualcosa su questo libro di Andrea Camilleri?
	cliente:	Ah! ... Senta, mi permette di darle un consiglio? ... Se leggesse qualche libro, oltre all'Oroscopo, credo che non guasterebbe...
	cliente:	Ah, no, no... E di questo di Beppe Severgnini cosa ne pensa?
	cliente:	Veramente ho un sorella che... ma che c'entra questo?
	cliente:	Ho capito. Allora prenderò questo di Niccolò Ammaniti. Ne ho sentito parlare bene.

commessa: Certo, signore... Ma, è Gemelli per caso?

commessa: Niente, ho notato che ha cambiato più volte idea.

commessa: Mica è Ariete? Gli Arieti, lavorando molto, hanno poco tempo per altro.

commessa: Ad essere sincera, a me i libri gialli non piacciono, a volte, li trovo un pochino violenti...

commessa: Mmm... Cancro?

commessa: Voglio dire, è nato sotto il segno del Cancro? Sono molto romantici.

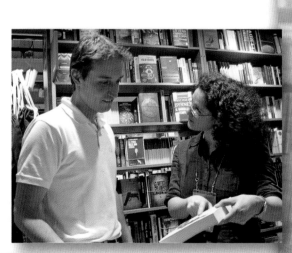

commessa: Mah... non avendolo letto... non saprei. Severgnini vende molto bene. Però a me i suoi libri sembrano tutti uguali...

commessa: Allora scommetto che è Vergine!

commessa: Mi riferisco al segno ovviamente: quelli della Vergine si fidano molto dei gusti altrui.

2 Lavorate a coppie. Cercate, a vostra scelta, tra le battute del cliente o della commessa, le espressioni che significano:

cliente

che relazione ha? ....

cosa intende dire? ....

sarebbe utile, farebbe bene ....

commessa

per caso ....

a dire la verità ....

sono sicura ....

3 Enrico, il cliente della libreria, parla ora con una sua amica, Carmen: completate il dialogo con le parole date.

Carmen: Perché sorridi? È divertente il libro?

Enrico: Veramente sto pensando alla commessa della libreria.

Carmen: Cosa aveva di tanto divertente?

Enrico: Niente, una volta .... 2-3 libri, non .... quale prendere, ho chiesto il suo aiuto.

Carmen: Lo so, per te .... è sempre stato un problema.

Enrico: Comunque, lei ha cominciato a chiedermi se ero dei Gemelli, del Cancro, della Vergine...

Carmen: Che tipo! Ma poi ti ha aiutato a scegliere?

Enrico: ....? Figurati! Non .... altro che riviste di astrologia, non avrebbe potuto. Alla fine gliel'ho detto chiaro e tondo: "Sa, oltre all'oroscopo ci sono anche altri libri da leggere!".

Carmen: No!!! E lei?

Enrico: .... stupita, ha subito risposto: "Ma io sono dei Pesci. E si sa che i Pesci non leggono molto"! E io, a quel punto, non ho potuto resistere e le ho chiesto: "E se ci fossero libri impermeabili?!".

sapendo

scelti

aiutarmi

guardandomi

avendo

letto

decidere

4 Nel dialogo introduttivo abbiamo visto: *"Avendo* più tempo libero..." e *"lavorando* molto...".
Non è difficile capire di quali verbi si tratta. Osservate:

Gerundio semplice

lavorare	leggere	uscire
lavor**ando**	legg**endo**	usc**endo**

The *gerundio semplice* (or *presente*) is invariable. It indicates an action simultaneous to
that of the main verb of the sentence with which it almost always shares the subject:
Uscendo, ho incontrato Gianna. (io) / *Solo studiando, supererai l'esame.* (tu)

Irregular verbs in the *gerundio* in the Appendix on page 181.

5 Cosa esprime il gerundio? Lavorando in coppia, fate l'abbinamento. In Appendice a pagina
181 troverete la soluzione.

azioni simultanee	Mi guardava **sorridendo**.
modo (come?)	**Cercando**, potresti trovare una casa migliore.
causa (perché?)	**Essendo** stanco, ho preferito non uscire.
un'ipotesi (se...)	Camminava **parlando** al cellulare.

6 Nelle pagine precedenti abbiamo anche visto "non *avendolo letto*...". Osservate e completate le frasi con i gerundi dati alla rinfusa.

Gerundio composto

avendo bevuto
essendo andato/a/i/e

The *gerundio composto* (or *passato*) expresses an action that occurred prior to another:
Avendo letto il libro, posso dire che non mi è piaciuto.
Essendo arrivati in ritardo, non sono potuti entrare.

More on the *gerundio* is in the Appendix on page 182.

1. .... a casa, ho incontrato Alfredo e Anna.   *Essendo*
2. .... una moglie bella, è molto geloso.   *Tornando*
3. .... tardi, sono stati rimproverati dal padre.   *Avendo studiato*
4. .... una persona in gamba, presto avrà una promozione. *Avendo*
5. .... molto, sapeva tutte le risposte.   *Essendo tornati*

1 - 4

B   Di che segno sei?

 1   Lavorate in coppia. Come si chiamano i segni zodiacali in italiano? Completateli consultando anche il testo del punto 2.

1. Vergine   2.....................   3.....................   4.....................   5.....................   6.....................

7. Capricorno   8.....................   9.....................   10.....................   11.....................   12.....................

2   Leggete il vostro segno zodiacale. Siete davvero così? Parlatene.

Ariete Le parole d'ordine per loro sono passionalità e coraggio. Grandi lavoratori, preferiscono dedicare all'amore pochi, ma intensi momenti.

Toro I nati sotto il segno del Toro amano molto gli amici e la semplicità. Pazienti e poco romantici, preferiscono storie lunghe e tranquille.

Gemelli Spiritosi e intelligenti. Particolarmente sensibili agli stati d'animo e ai pensieri di chi li circonda, giocano sulle frasi e le parole a doppio senso.

Cancro Sono i più romantici e sognatori dello zodiaco; cercano negli altri tenerezza e protezione. Hanno bisogno di emozioni e di parole dolci e sono molto fedeli.

Leone Amano esibire la loro bellezza, esteriore e interiore. Sono seducenti e hanno un'energia straordinaria. Ma si annoiano facilmente.

Vergine Le loro caratteristiche sono la puntualità, la precisione e l'altruismo. Non sempre trovano il coraggio di esprimere i loro sentimenti, perciò preferiscono scriverli.

Bilancia Non molto stabili, soprattutto in momenti di particolare stanchezza. In compenso, sono estroversi e creativi. Tolleranti, sanno evitare gli scontri con gli altri.

Scorpione Sono provocatori, ma anche molto ambiziosi e attratti dal potere. Spesso si lasciano catturare da relazioni difficili, ma sanno sempre riprendersi dalle difficoltà.

Sagittario Molto ottimisti, non perdono mai il loro buon umore. Si innamorano facilmente, ma si sposano tardi, a volte dopo lunghi fidanzamenti.

Capricorno Sono capaci di sopportare la fatica. Tipi molto concreti non sprecano tempo né energia. Di solito vivono a lungo e con gli anni sembrano ringiovanire.

Acquario Sono eccentrici, fantasiosi e attratti dalla libertà di pensiero: gli studi lunghi non sono per loro. Sanno stupire con sorprese e idee originali.

Pesci Essendo forse troppo romantici, per loro i sentimenti contano più della razionalità. Alcune volte si comportano in modo imprevedibile.

3   In genere, credete all'oroscopo? Quando e quanto può influenzarvi?

4 Nelle pagine precedenti abbiamo visto: "...*leggere* mi piace molto", "a *pensarci* bene...". Abbinate le frasi alle corrispondenti funzioni. In Appendice a pagina 182 troverete la soluzione.

Infinito presente

come sostantivo	**Parlare** così a me! / **Uscire**? No, sono stanco. / E ora, che **fare**?
come soggetto	**Compilare** il modulo. / **Premere** per prenotare la fermata. / **Rispondere** alle domande.
in frasi esclamative o interrogative	**Camminare** fa bene. / **Fidarsi** è bene, non **fidarsi** è meglio.
in istruzioni	Ad **essere** sincero... / A **dire** la verità... / A **sentire** Gianni, la situazione è difficile.
preceduto da preposizione	Il **mangiare** in continuazione è sintomo di stress. / Tra il **dire** e il **fare** c'è di mezzo il mare.

Careful!
Ho visto Nicola, facendo jogging. = L'ho visto mentre facevo jogging. (io-io)
Ho visto Nicola fare jogging. = L'ho visto mentre faceva jogging. (io-lui)

The *infinito presente* expresses a simultaneous action to that of the main sentence verb.

5 L'infinito, come abbiamo visto, può essere coniugato anche al passato. Osservate:

Infinito passato

È venuta dopo **essere passata** dai suoi genitori.
All'una dovevo **aver** già **consegnato** il libro.
Per non **essersi svegliato** in tempo, ha perso il treno.
Dopo **averlo conosciuto**, non penso che a lui.

The *infinito passato* expresses an action that happened prior to another.

6 Osservate le due schede e completate le frasi.

1. Dopo .... il lavoro, andremo a mangiare.
2. .... dolci?! Ma te l'ho detto che sto a dieta!
3. Ho sentito i miei genitori .... molto bene di te.
4. Per .... tardi, i miei mi hanno rimproverato.
5. Che cosa ....? Non ho parole...

C Due scrittori importanti

1 **Completate con:** *corrente, finita, evidente, affascinante, esponenti, divertenti*. **Poi indicate a quale dei due testi corrisponde ogni affermazione.**

Alberto Moravia (1907-1990)

Nato a Roma, è stato uno dei massimi narratori italiani e tra i più noti e tradotti nel mondo. È diventato famoso a soli 22 anni con il suo primo romanzo, *Gli indifferenti*, forse il suo capolavoro. Il libro, ribaltando lo spirito di ottimismo propagandato dal fascismo, è una critica della borghesia italiana di quel periodo, annoiata e inutile.

Il suo stile severo, semplice e privo di eccessi ha fatto di Moravia uno dei maggiori ....(1) del neorealismo italiano. A questa ....(2) letteraria appartengono libri come *Agostino*, *La Romana* e *La Ciociara*, che il grande Vittorio De Sica trasformò in film con Sofia Loren. I *Racconti romani* e i *Nuovi racconti romani* sono strane e ....(3) storie della Roma del dopoguerra. Con libri come *La Noia* e *L'amore coniugale*, Moravia torna a criticare la classe borghese. Nelle sue ultime opere si orienta verso le tematiche della psicoanalisi. Molti dei suoi racconti sono diventati film di successo.

Italo Calvino (1923-1985)

Calvino è forse il più giocoso e ....(4) degli scrittori italiani del secondo '900. Nacque a Cuba, ma crebbe a Sanremo e durante l'occupazione tedesca si unì ai partigiani. ....(5) la guerra, pubblicò il suo primo romanzo, *Il sentiero dei nidi di ragno*, ispirato proprio a quell'esperienza. Negli anni '50, Calvino scrisse forse le sue opere più note: *Il visconte dimezzato*, *Il barone rampante* e *Il cavaliere inesistente*, pubblicati in seguito in un unico volume con il titolo *I nostri antenati*. Questi "romanzi fantastici", come li definiva Calvino, sono una parodia della letteratura cavalleresca e sono pieni di allusioni al mondo contemporaneo. Dei libri successivi, dove l'elemento fiabesco è ancora più ....(6), forse il più originale è *Le città invisibili* in cui, tra fantasia e realtà, Marco Polo descrive le città da lui visitate. Altre sue opere da ricordare sono *Se una notte d'inverno un viaggiatore*, *Marcovaldo*, la grande raccolta di *Fiabe italiane* e *Gli amori difficili*.

	Moravia	Calvino
1. Il suo talento è stato riconosciuto molto presto.		
2. Ha affrontato temi reali attraverso storie di fantasia.		
3. Pubblicò la sua prima opera durante il periodo fascista.		
4. Ha combattuto per la Liberazione d'Italia.		
5. Con il passare degli anni i suoi temi sono cambiati.		
6. Tra le sue opere c'è una famosa trilogia.		

2 **Rispondete.**
1. Che cosa hanno in comune i due scrittori? Che cosa li differenzia?
2. Chi dei due scrittori vi sembra più interessante? Quale dei titoli citati vi piacerebbe leggere e perché?

3 Nei due testi precedenti abbiamo incontrato parole come *corrente*, *affascinante*, *divertenti*: si tratta di participi presenti. Da quali verbi derivano? In coppia, osservate la tabella sulla formazione del participio presente e completate gli esempi.

Participio presente

parlare $\Rightarrow$ parl**ante/i**

sorridere $\Rightarrow$ sorrid**ente/i**

divertire $\Rightarrow$ divert**ente/i**

aggettivo: *Il libro era veramente* .... */ È molto* ....
INTERESSARE   PESARE

sostantivo: *I miei* .... */ Una brava* ....
ASSISTERE   CANTARE

verbo: *Una squadra* .... *(che vince). / Il pezzo* .... *(che manca).*
VINCERE   MANCARE

In the Appendix on page 182 you will find the solution.

4 Nel secondo testo della pagina precedente abbiamo letto anche "*Finita* la guerra, pubblicò il suo primo romanzo". Secondo voi, che cosa significa, che valore ha "finita"?

Participio passato

The *participio passato* is used in compound tenses, in the *forma passiva* and also as:

aggettivo: *Ho comprato una macchina usata. / Michele è un ragazzo molto distratto.*

sostantivo: *Andiamo a fare una passeggiata in centro.*

participio assoluto, when it expresses an action that happens prior to another:

Arrivati i miei genitori, andrò a letto. (= dopo che saranno arrivati i miei genitori)
Una volta partito, non sono più tornato indietro. (= dopo essere partito / essendo partito)

5 Completate le frasi con il participio presente o passato dei verbi.

1. Devo comprare una nuova .... laser. *(stampare)*
2. Solo una volta .... di casa, ho notato che nevicava. *(uscire)*
3. Ho aperto un nuovo conto .... alla Banca di Roma. *(correre)*
4. .... l'aspirina, il mal di testa mi è finalmente passato. *(prendere)*
5. Essendomi perso, ho chiesto indicazioni ad un .... *(passare)*

 9 - 12

D Andiamo a teatro

 1 Vi piace il teatro? In cosa si differenzia dal cinema?

 2 Ascoltate il testo su due grandi autori del teatro italiano e indicate le affermazioni corrette.

1. Le opere di Pirandello si basano sull'idea che:
   - a. la realtà sia falsa
   - b. la realtà sia oggettiva
   - c. la realtà sia relativa

2. Secondo lui, gli uomini hanno costante bisogno di:
   - a. mentire a se stessi
   - b. ingannare gli altri
   - c. non crearsi illusioni

3. De Filippo debuttò al *San Carlo* di Napoli con *Napoli milionaria*:
   - a. prima della II guerra mondiale
   - b. durante la II guerra mondiale
   - c. dopo la II guerra mondiale

4. Filumena Marturano, alla fine:
   - a. convince Domenico a riconoscere il loro figlio
   - b. riesce a farsi sposare da Domenico
   - c. convince Domenico che sono tutti e tre figli suoi

3 Completate il testo inserendo una parola in ogni spazio.

Il successo: "Nel 1942, con i miei fratelli decidemmo di passare al teatro, con una compagnia nostra e con copioni scritti da noi. Debuttammo a Milano, (1)....................... *Odeon*. Ma chi ci conosceva? Le poltrone (2)....................... per metà vuote, però alla fine il pubblico gridava: "Viva Napoli". Un giornalista scrisse un lungo (3)....................... e nei giorni seguenti tutte le file (4)....................... riempirono!"

Il più bel ricordo: "È nella mia città che ho avuto la commozione più profonda. Fu alla prima di *Napoli milionaria* (5)....................... '45. C'era la fame e tanta gente disperata. Ottenni il teatro San Carlo per una sera. [...] Io facevo Gennaro Esposito, (6)....................... povero e bravo uomo, che viene portato via dai tedeschi e (7)....................... torna trova un figlio ladro, la moglie che fa il mercato nero, si è arricchita e (8)....................... ha tradito, e la figlia che ha fatto l'amore con un soldato americano. Gennaro, con tolleranza, (9)....................... capire ai familiari che non è finito niente, che la (10)....................... continua. Recitavo e sentivo intorno a me un silenzio terribile. (11)....................... dissi l'ultima battuta: "Deve passare la notte" e scese il sipario, ci fu silenzio ancora (12)....................... otto, dieci secondi, poi scoppiò un applauso furioso e anche un pianto irrefrenabile; tutti piangevano e anch'io piangevo. Avevo detto il dolore di tutti."

tratto da un'*intervista a Eduardo De Filippo*

Il grande Eduardo sul palcoscenico

Luigi Pirandello, al centro, con i tre fratelli De Filippo (da sinistra: Peppino, Eduardo e Titina). Pirandello aveva un'immensa stima per i De Filippo, che avevano già interpretato con successo una sua commedia, *Il berretto a sonagli*.
Secondo lui costituivano una forza nuova e autentica del teatro.

4   **Abbinate le parole ai disegni. Che cosa notate?**

a. teatro   b. teatrino   c. libro   d. librone   e. ragazzo   f. ragazzaccio

5   **Osservate la tabella. Erano giuste le vostre ipotesi?**

Le parole alterate

In Italian we can modify a word by changing its ending: *gatto-gattino*, *bene-benino* etc. These alterations can be related to its *size* (**dimensione**) or its *quality* (**qualità**):

dimensione

diminutivo:
- **-ino/a**: *pensierino, stradina*
- **-ello/a**: *alberello, storiella*
- **-etto/a**: *piccoletto, libretto*

accrescitivo:
- **-one** (*m.**): *simpaticone, pigrone*
- **-ona** (*f.*): *casona*

* many feminine nouns become masculine: *la donna - il donnone*

qualità

peggiorativo/dispregiativo:
- **-accio/a**: *tempaccio, giornataccia, caratteraccio, parolacce*

vezzeggiativo:
- **-uccio/a**: *casuccia, cavalluccio, boccuccia*

6 Completate le frasi con la corretta forma alterata delle parole date.

1. Che ....! È da tre ore che piove a dirotto! *(tempo)*
2. Oggi non sto bene, mangio solo una .... *(minestra)*
3. Non ti aspettare un .... da tuo zio, lo sai che è senza lavoro. *(regalo)*
4. Quando ero bambino dormivo spesso nel .... con i miei. *(letto)*
5. Hai acceso anche il camino? Ecco perché c'è questo bel .... *(caldo)*

 13 - 16

E   Librerie e libri

1 Ascolteremo un'intervista a un libraio. Quelle di seguito sono alcune delle domande. Cosa rispondereste voi?

1. Il vostro è un popolo che legge molto? Secondo voi, leggono di più le donne o gli uomini?
2. Quali generi di libri scelgono di più gli uomini e quali le donne?
3. Che tipo di libri preferiscono leggere i giovani?

 2 Ascoltate ora l'intervista. In quali punti avete dato una risposta simile a quella del libraio?

 3 Ascoltate di nuovo e completate le informazioni con poche parole (massimo quattro).

1. Gli italiani storicamente sono poco ....

2. Bene o male si invoglia poco il bambino o la bambina a confrontarsi con letture ....
   ....

3. Il lettore "forte" è un... Intanto si dice da sempre ....

4. Le grandi case editrici spesso scelgono di pubblicare cose già in qualche modo sapendo e
   scegliendo ....

5. Il pubblico femminile si confronta ...., romanzi d'amore.

6. I giovani, come al solito, sono anche il tipo di pubblico più ....
   ....

4 Che rapporto avete con la lettura? Dove e quando vi piace leggere? Scambiatevi idee.

5 Leggete il testo e indicate le affermazioni veramente presenti.

L'avventura di un lettore

Da tempo Amedeo tendeva a ridurre al minimo la sua partecipazione alla vita attiva. [...] L'interesse all'azione sopravviveva però nel piacere di leggere; la sua passione erano sempre le narrazioni di fatti, le storie, l'intreccio delle vicende umane. Romanzi dell'Ottocento, prima di tutto, ma anche memorie e biografie; e via via fino ad arrivare ai gialli e alla fantascienza, che non disdegnava ma che gli davano minor soddisfazione anche perché erano libretti brevi: Amedeo amava i grossi tomi e metteva nell'affrontarli il piacere fisico dell'affrontare una grossa fatica. [...]

Nel libro trovava un'adesione alla realtà molto più piena e concreta, dove tutto aveva un significato, un'importanza, un ritmo. Amedeo si sentiva in una condizione perfetta: la pagina scritta gli appariva la vera vita, profonda e appassionante, e alzando gli occhi ritrovava un casuale ma gradevole accostarsi di colori e sensazioni, un mondo accessorio e decorativo, che non poteva impegnarlo in nulla. La signora abbronzata, dal suo materassino, gli fece un sorriso e un cenno di saluto, lui rispose pure con un sorriso e un vago cenno e riabbassò subito lo sguardo. Ma la signora aveva detto qualcosa:

– Eh?

– Legge, legge sempre?

– Eh...

– È interessante?

– Sì.

– Buon proseguimento!

– Grazie.

Bisognava che non alzasse più gli occhi. Almeno fino alla fine del capitolo. Lo lesse d'un fiato. [...]

– Ma...

Amedeo fu costretto ad alzare il capo dal libro.

La donna lo stava guardando, ed i suoi occhi erano amari.

– Qualche cosa che non va? – lui chiese.

– Ma non si stanca mai di leggere? – disse la donna. – Non sa che con le signore si deve fare conversazione? – aggiunse con un mezzo sorriso che forse voleva essere solo ironico, ma ad Amedeo, che in quel momento avrebbe pagato chissà cosa per non staccarsi dal romanzo, sembrò addirittura minaccioso. "Cos'ho fatto, a mettermi qui!", pensò. Ormai era chiaro che con quella donna al fianco non avrebbe più letto una riga.

adattato da *Gli amori difficili* di Italo Calvino

1. Amedeo preferisce leggere libri lunghi e voluminosi.
2. Amedeo è un tipo sportivo.
3. Ha comprato un libro per leggerlo in spiaggia.
4. Per Amedeo, la letteratura è più importante della vita reale.
5. La signora legge una rivista di moda.
6. La signora sta prendendo il sole al mare.
7. Amedeo ha voglia di parlare del suo libro con la signora.
8. La signora vorrebbe che Amedeo parlasse con lei.
9. Amedeo finisce il libro prima di parlare con la signora.
10. La signora è in compagnia delle sue amiche.

F Vocabolario e abilità

1 Vita da libri! Osservando i disegni e con l'aiuto delle parole date, raccontate le varie fasi della vostra vita come se foste... un libro! Potete cominciate così: "Un giorno uno scrittore mi ha scritto... Poi..."

> tipografo presentare lettore pubblicare stampare libraio impaginare
> redattrice autore esporre vetrina editore comprare grafico correggere

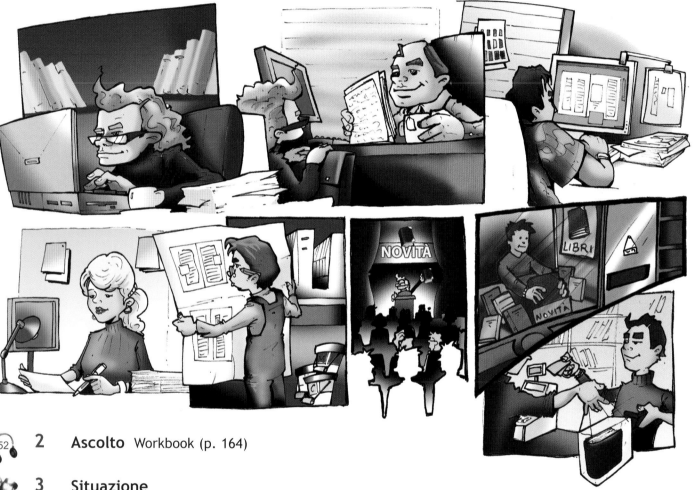

2 **Ascolto** Workbook (p. 164)

3 **Situazione**

Sei A: dopo questa unità... hai voglia di leggere uno dei libri di cui si è parlato. Vai in una libreria italiana e chiedi all'impiegato di aiutarti a scegliere. A pagina 183 trovi alcuni titoli e autori interessanti e qualche indicazione sulle domande da fare.
Sei B: lavori in libreria e conosci abbastanza bene la letteratura italiana. A pagina 188 trovi alcune delle informazioni di cui ha bisogno A.

4 **Scriviamo**

Scrivi un'e-mail a un amico italiano per parlargli di un libro italiano che hai letto e che ti è piaciuto molto. Inoltre, chiedi informazioni e consigli su altri titoli che potresti leggere. *(80-120 parole)*

 Test finale

Tale è l'attualità della Divina Commedia *che è ancora recitata da famosi attori.*

La letteratura italiana in breve

Ecco le tappe* più importanti della storia della letteratura italiana:

1300

Dante Alighieri (1265-1321) è il "padre" della letteratura ed anche della lingua italiana. La sua opera più nota, *La Divina Commedia*, uno dei capolavori della letteratura mondiale, fu presa come punto di riferimento per quella che sarebbe diventata la lingua italiana moderna.

1500

Il Rinascimento, oltre che nell'arte, ebbe grandi esponenti anche nella letteratura: tra tutti Ludovico Ariosto (1474-1533), autore del poema *Orlando Furioso*, ironico addio al mondo medievale dei cavalieri e dell'epica*.

1700

In Italia il teatro si sviluppa grazie a Carlo Goldoni (1707-1793) e alle sue commedie teatrali (*La locandiera*, *Il servitore di due padroni*) che vengono rappresentate ovunque, ancora con grande successo.

1800

È il periodo del Romanticismo*: nella poesia, Ugo Foscolo (1778-1827) e Giacomo Leopardi (1798-1837) esaltano il valore delle illusioni di fronte ad una realtà ostile*.

Nella prosa, Alessandro Manzoni (1785-1873) scrive il primo romanzo della letteratura italiana: *I promessi sposi*, ancora oggi letto da tutti gli studenti italiani.

Con Giovanni Verga (1840-1922) inizia una nuova stagione, quella del Verismo*, in cui la realtà è descritta in maniera più analitica, ma con esiti ugualmente pessimistici come per il Romanticismo.

1900-1950

Italo Svevo (1861-1928) con *La coscienza di Zeno* dà vita al primo romanzo psicologico, genere fino ad allora sconosciuto in Italia.

Nella poesia, i nomi più illustri di questo periodo sono Giuseppe Ungaretti ed Eugenio Montale, due tra i maggiori poeti europei del Novecento.

Nella narrativa, accanto a Moravia e Calvino, dobbiamo menzionare* anche Natalia Ginzburg, Leonardo Sciascia e Cesare Pavese.

1950-2000

Il nome della rosa, di Umberto Eco, è stato un grandissimo "best seller" a livello mondiale. Tra i "nuovi" autori amati dai lettori dobbiamo ricordare Alessandro Baricco e, più recentemente, Niccolò Ammaniti. Infine è interessante notare il fenomeno Camilleri: un anziano autore di romanzi gialli che è stato molto spesso in testa alle classifiche dei libri italiani più letti. Molto famose anche all'estero sono alcune scrittrici italiane contemporanee: Oriana Fallaci (*Lettera ad un bambino mai nato*, *Un uomo*, *Insciallah*), Elsa Morante (*Menzogna* e sortilegio**), Dacia Maraini (*Bagherìa*, *La lunga vita di Marianna Ucrìa*), e Susanna Tamaro (*Va' dove ti porta il cuore*, *Anima mundi*).

Umberto Eco

I premi Nobel

Sei sono gli italiani a cui è stato assegnato finora il Nobel per la letteratura: il primo è il poeta Giosuè Carducci nel 1906, la seconda è la romanziera Grazia Deledda nel 1926, seguita da Luigi Pirandello nel 1934, ed infine i poeti Salvatore Quasimodo (*Ed è subito sera*) nel 1959 ed Eugenio Montale (*Ossi di seppia*) nel 1975.

Nel 1997, a sorpresa, il Nobel è stato assegnato a Dario Fo, scrittore ed attore di teatro satirico, a volte rivoluzionario, ma sempre originale e divertente. Tra le sue opere più note sono *Mistero Buffo* e *Morte accidentale* di un anarchico*.

1. Perché Dante è considerato il padre della lingua italiana?
2. Qual è il primo romanzo della letteratura italiana?
3. Tra i premi Nobel italiani ci sono più scrittori o poeti?

Dario Fo

Non è un caso che la Società Dante Alighieri, *la maggiore istituzione per la promozione e la diffusione della lingua e della cultura italiana nel mondo (fondata nel 1889), porti il nome del più grande poeta del nostro paese.*

Glossary: <u>tappa</u>: stage, lap; <u>Romanticismo</u>: Romanticism; <u>ostile</u>: hostile; <u>Verismo</u>: literary movement born in Italy in the late nineteenth; <u>menzionare</u>: to mention; <u>menzogna</u>: lie; <u>sortilegio</u>: witchcraft; <u>accidentale</u>: accidental.

Attività online

Autovalutazione
Che cosa ricordate delle unità 10 e 11?

1. Abbinate le frasi.

1. Secondo te, lui potrebbe prestarci i soldi?
2. Stasera studierò fino a tardi!
3. Ma perché ha detto una cosa del genere?
4. Però, non ha fatto tutto quello che aveva promesso.

a. Così, per attaccare discorso.
b. A pensarci bene, no, hai ragione.
c. Chi, Giorgio?! Ma figurati!
d. Bravo, ogni tanto non guasta!

2. Sapete...? Fate l'abbinamento.

1. esprimere fastidio
2. esprimere indifferenza
3. precisare
4. chiedere una spiegazione

a. Lui non è d'accordo? E con ciò?
b. Nel senso che è molto più esperto di te.
c. Ti sembra strano? In che senso?
d. Ma quale errore, ma per favore!

3. Scegliete la parola adatta per ogni frase.

1. Ci sono *scrittori/esponenti/lettori/editori* che firmano i loro libri con un altro nome, uno pseudonimo.
2. La *libreria/biblioteca/letteratura/lettura* italiana è una delle più apprezzate al mondo, con molti 'tesori' da scoprire.
3. La parte grafica è importante: a volte basta una bella *trama/vetrina/copertina/casa editrice* per vendere più facilmente un libro.
4. I due giovani sono stati arrestati per *criminalità/rapina/pena/carcere* e saranno portati subito davanti al giudice.

4. Completate o rispondete.

1. Chi è considerato il padre della letteratura italiana?
....

2. Un autore teatrale italiano:
....

3. Il gerundio semplice di *partire*:
....

4. Il participio presente di *passare*:
....

Verificate le vostre risposte a pagina 182. Siete soddisfatti?

Cattedrale di Siena (Toscana)

Autovalutazione generale
Quanto ricordate di quello che avete imparato in *The Italian Project 2a e 2b*?

1. Dove o in quale occasione sentireste le seguenti espressioni e parole?

1. "Il tasso d'interesse è molto basso."
- ☐ a. in banca
- ☐ b. in un annuncio di lavoro
- ☐ c. in un teatro

2. "Ha l'ingresso indipendente."
- ☐ a. in palestra
- ☐ b. in un'agenzia immobiliare
- ☐ c. in banca

3. "La frequenza è obbligatoria."
- ☐ a. in palestra
- ☐ b. all'università
- ☐ c. in un museo

4. "I cani sono ammessi?"
- ☐ a. in libreria
- ☐ b. all'università
- ☐ c. in albergo

5. "Quali erano le Sue mansioni?"
- ☐ a. durante un colloquio di lavoro
- ☐ b. in un museo
- ☐ c. in libreria

6. "Il prezzo comprende il volo e il soggiorno."
- ☐ a. in albergo
- ☐ b. in un'agenzia di viaggi
- ☐ c. in un'agenzia immobiliare

2. Abbinate le due colonne. Attenzione: c'è una risposta in più.

1. Allora, mi hai preso in giro?
2. Strano quello che è capitato a Giulio, no?
3. Avete già chiesto le ferie?
4. Hai sentito della nuova legge sul lavoro?
5. Mi presteresti il tuo motorino?
6. Direttore, posso parlarLe?
7. Luisa si sposa tra un mese.
8. Tu e Mirco dovreste parlare.

a. E perché mai? Tanto ha sempre ragione lui!
b. A proposito, vuoi venire con noi a Capri?
c. A quanto pare, non passerà.
d. Ma non si può andare avanti così!
e. Detto tra noi, si è inventato tutto.
f. Ma no, stavo solo scherzando!
g. Non mi dica che vuole un aumento?!
h. E con ciò? Io ormai sto con Maria.
i. Ma stai scherzando? Me lo hanno rubato!

3. Inserite le parole date nella categoria giusta. Ogni categoria ha 3 parole.

1. *banca* ....
2. *albergo* ....
3. *università* ....
4. *opera* ....
5. *museo* ....
6. *libreria* ....
7. *agenzia immobiliare* ....

> *prenotazione interessi racconto soprano scultura doppi servizi libretto*
> *tesi monolocale corsi mezza pensione tenore appunti cantina*
> *statua romanzo sportello dipinto giallo pernottamento prelevare*

4. Completate le frasi con la parola mancante.

1. Perché non me lo hai riportato? Non ti ho detto che .... serviva per oggi?
2. Secondo me dovresti dir ...., in fondo ha tutto il diritto di sapere come stanno le cose.
3. Ragazzi, domani .... di voi porti il proprio dizionario di inglese per il compito in classe.
4. .... lui non ci si può proprio fidare: è un irresponsabile!

5. Mi ha spiegato i motivi per .... non è venuto e non posso dargli tutti i torti.
6. Se rimpiango i vecchi tempi? .... penso continuamente!
7. .... l'abbiamo fatta: siamo in finale!
8. È rimasta un po' di torta: .... vuoi un pezzo?

5. Completate con il tempo e il modo giusto dei verbi dati, non sempre in ordine, per ogni frase.

1. Ti ...., ma non avevo con me il cellulare. Comunque non pensavo
   .... di una cosa tanto urgente: mi dispiace! *(trattarsi / chiamare)*
2. Quei ladruncoli .... dall'anziana portiera che è riuscita a farli
   scappare .... con un ombrello. *(sorprendere / minacciarli)*
3. Una volta .... all'aeroporto, mio marito si è accorto di
   .... i biglietti a casa! *(arrivare / dimenticare)*
4. Mio padre mi diceva sempre: "Solo .... duramente e onestamente
   .... strada nella vita, figlio mio". *(fare / lavorare)*

6. Unite le frasi attraverso le congiunzioni giuste, come nell'esempio.

1. Va bene, ti racconterò tutto	prima che	a. non avessi mangiato.
2. Luisa non ha voluto giocare	purché	b. venga a saperlo da una terza persona.
3. Non l'ho aiutato	a meno che	c. tu mi prometta che rimarrà tra noi!
4. Ti ho portato un panino	nel caso	d. le sue condizioni fisiche fossero buone.
5. Diglielo tu	affinché	e. i tuoi non lo sappiano già.
6. Non prendere certe decisioni	nonostante	f. impari a cavarsela da solo.

7. Completate le frasi con i derivati delle parole date tra parentesi.

1. Gli .... hanno promosso un'iniziativa per la salvaguardia del verde cittadino. *(ambiente)*
2. È una persona seria e competente, un vero .... *(professione)*
3. Preferirei vivere in campagna perché amo la .... *(tranquillo)*
4. La casa che vorremmo comprare ha una camera da letto veramente .... *(spazio)*
5. Si è messo a piovere ...., ci siamo bagnati dalla testa ai piedi. *(improvviso)*
6. Sto studiando il tedesco e trovo molta .... a memorizzare le parole nuove. *(difficile)*

8. Completate con il tempo e il modo giusto dei verbi dati.

dire   dovere   essere   potere   potere   promuovere   studiare   trasferirsi

1. Ma lo sai che sono proprio contento per te! .... con il massimo dei
   voti perché te lo sei meritato dopo .... tanto.
2. Se tu non .... così disordinato, non ....
   ogni volta cercare per ore tra le tue cose!
3. Sapevi che Marta .... fuori città? A me non ....
   .... mai niente nessuno!
4. I curriculum vitae .... spedire via fax allo 0642568958 oppure
   .... mandare come allegati per posta elettronica a info@impresa.it.

Controllate le soluzioni a pagina 182.
Siete soddisfatti di quello che avete imparato fin qui?

Vi aspettiamo tutti in *Progetto italiano 3*!

Glossary on page 201

1   Completate le frasi con l'imperativo indiretto, secondo il modello.

> Mario, bevi una camomilla; ti farà bene!
> *Signorina, beva una camomilla; Le farà bene!*

1. Butta la bottiglia nel bidone del riciclaggio!
   Signora Rosa, ... la bottiglia nel bidone del riciclaggio.
2. Pietro, sii comprensivo con i tuoi amici!
   Signora Chiara, ... comprensiva con Sua figlia!
3. Se non vuoi aspettare, prendi un taxi!
   Signor Sili, se non vuole aspettare, ... un taxi.
4. Non ti voglio più vedere: sparisci immediatamente!
   Non La voglio più vedere: ....!
5. Rosaria, apri pure la finestra, non mi dà fastidio!
   Signorina, ... la finestra, fa caldo!
6. Gianfranco, entra!
   Signor Baldi, ... per favore!

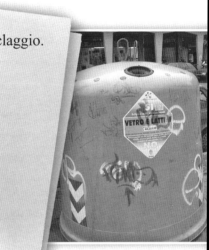

2   Come il precedente.

1. Gianni, offri un buon caffè ai nostri ospiti!
   Signorina, ... un buon caffè ai nostri ospiti!
2. Mi raccomando, abbi cura di te e della tua famiglia!
   Signorina, mi raccomando, ... cura di Lei e della Sua famiglia!
3. Ti prego, la prossima volta scrivi in modo più leggibile!
   La prego, la prossima volta .... e-mail più brevi!
4. Se sei così stanco, dormi!
   Se è così stanca, ...
5. Eva, parla tu con tua madre, io non ci riesco!
   Signorina, ... con Suo padre prima di decidere, è meglio.
6. Riccardo, manda Paolino all'edicola a prendere il giornale!
   Signorina, ... qualcuno a prendere il giornale!

3   Come il precedente.

1. Dino, racconta tutto quello che hai visto: lo sai che con me
   puoi parlare!
   Signora Rossi, ... tutto quello che ha visto:
   lo sa che con me può parlare!

2. Per favore, andiamo a mangiare al *Gambero rosso*, è tanto carino!
   Signori, ... a mangiare al *Gambero rosso*, è un ottimo ristorante!
3. Se vuoi andare dai tuoi amici... va'!
   Dottoressa Bindi, se per Lei è tanto importante andare a parlare con il direttore...
   .... pure!
4. Se non ti va la pizza, ordina una bistecca!
   Se non Le va la pizza, ... le penne all'arrabbiata!
5. Valerio, prendi la mia macchina se la tua non va!
   Signor Ramaldi, ... la mia moto se la Sua non va!
6. Quando sarai a Roma telefona: vogliamo vederti!
   Quando sarà a Roma ....: vorremmo vederLa!

4 Completate le frasi con l'imperativo indiretto e i pronomi, secondo il modello.

> Gianni, per favore, prendimi gli occhiali che sono sul tavolo!
> *Signorina, per favore, mi prenda gli occhiali che sono sul tavolo!*

1. Vedi quella piazza? Attraversala e sei arrivato!
   Vede quella piazza? .... ed è arrivato!
2. Siediti pure! Io preferisco restare in piedi!
   Signora, per favore, ...! Io preferisco restare in piedi!
3. Se vedi Angela, salutamela!
   Se vede Angela, ...!
4. Claudio, rifletti prima di rispondere!
   Signor Pizzi, ... prima di rispondere!
5. Vattene, non voglio più vederti!
   ...., non voglio più vederLa!
6. Piero, per favore, rilassati!
   Signor Pivetti, per favore, ...!

5 Come il precedente.

1. Ti prego, amore mio, dammi un'altra possibilità!
   La prego direttore, ... un'altra possibilità!
2. Se non siete sicuri, pensateci ancora un po'!
   Signori, se non sono sicuri, ... ancora un po'!
3. Fulvio, calma, stammi a sentire!
   Signor Ghezzi, per favore, ... a sentire!
4. Matteo ha bisogno di questi documenti, per favore portaglieli!
   Signor Donati, il direttore ha bisogno di questi documenti, per favore ....!
5. Flavio, prima di usare i piatti nuovi, lavali bene!
   Signorina, prima di usare i piatti nuovi, ... bene!

6. Caterina, ho mal di testa, abbassa la radio o spegnila!

Signorina, ho mal di testa, ... la radio o ....!

6 Completate la forma negativa dell'imperativo indiretto, secondo il modello.

> Non partire in aereo, ci sarà uno sciopero!
> *Non parta in aereo, ci sarà uno sciopero!*

1. In questo modo non ci guadagni nulla; ti prego, non fare così!

Signor Bialetti, La prego, non .... così.

2. Parla e non nascondere la verità!

Signora, ... e non .... la verità!

3. Cara mia, non credere di potermi prendere in giro ancora per molto!

Signor Toma, non .... di potermi prendere facilmente in giro!

4. Fammi la cortesia, non ripetere sempre le stesse cose!

.... la cortesia, non .... sempre le stesse cose!

5. Se avete qualche dubbio, non esitate a dirmelo!

Se hanno qualche dubbio, non .... a dirmelo!

6. Forse hai capito male: non prendere il 13, ma il 15!

Ha capito male: non .... il 13, ma il 15!

7 Come il precedente.

1. Non venire se hai mal di schiena!

Professore, non .... se ha mal di schiena!

2. Non stare tante ore davanti al computer, fa male agli occhi!

Signorina, non .... tante ore davanti al computer, fa male!

3. Non andare a vedere quel film, è noioso!

Signor Mario, non .... a vedere quel film, è veramente noioso!

4. Secondo me, ce la puoi fare da solo, non prendere una segretaria!

Secondo me, avvocato, ce la può fare da solo, non .... una segretaria!

5. Paolo, è inutile! Non telefonare a quest'ora, le banche sono chiuse!

Ragioniere, non .... a quest'ora, le banche sono chiuse!

6. Te lo avevo detto: "non vendere le azioni di questa società, vedrai che saliranno!"

Glielo avevo detto: "non .... le azioni di questa società, saliranno!"

8 Completate con i verbi dati alla forma giusta, come da modello.

> (*raccontarla*) È una cosa seria, non *la racconti* a nessuno!

1. (*andarci*) È una faccenda delicata; non .... Lei, mandi qualcun altro!

2. (*parlarne*) Avvocato, mi raccomando, non .... al direttore!

3. (*invitarle*) Sono delle pettegole, signora, non ....!

4. (*dirglielo*)   Non .... Lei come stanno le cose, lo deve capire da solo!

5. (*prendersela*)   È stato solo uno scherzo, professore, non ....!

6. (*telefonargli*)   Signora, è ancora presto, non ....!

9   **Scegliete il verbo giusto e completate la frase correttamente.**

> *mangiare/loro - lasciare/lei - parlare/a noi -*
> *fare/a noi - dire/a lui - fare/a me - regalare/a lei*

1. Signora, ... la cortesia, non .... più dei Suoi problemi!

2. Un'idea migliore? Non .... il solito mazzo di rose, ma un anello d'oro!

3. La prego, non .... dire quello che non voglio dire!

4. Se i dolci Le fanno male, non ....!

5. Signora, non .... niente finché non lo vedrà di persona.

6. Signorina, se non vuole che qualcuno le rubi la bicicletta, non ....
   .... qui!

10   **Completate con gli aggettivi o i pronomi indefiniti dati.**

> *altro - alcuni - alcune - certe -*
> *tanti - quanta - tante - nessuno*

1. Ha provato .... vestiti e alla fine non ne ha preso ....

2. Andiamo a mangiare in questo ristorante o in quell'................................. accanto?

3. .... amici è meglio perderli che trovarli!

4. Sai .... bella gente c'era all'inaugurazione della pinacoteca!

5. Mi ha detto che avrebbe invitato .... persone, ma non immaginavo
   ....

6. Credimi, non è per niente bello dover affrontare .... situazioni insieme!

11   **Completate con gli aggettivi o i pronomi indefiniti opportuni.**

1. Mi sono scottato perché sono stato .... ore al sole e non avevo portato con me
   .... crema!

2. Vostro padre comprerà una bicicletta a .... di voi.

3. Non ho .... intenzione di passare un'altra notte in questo albergo, è troppo
   rumoroso!

4. Apri il frigorifero e prendi .... quello che vuoi.

5. Gli ho scritto .... lettere, ma finora non ho ricevuto .... risposta.

6. Non potete immaginare .... persone ho conosciuto durante il corso d'italiano
   a Perugia.

Perugia, l'Università per Stranieri

12 Completate con i pronomi indefiniti opportuni. Consultate anche l'Appendice grammaticale.

1. In Italia .... può iscriversi all'università, basta avere un diploma di scuola media superiore.
2. .... di noi ha un suo particolare carattere: il mio è questo!
3. Marina oltre ad essere bella ha .... di particolare che la rende simpatica a tutti.
4. Ti prego, mangia! Sono due giorni che non tocchi ....!
5. A .... non piace la mia sincerità!
6. Ho una sete tremenda, berrei volentieri .... di fresco!

13 Come il precedente.

1. Sì, è carina, alta, ma .... di eccezionale.
2. Il direttore parte e .... di voi dovrà sostituirlo.
3. .... non va nei nostri rapporti; parliamone con franchezza!
4. Bambini calmi, ho .... per .... di voi.
5. Per .... al mondo Fabio perderebbe la finale di Champions League!
6. Non avere paura, troveremo .... da fare, sono certo che .... ci aiuterà.
7. Ho incontrato Vittorio dopo dieci anni e non è cambiato per ....
8. Credimi, non vale assolutamente la pena disperarsi per .... come lui!

14 Completate con gli aggettivi indefiniti dati.

certi - vari - qualsiasi - qualche - diversi - ogni

1. Gianna vuol fare colpo su Luca, ... giorno mette un vestito diverso.
2. Sai benissimo che per me .... soluzione va bene, tranne che andare a sciare.
3. Potete dirci se abbiamo .... possibilità di partire presto?
4. Sono passati .... giorni e Giulio non si vede, sai dove è andato a finire?
5. Direttore, ci sono .... clienti che si lamentano dei nostri rappresentanti.
6. Dicono che in .... mercatini possiamo trovare delle cose carine e a prezzi interessanti.

15 Scrivete il contrario di quanto affermato nelle seguenti frasi, come da modello.

> Il pranzo è piaciuto a *tutti*.
> *Il pranzo non è piaciuto a nessuno.*

1. *Non* c'è *niente* di strano in lui. ....
2. *Nessuna* soluzione va bene! ....
3. Abbiamo *qualche* possibilità di farcela. ....
4. *Non* abbiamo capito *niente*. ....
5. *Nessuno* di noi è responsabile. ....
6. Va sempre a teatro con *qualcuno*. ....

16 Completate con le preposizioni.

1. Stare (1)............... sole è diventato un vero problema: molti lo adorano, molti altri lo temono. Tutti, però, usano vari metodi (2)............... abbronzarsi; ci sono quelli che sono capaci di stare (3)............... ore sotto il sole e si mettono continuamente creme abbronzanti, ma anche chi, (4)............... paura di scottarsi, non si muove (5)............... sotto l'ombrellone ed esce solo (6)............... sera.

2. *Il paradiso non è qui*. Questo il titolo (1)............... brano inedito di Lucio Battisti, scritto insieme (2)............... Mogol, che verrà presentato (3)............... figlio di quest'ultimo, Francesco Rapetti, (4)............... studenti delle scuole medie (5)............... corso dell'iniziativa "Siamo tutti creativi" organizzata (6)............... Centro Europeo Tuscolano e promossa dalla Regione Lazio.

tratti da *La Stampa*

17 Collegate le frasi con le forme adatte. Se necessario, eliminate o sostituite alcune parole, trasformate i verbi nel modo e nel tempo opportuni.

1. - Ho letto finalmente quel libro
   - Mara mi aveva parlato molto del libro
   - Il libro non mi è piaciuto

   ....
   ....

2. - Devo finire questo lavoro
   - Mi avevano affidato questo lavoro tre mesi fa
   - Io non l'ho ancora finito

   ....
   ....

3. - Sono stata invitata dal mio direttore a casa sua
   - A casa sua ho trovato sua moglie
   - Sua moglie non era tanto contenta della mia presenza

   ....

   ....

4. - Rodolfo ha dimenticato il cellulare in macchina
   - Rodolfo non ha saputo della festa di Serena
   - Serena ha cercato Rodolfo tutto il giorno

   ....

   ....

5. - Anna parla molto bene l'italiano
   - Ho capito che Anna non è italiana
   - Anna ha ancora un leggero accento straniero

   ....

   ....

6. - Tiziana non ha capito bene la lezione
   - Ho detto a Tiziana che la aiuterò
   - Io, però, ho tantissime altre cose da fare

   ....

   ....

18 **Completate le frasi con uno dei connettori proposti.**

1. Ho telefonato all'albergo .... andremo quest'anno.
   a. dove   b. quando   c. anche   d. che

2. Sono venuto .... ho saputo che stavi male.
   a. da come   b. appena   c. da quando   d. per questo

3. Devo lavorare fino a tardi .... sono stato tutto il pomeriggio fuori.
   a. affinché   b. dopo che   c. quando   d. dal momento che

4. Mettiamo tutto a posto .... arrivino i miei!
   a. poiché   b. senza che   c. prima che   d. sebbene

5. .... strana, la sua risposta mi è sembrata poco educata.
   a. Come   b. Quanto   c. Anche   d. Più che

6. L'ho trattato male .... non faccia più lo stesso errore.
   a. sebbene   b. perché   c. nonostante   d. poiché

19 Completate questo breve testo relativo alla "prima della Scala", una delle serate più importanti per gli appassionati d'opera in Italia.

L'opera in programma, con i suoi protagonisti, i cantanti e il direttore d' (1)............................. prescelto per la grande serata, è solo uno dei due volti del 7 dicembre in piazza della Scala, giorno della "prima", cioè l'inizio della (2)............................. lirica in uno dei più prestigiosi teatri del mondo.

L'altra faccia della stessa serata incomincia (3)............................. dello spettacolo. Fuori, davanti al teatro, centinaia e centinaia di manifestanti (4)............................. sentire un'altra musica: la voce della contestazione, come di consueto. Operai, sindacati (soprattutto quelli dell'*Alfa Romeo*), studenti, gli immancabili animalisti, no global e pacifisti (attori con maschere bianche). Tutti insieme a protestare. Perché si sa, in quel giorno l'(5)............................. dei media è fortissima e l'occasione è perfetta per dare eco alle proprie ragioni. Anche quest'anno, come del resto (6)............................. spesso, nel complesso le contestazioni sono state pacifiche.

Per il resto, tanta amarezza dei curiosi, che come ogni anno si erano avvicinati al tempio della lirica per spiare i (7)............................. famosi, quando si sono trovati davanti a una serie di protezioni e poliziotti per tenere il (8)............................. più distante che mai e sono tornati a casa delusi. "Non è giusto così, che esagerati! Quest'anno non si vede (9)............................., neanche l'arrivo del Presidente", ha commentato un'anziana signora (10)............................. dal suo rituale. E ha girato le spalle alla Scala.

20 Ascolto

Ascoltate il brano e indicate le affermazioni veramente esistenti.

1. Maria Callas studiò al Conservatorio di New York. ☐

2. Tornò in Grecia dopo la separazione dei genitori. ☐

3. Il suo debutto ufficiale avvenne ad Atene. ☐

4. Meneghini, suo marito, era molto più grande di lei. ☐

5. Debuttò alla Scala al posto della sua grande rivale. ☐

6. In America il suo valore fu riconosciuto tardi. ☐

7. Maria Callas e Aristotele Onassis ebbero un figlio. ☐

8. Il suo carattere non piaceva a tutti. ☐

9. Nel suo lavoro era molto esigente con se stessa. ☐

10. Girò anche un film. ☐

TEST FINALE

A   **Scegliete la risposta corretta.**

1.   (1)........................... la cortesia, (2)........................... a sentire!

    (1)   a) Mi fai   (2)   a) mi stia
        b) Mi faccia   b) mi sta
        c) Fammi   c) mi stai

2.   Signora Stefania, non (1)........................... ascolto alle chiacchiere e (2)........................... la Sua strada!

    (1)   a) dia   (2)   a) segui
        b) dare   b) segue
        c) da   c) segua

3.   Signor direttore, se (1)........................... volta non arrivo puntuale in ufficio non (2)...........................!

    (1)   a) alcune   (2)   a) preoccuparsi
        b) qualche   b) si preoccupi
        c) quale   c) si preoccupa

4.   Ho (1)........................... problemi per la testa che mi arrabbio facilmente con (2)........................... .

    (1)   a) pochi   (2)   a) chiunque
        b) qualsiasi   b) uno
        c) tanti   c) certi

5.   In (1)........................... città d'Italia tu vada, c'è sempre (2)........................... di interessante da vedere.

    (1)   a) qualsiasi   (2)   a) qualche
        b) ognuna   b) alcuni
        c) ciascuna   c) qualcosa

6.   Carla, (1)........................... telefoni, io non ci sono per (2)........................... .

    (1)   a) chiunque   (2)   a) alcuno
        b) qualunque   b) nessuno
        c) ognuno   c) ciascuno

B Completate il testo scegliendo il termine adatto.

Imparolopera

La stagione d'opera per i giovanissimi
In collaborazione con il Conservatorio di Musica "Arrigo Boito"
Testi, attore e regia Bruno Stori
Allievi della Scuola di canto del Conservatorio "A. Boito" di Parma
Coordinamento musicale Donatella Saccardi

Le stesse opere che compongono il cartellone della Stagione Lirica, ma ripensate, riviste, rimontate e adattate per il pubblico di (1)............................., per gli allievi delle scuole elementari e medie. Una stagione d'opera pensata appositamente per loro: così si presenta *Imparolopera*, l'(2)............................. del Teatro Regio di Parma che nel corso delle sette precedenti edizioni ha già coinvolto decine di migliaia di bambini (3)............................. alla scoperta dell'opera lirica. Questa è la grande novità di *Imparolopera* di quest'anno: una vera e propria (4)............................. parallela che presenta gli stessi titoli della Stagione Lirica. Così la comicità di Rossini della *Pietra del paragone*, il (5)............................. mondo della Cina delle fiabe e la potenza drammatica della tragedia shakespeariana dei capolavori *Turandot* e *Otello* vivranno sulla scena anche per (6)............................. bambini e adolescenti. Le opere saranno offerte secondo l'ormai collaudata formula che, utilizzando i migliori allievi delle classi di canto del Conservatorio "Arrigo Boito" di Parma, e con la regia e i testi di Bruno Stori, propone l'opera in un'originale e coinvolgente fusione di canto e recitazione.

adattato da http://www.teatroregioparma.org

1.	a. domani	b. futuro	c. dopodomani	d. ieri
2.	a. impresa	b. iniziativa	c. azione	d. attitudine
3.	a. entusiasmi	b. entusiasmano	c. entusiasmanti	d. entusiasti
4.	a. stanzone	b. stazione	c. stagione	d. stagnina
5.	a. maggiore	b. magico	c. meglio	d. molto
6.	a. tali	b. troppi	c. quanti	d. molti

C   Leggete le definizioni e risolvete il cruciverba.

ORIZZONTALI:
1. Il pubblico quando è soddisfatto fa un lungo...
4. La prima volta di fronte al pubblico.
5. Pavarotti è un famoso ... italiano.
7. Chi scrive la musica di un'opera lirica.
8. Spazio dove stanno gli attori o i cantanti durante lo spettacolo.

VERTICALI:
2. Il testo di un'opera lirica.
3. Quando due o più strade si incontrano.
6. La facciamo per aspettare il nostro turno.

Risposte giuste: /26

Glossary on page 202

1   Completate le seguenti frasi con il congiuntivo imperfetto, secondo il modello.

> Credo che Stefano sia un tuo amico.
> Credevo che Stefano *fosse* un tuo amico.

1. Crede che voi abbiate ragione.
   Credeva che voi .... ragione, ma si sbagliava.
2. Penso che Paola torni per cena.
   Pensavo che Paola .... per cena, invece ha dovuto fermarsi in ufficio.
3. Credo che Andrea non scriva mai ai suoi.
   Credevo che Andrea .... spesso a Carla.
4. Credo che Lucia e Maria siano italiane.
   Credevo che Lucia e Maria .... italiane e non argentine.
5. Giovanni pensa che tu ami gli animali.
   Giovanni pensava che tu .... gli animali,
   per questo ti ha regalato un cucciolo.
6. I ragazzi pensano che lunedì sia il giorno adatto per partire.
   I ragazzi pensavano che lunedì il
   giorno adatto per partire, ma non avevano previsto lo sciopero dei piloti.

2   Completate secondo il modello.

> Spero che faccia bel tempo.
> *Speravo che facesse bel tempo*, invece ha piovuto.

1. Spero che Costanza venga prima delle due.
   ...., ma evidentemente avrà incontrato traffico.
2. Spero che veda il mio biglietto sul tavolo.
   ...., ma non è nemmeno passata da casa.
3. Sembra che sia una serata interessante.
   ...., invece ci siamo annoiati da morire.
4. Non siamo sicuri che loro abbiano buone intenzioni.
   ...., per questo eravamo un po' diffidenti.
5. Mi pare che la mamma abbia sempre meno pazienza.
   ...., ma non sapevo
   dei problemi che affrontava sul lavoro.
6. Credo che qui facciano la migliore pizza della città.
   ...., invece no.

3 Completate le seguenti frasi con il congiuntivo imperfetto dei verbi dati.

1. Il professore pensava che io (*avere*) .... bisogno di qualche lezione ancora.
2. Era necessario che loro (*consegnare*) .... tutti i documenti necessari prima del termine di scadenza.
3. Era normale che Vittoria (*superare*) .... l'esame, aveva studiato tanto.
4. Ha fatto bene Beppe! Bisognava che qualcuno (*prendere*) .... una decisione! Non potevamo rimandare ancora il problema.
5. Pensavo che Carlo (*finire*) .... l'esercizio prima di noi.
6. Avevo l'impressione che voi (*essere*) .... in compagnia.

4 Completate le frasi con il congiuntivo trapassato, secondo il modello.

> Hai cambiato appartamento?
> Non sapevo che *avessi cambiato* appartamento già da un mese.

1. Era incredibile che loro (*perdere*) .... la strada, con tanti cartelli stradali in giro!
2. Non sapevo che Lei (*vedere*) .... l'ultimo film di Benigni.
3. Mi sembrava che tu (*andare*) .... in Spagna e non in Olanda.
4. Non immaginavamo che (*finire*) .... prima, altrimenti saremmo venuti a prendervi.
5. Luana credeva che il mazzo di fiori glielo (*mandare*) .... io e non tu.
6. Se ieri sera non (*uscire*) .... avrei senz'altro guardato la partita dell'Inter.

5 Rispondete alle domande usando il congiuntivo trapassato, secondo il modello.

> Lo sai che Luciana è arrivata dal paese? (*tornare ieri*)
> Credevo che *fosse tornata* ieri.

1. Sai che Rossella ha rotto con Lorenzo? (*rompere da un pezzo*)
   ....
2. Lo sai che finalmente ho parlato con il proprietario di casa? (*parlargli la settimana scorsa*)
   ....
3. Lo sai che domani si terrà un convegno sui problemi ambientali? (*tenersi già lo scorso mese*)
   ....
4. Sai che per il concorso mi è servito tanto il tuo libro? (*non servirti affatto*)
   ....
5. Sai che Gloria ha avuto un bambino? (*avere una bambina*)
   ....
6. Sai che andremo in Sardegna? (*andare l'anno scorso*)
   ....
   ....

6 Mettete i verbi tra parentesi al modo congiuntivo e al tempo opportuno.

1. Cara, spero che ti (*piacere*) .... la serata che abbiamo trascorso insieme.
2. Non credevo che Carlo e Antonio (*andare*) .... in pensione l'anno scorso.
3. Siamo felici che tu e Stefano (*arrivare*) .... in orario nonostante il traffico!
4. Non immaginavo che Giorgio (*laurearsi*) .... in tre anni, invece ce l'ha fatta.
5. Avevo paura che non (*capire*) .... quanto gli avevamo detto, invece conoscevano benissimo la lingua italiana.
6. Mi faceva piacere vedere che i bambini (*amare*) .... così tanto il cagnolino che gli avevo portato.

7 Mettete i verbi tra parentesi al modo e al tempo opportuni.

1. Ci pareva strano che Nicola non (*telefonare*) ...., ma non potevamo immaginare che gli (*rubare*) .... il cellulare.
2. Già negli anni '70 gli ambientalisti dicevano che il pianeta (*avere*) .... seri problemi ecologici, ma molti pensavano che (*essere*) .... troppo pessimisti!
3. Non erano certi che il treno (*arrivare*) ...., perché avevano sentito che (*esserci*) .... uno sciopero.
4. Credevo che il marito di Gabriella (*chiamarsi*) .... Andrea. È possibile che non (*ricordarsi*) .... mai i nomi delle persone?!
5. Quando Mario vide l'appartamento non poteva credere che (*costare*) .... così poco.
6. Sapevo che cercavi una casa da comprare, ma non pensavo che (*volere*) .... una villa in mezzo al verde.

8 Mettete i verbi dati al modo congiuntivo, ma al tempo opportuno.

1. *andare via* Mi pare che Lorenza .... da qualche minuto.
2. *sentirsi* Non era necessario che voi .... in colpa per nulla!
3. *stare* Non credo che Dario e Franca .... mai a Parigi.
4. *dare* Era proprio necessario che tu .... ragione a tua sorella e non a me?
5. *essere* Non ho telefonato perché pensavo che voi .... stanchi.
6. *fare* Dubito che .... in tempo.
7. *dire* Era chiaro! Qualcuno non voleva che loro .... la verità!
8. *litigare* Mi pare che Tina .... con i suoi, per questo non l'hanno lasciata venire.

9   Completate le seguenti frasi con i verbi dati.

> *parlassimo - stessi - andassi - avesse detto -*
> *facessimo - saresti venuto - stessero - desiderassi*

1. Ignoravo cosa .... preparando i bambini e non mi sono accorto di nulla.
2. Lucio, vorrei che .... semplicemente a prepararmi un caffè.
3. Non ti ho telefonato perché pensavo che non .... a casa o che non
   .... vedere nessuno.
4. Ero proprio convinto che Fiorenza .... tutto quello che sapeva.
5. Eravamo sicuri che tu non .... con noi.
6. Alle elementari avevo un insegnante che pretendeva che ....
   .... sempre attenzione e non .... mai.

10   Completate secondo il modello.

> La Roma ha vinto il campionato perché era la squadra più forte!
> Era normale che la Roma *vincesse* il campionato, era la squadra più forte!

1. Di solito il fine settimana c'è traffico sulle strade perché molti fanno una gita fuori città.
   Era logico che il fine settimana ....
2. Ho paura che Paola dica tutto a Michele.
   Temevo che ....
3. Forse dovevo parlare io con il cliente che è appena andato via.
   Era meglio che ....
4. Mia figlia non mi ha telefonato, ma poi ho saputo che aveva dimenticato il cellulare in treno.
   Era strano che ....
5. È necessario che tu rimanga ancora qualche mese in Italia.
   Occorreva che ....
6. A Ferragosto non ho trovato nessuna camera libera a Capri!
   Era naturale che ....!

11 Completate le frasi scegliendo l'elemento corretto.

1. Ho sempre dubitato che .... vera la notizia della separazione di Elena e Vincenzo.
   a. fosse   b. fosse stata   c. sarebbe stata   d. era

2. .... partissero tutti insieme, perché mio figlio non conosce bene l'italiano.
   a. Era peggio che   b. Era preferibile che   c. Era difficile che   d. Era un peccato che

3. .... noi dimostrassimo a Giorgio quanto gli eravamo amici!
   a. Occorre che   b. Era possibile che   c. Era facile che   d. Era importante che

4. Era strano che Giuseppe .... senza problemi di cambiare lavoro e città.
   a. accettava   b. abbia accettato   c. avesse accettato   d. accetterebbe

5. .... si fosse messo a guidare in quelle condizioni.
   a. Era importante   b. Era incredibile che   c. Era necessario che   d. È tempo che

6. Quando sono andato a trovarlo .... che fosse guarito, invece l'ho trovato ancora a letto.
   a. era opportuno   b. dicevano   c. bisognava   d. sembravano

12 Abbinate le frasi scegliendo la congiunzione corretta. Consultate anche l'Appendice grammaticale.

1. Le ore passarono	*nel caso*	ce ne accorgessimo.
2. Ci guardò	*malgrado*	nulla fosse successo.
3. Gli ha detto che era sposata	*affinché*	le chiedesse un appuntamento.
4. Le lascio la macchina	*senza che*	finisca prima di me.
5. Non ha mangiato niente	*come se*	avesse fame.
6. Li accompagnai in macchina	*prima che*	arrivassero in tempo alla stazione.

13 Scegliete il connettivo corretto e coniugate i verbi tra parentesi.

> *come se - prima che - a condizione che -*
> *a meno che - benché - affinché - senza che*

1. Vi posso dare un passaggio io .... non (*chia-mare*) .... già .... un taxi.

2. I bambini non ci hanno detto niente del loro problema ....
   .... non li (*rimproverare*) ....

3. .... Roberto non (*essere*) .... mai .... a Milano, ci si muoveva .... ci (*nascere*) ....

4. Anna superò l'esame di Filosofia antica .... (*studiare*) .... molto.

5. Mirco accettò di venire con noi al mare .... (*andarci*) .... con la sua macchina.

6. Fabio, se ce la fai, compra l'aspirina .... (*chiudere*) .... la farmacia.

14 Unite le frasi secondo il modello. Consultate anche l'Appendice grammaticale.

> Era il più preparato e quindi anche il solo che - potere dire qualcosa.
> Era il più preparato e quindi anche il solo che *potesse* dire qualcosa.

1. Le tue parole sono state il premio più bello che - io potere ricevere.

....

2. Che - tardare lo sapevo, ma questa volta hanno veramente esagerato.

....

3. Il viaggio era stato più divertente di quanto - noi immaginare.

....

4. Conosce molto bene la zona ed è il solo che - essere in grado di arrivare al paese più vicino.

....

5. Chiedo solo che - tu avere più fiducia in me.

....

6. Voglio che tu sappia che resterai sempre il mio migliore amico comunque - andare le cose.

....

15 Come il precedente.

1. La situazione del pianeta è più critica di quanto - i politici ammettere.

....

2. Qualunque cosa - tu fare, ti ho sempre perdonato!

....

3. Cerco una casa in campagna che - non essere troppo isolata.

....

4. Solo adesso capisco quanti buoni consigli mi davano i miei: magari - ascoltarli.

....

5. Posso vivere ovunque - esserci sole e mare.

....

6. Diceva sempre che sua moglie era la donna più bella che - incontrare nella sua vita.

....

16 Completate le frasi coniugando i verbi dati al modo e al tempo opportuni.

1. Anche se (*andare*) .... di fretta, avresti potuto almeno salutare!
2. Quei ragazzi pensano sempre di (*essere*) .... i migliori!
3. Se non ha accettato di venire con noi, forse (*avere*) .... qualcosa di meglio da fare.
4. Ha capito come erano andate le cose solo dopo che i suoi amici gli (*raccontare*) .... tutto.
5. Scusatemi ragazzi! Pensavo di (*finire*) .... prima, ma c'era un sacco di lavoro!
6. Lilli, è meglio (*aspettare*) .... ancora un po'! In questi casi bisogna (*avere*) .... pazienza!

17 Come il precedente.

1. Secondo me, (*essere*) .... molto importante cosa fa ciascuno di noi per l'ambiente, mentre molti pensano che la colpa (*essere*) .... solo delle industrie.
2. Bambini... siete contenti di (*partire*) ....?
3. È meglio che voi non (*vedersi*) .... più.
4. Sebbene Piero (*fare*) .... un errore, merita sempre la nostra amicizia!
5. Se ci sbrighiamo, probabilmente (*trovare*) .... ancora qualche biglietto.
6. Credevamo di (*essere*) .... i soli a conoscere la verità!

18 Completate con le preposizioni corrette.

1. Clima caldissimo ancora (1)............... un paio di giorni. Infatti (2)............... lunedì e martedì le temperature diminuiranno (3)............... 3-4 gradi. Sarà (4)............... merito (5)............... temporali che colpiranno soprattutto il Centro-Nord. Ma chi andrà (6)............... ferie in agosto non dovrà preoccuparsi. Il passaggio di questa perturbazione sarà rapido; già (7)............... metà settimana la bella stagione tornerà (8)............... la gioia dei tanti che passano le ferie al mare.

adattato da *la Repubblica*

2. Quasi alla fine i preparativi (1)............... "Energethica", seconda edizione del Salone (2)............... Energia Rinnovabile e Sostenibile che si terrà (3)............... Fiera di Genova dal 24 (4)............... 26 maggio ((5)............... informazioni consultare il sito www.energethica.it). Il progetto, (6)............... cui lavorano partner istituzionali, tecnici della comunicazione, ha come scopo garantire contenuti (7)............... altezza delle richieste (8)............... mercato.

adattato da *La Stampa*

19 Ascolto

Ascoltate il brano e indicate l'affermazione giusta.

1. Il WWF
   - a. non è la più grande associazione ambientalista del pianeta
   - b. cerca di fermare il degrado del pianeta
   - c. costruisce un nuovo mondo naturale
   - d. protegge soltanto gli animali in via di estinzione

2. Tra i fondatori del WWF ricordiamo
   - a. un naturalista, un re, una regina e un pittore
   - b. un biologo e un pittore
   - c. un re, una regina e un pittore
   - d. un principe e un pittore

3. Il WWF porta avanti oltre 1.200 progetti
   - a. in Italia
   - b. nel mondo
   - c. per la difesa degli animali
   - d. per la protezione del mare

TEST FINALE

A   Scegliete la risposta corretta.

1. Credevamo che (1)............................, non immaginavamo (2)............................ ancora qui!

   (1) a) foste già partiti   (2) a) di trovarvi
        b) siate già partiti   b) che mi trovaste
        c) partireste   c) trovare

2. Secondo Luigi, l'iniziativa "Spiagge pulite" (1)........................ il prossimo fine settimana; io invece credo che (2)............................ domani, venerdì!

   (1) a) si tenga   (2) a) si facesse
        b) si terrà   b) si fa
        c) tenersi   c) si faccia

3. (1)............................ Carlo non avesse voglia di andare in ufficio, è dovuto andarci perché (2)............................ finire un lavoro urgente!

   (1) a) Nel caso   (2) a) bisognava
        b) Come se   b) era bene
        c) Sebbene   c) probabilmente

4. Chi poteva immaginare che la temperatura (1)............................ tanto in questi giorni? Che ne dici: (2)........................ in spiaggia?

    (1) a) saliva   (2) a) andiamo
         b) salisse   b) andremmo
         c) sia salita   c) andassimo

5. (1)............................ aver ritrovato il mio cane. Non pensavo che (2)............................ ritrovare la strada di casa da solo.

    (1) a) Sono felice di   (2) a) possa
         b) Sono contento che   b) potesse
         c) Sono certo   c) abbia potuto

6. Le (1)............................ sempre dei fiori perché voleva che (2)............................ di lui.

    (1) a) mandi   (2) a) si accorgesse
         b) mandassi   b) si accorgeva
         c) mandava   c) si accorga

B Scegliete la risposta corretta.

La mia città è percorsa dal fiume Serpente, un piccolo fiume che l'attraversa morbidamente, strisciando in essa proprio come un serpente (da qui il suo nome così poco originale!).
Poco fuori città, accanto al fiume, (1)............................ cinquant'anni fa c'era un laboratorio che usava sostanze colorate. Cosa producesse nessuno lo sapeva! (2)............................ fosse rimasto un laboratorio! Col passare degli anni, pian piano, ha assunto dimensioni sempre più grandi: oggi è una vera e propria fabbrica con cinquanta operai che produce vernici, sostanze chimiche colorate e così via. (3)............................ sapeva che la fabbrica del signor Alberto Sempreverde era la maggiore responsabile del pessimo stato (di salute) del fiume.
Una bella mattina primaverile, alla gente bastò (4)............................ il naso fuori casa per accorgersi che ciò che sentiva non era profumo di fiori, ma sgradevoli odori indescrivibili. Da quel giorno la malattia del nostro fiume divenne un problema comune, il problema dell'intera città. Siete curiosi di sapere com'è finita questa storia? Il signor Sempreverde, l'unico che (5)............................ fare qualcosa, non fece nulla. O meglio... qualcosa fece. Costruì un'altra fabbrica, accanto a quella esistente, per produrre deodoranti e candele aromatiche per l'ambiente. Oggi, (6)............................ il fiume sta sempre peggio, i cittadini non se ne accorgono perché, anche d'inverno, per le strade della mia città si respira un bel profumo di violette.

1. a. verso   b. circa   c. prima di   d. dopo
2. a. Magari   b. Sebbene   c. Comunque   d. Affinché
3. a. Era importante che b. Benché   c. Chiunque   d. Dovunque
4. a. mettesse   b. mettere   c. metterebbe   d. metteva
5. a. poteva   b. può   c. possa   d. potesse
6. a. dopo che   b. poiché   c. anche se   d. forse

C   **Leggete le definizioni e risolvete il cruciverba.**

ORIZZONTALI:
1. Azienda agricola che ospita anche turisti.
4. Così è... anche chiamata la nostra Italia.
5. La più importante associazione ambientalista italiana.
6. Li leggiamo se vogliamo prendere in affitto un appartamento.
7. La si segue per dimagrire, ma non solo...
8. Il contrario di sprecare.
9. Un sinonimo di muoversi (...in città).

VERTICALI:
1. Un appartamento arredato.
2. Causa l'aumento della temperatura sul nostro pianeta.
3. Offre il suo tempo libero e la sua collaborazione per aiutare gli altri e il pianeta.

Risposte giuste: /28

123

Glossary on page 204

1   **Rispondete alle domande formulando dei periodi ipotetici del 1° tipo, secondo il modello.**

> Quando finisci, telefoni a Carla?
> *Non lo so, ma se (finire) finisco prima, (telefonarle) le telefono.*

1. Verrai in montagna? Sai, verrà anche Claudio!
   Se (*esserci*) .... lui, (*venire*) .... sicuramente.
2. Vuoi un altro caffè?
   Se (*berne*) .... un altro, non (*dormire*) .... tutta la notte.
3. Una volta arrivati, dove andrete?
   Se (*arrivare*) .... di notte, (*andare*)
   .... direttamente in albergo.
4. Verrete questa sera a cena da noi?
   Se la baby-sitter non (*avere*) ....
   impegni, (*venire*) .... senz'altro.
5. Perché non vuoi che guidi Giuseppe?
   Perché se (*guidare*) .... lui, (*arrivare*) .... tardi.
6. Comprerai lo yogurt che mi piace tanto?
   Se (*andare*) .... al supermercato, (*comprarlo*) .... sicuramente.

2   **Abbinate le due colonne in modo da ottenere dei periodi ipotetici del 1° e 2° tipo.**

1. Se mi invitasse a cena,	a. farei il bagno anch'io.
2. Se parlasse con qualcuno,	b. puoi usare il mio cellulare.
3. Se devi telefonare,	c. accetterei volentieri.
4. Se il mare non fosse così freddo,	d. stasera resto a casa.
5. Se Anna andasse al supermercato,	e. le chiederei di comprarmi il caffè.
6. Se continua a piovere,	f. si sentirebbe meglio.

3   **Trasformate le frasi formulando dei periodi ipotetici del 2° tipo, come da modello.**

> Vengo, se ci sarà anche Valeria.
> *Verrei, se ci fosse anche Valeria.*

1. Se i clienti ci pagano, possiamo anche noi pagare alcuni debiti.
   ....

2. Se viaggi in aereo, risparmierai molto tempo.

....

3. Se Emanuele torna prima delle otto, usciremo.

....

4. Se sei più sincero, forse sarai anche più simpatico agli altri.

....

5. Se compri un nuovo telefonino, me lo dai il vecchio?

....

6. Se Sara prende più cura di se stessa, è una ragazza bellissima.

....

4 **Abbinate le due colonne in modo da ottenere dei periodi ipotetici del 2º e 3º tipo.**

1. Se fosse tornato,   a. supererebbe tutti gli esami.
2. Se avesse continuato gli studi,   b. mi avrebbe telefonato.
3. Se Luca si fosse fermato allo stop,   c. potremmo andare con la mia macchina.
4. Se non avessimo pagato in contanti,   d. avrebbe fatto una brillante carriera.
5. Se Mario studiasse di più,   e. avrebbe evitato l'incidente.
6. Se partissimo insieme,   f. non ci avrebbe fatto lo sconto.

5 **Trasformate le frasi formulando dei periodi ipotetici del 3º tipo, secondo il modello.**

> Non ti ho telefonato perché era già mezzanotte.
> *Se non fosse stata mezzanotte ti avrei telefonato.*

1. Siamo rimasti senza soldi perché abbiamo speso tanto.

....

2. Mi devi scusare, ma ero occupato e non sono venuto a trovarti.

....

3. Ha passato tutta la serata al computer e non è uscito con gli amici.

....

4. Questa mattina non ho fatto colazione e ora mi gira la testa.

....

5. Non ha seguito le istruzioni e ha danneggiato la stampante nuova.

....

6. Mimmo ti ha chiesto di pagare il conto perché aveva perduto il portafoglio.

....

6 Abbinate le due colonne in modo da ottenere dei periodi ipotetici del 1º, 2º e 3º tipo.

1. Se non avessi risparmiato,   a. ti avrei certamente portato un regalo!
2. Se Patrizia non mi invita,   b. non avrei potuto comprare una casa.
3. Se fosse arrivato,   c. vengo con voi.
4. Se fossi stato a Madrid,   d. mi telefonerebbe.
5. Se si interessasse,   e. non tornare tardi!
6. Se stasera esci,   f. sarebbe tra noi.

7 Completate liberamente le frasi.

1. Se finisci prima, ...
2. Se avete sete, ...
3. Se andate a comprare il giornale, ...
4. Se facesse freddo, ...
5. Se fosse venuta Ilaria, ...
6. Se continuo a star male, ...

8 Completate liberamente le frasi.

1. Se ...., mi avrebbe fatto piacere.
2. Se ...., digli che non mi hai visto.
3. Se ...., non sarei felice.
4. Se ...., ci avrebbe avvisato.
5. Se ...., passavamo una bella serata.
6. Se ...., sarebbe già arrivata.

9 Completate secondo il modello.

> Non ho dato retta ai miei amici e adesso mi trovo in questo guaio.
> *Se avessi dato retta ai miei amici, non mi troverei in questo guaio.*

1. Parli in questo modo perché non hai visto la trasmissione.
   ....

2. Non ho mangiato niente perché non mi sentivo bene.
   ....

3. Mi hanno aiutato e non sono alla ricerca di una casa.
   ....

4. Sono ingrassato durante l'inverno e sono costretto a fare la dieta.
   ....

5. Il treno non è partito in orario e non sono ancora a casa.
   ....

6. Non siamo andati con loro e adesso non siamo a Budapest.
   ....

10 Trasformate le frasi secondo il modello. Consultate anche l'Appendice grammaticale.

> Mi ha telefonato Carlo per andare a teatro. Che dici? Vado a teatro?
> *Mi ha telefonato Carlo per andare a teatro. Che dici? Ci vado?*

1. Voleva sapere se abitavo a Milano. Io gli ho risposto che non abitavo più a Milano.
....

2. Franco ha accompagnato me e mia sorella alla stazione.
....

3. Sandra ha telefonato a noi.
....

4. Mi ha chiesto se avessi la macchina. Gli ho risposto che non avevo la macchina.
....

5. Paolo si veste elegantemente. Anch'io mi vesto elegantemente.
Noi ....

6. La situazione è complicata. Non capisco niente.
....

7. Voleva sapere se avevo creduto alle loro parole. Gli ho detto che credevo ciecamente alle loro parole.
....

8. Vorrei visitare l'Italia. Non sono mai stato in Italia.
....

11 Trasformate le frasi secondo il modello. Consultate anche l'Appendice grammaticale.

> Ti piace il caffè? Io vado matto per il caffè e bevo 5 o 6 caffè al giorno!
> *Ti piace il caffè? Io ne vado matto e ne bevo 5 o 6 al giorno.*

1. Volevo telefonare a Martina. Però mi sono dimenticato di telefonare a Martina.
....

2. A Lorella piace Ennio. Lorella è innamorata cotta di Ennio.
....

3. Alla mia festa aspettavo molte persone. Non immaginavo però che sarebbero venute tante persone.
....

4. Claudio si è lasciato con Nicoletta. Da allora non vuole sentire parlare di Nicoletta.
....

5. E la torta? L'avete mangiata tutta? Non è rimasto neppure un pezzetto di torta?
....

6. Non ho comprato tutti i cd che volevo. Ho comprato solo alcuni cd.
....

12 Completate le seguenti frasi inserendo *ci* o *ne*.

1. Oltre ai computer hai qualche altra passione?
   .... coltivo una da quando ero bambino: la musica.
2. Sei contento della scelta di tuo figlio?
   Non solo... .... sono entusiasta.
3. Hai visto che bello quel vecchio modello di *Vespa*?
   Eh sì... bellissimo: mio padre .... l'aveva proprio uguale!
4. Vai a Pisa?
   No, ... sono stato ieri.
5. Come è andata la vacanza in campeggio?
   Molto bene, ... siamo divertiti un sacco!
6. Come va il nuovo lavoro, Giulia?
   Sono troppo esigenti, non .... la faccio più.
7. Com'è andata la serata di ieri con gli amici?
   Non me .... parlare... una noia!
8. Abbiamo ancora cereali?
   Ce .... dovrebbe essere una scatola nello scaffale in alto.

13 Completate il testo scegliendo il termine adatto tra quelli dati.

Per scambiarsi gli auguri di Natale a distanza oggi (1)........................ avere un telefonino. Non tanto per chiamare e augurare il Buon Natale a voce. Questo è assolutamente (2)........................ E neppure per guardare in volto l'amico del cuore che si trova dall'altra parte del pianeta (3)........................ a una video-chiamata. Anche questa è, ormai, preistoria.

Da oggi è sufficiente disporre della connessione *Bluetooth* sul cellulare, (4)........................ una speciale T-shirt per abbracciare i propri cari proprio come se questi fossero presenti. La rivoluzionaria maglietta – *Hug Shirt* ovvero "maglietta che abbraccia" – è dotata di speciali sensori che si attivano con il calore corporeo e con una leggera pressione delle mani su un'applicazione che (5)........................ il telefono.

È sufficiente abbracciare se stessi perché la persona lontana senta l'abbraccio sul (6)........................ corpo tramite una pressione e un aumento della temperatura della propria T-shirt. Naturalmente si può anche ricambiare l'abbraccio.

La maglietta, confortevole e (7)........................ con un tessuto misto tra cotone e microfibra, è stata ideata dalla *Cutecircuit*, una società specializzata in materiali (8)........................, e sarà distribuita a breve.

adattato da *http://cellulari.alice.it*

1.	a. sufficiente	b. necessariamente	c. basta
2.	a. importante	b. proibito	c. banale
3.	a. merito	b. grazie	c. tramite
4.	a. mostrare	b. vestirsi	c. indossare
5.	a. attiva	b. apre	c. spegne
6.	a. particolare	b. proprio	c. loro
7.	a. formata	b. costruita	c. realizzata
8.	a. contemporanei	b. innovativi	c. futuri

14 Completate liberamente le frasi.

1. Se vendo la mia casa in centro, ...
2. Se vincessimo al totocalcio, ...
3. Se ci fossimo incontrati dieci anni fa, oggi ....
4. Se studiate oggi, domani ....
5. Se me ne fossi andato in quell'occasione, ora ....
6. Se Giulia avesse ricevuto la promozione a direttrice, ...
....

15 Completate con le preposizioni.

Difficile resistere alla tentazione di inserire le classiche "faccine" nei messaggi, (1)................ email o negli SMS. Nati nei lontani anni '80 quando Internet e i pc erano diffusi solo (2)................ università e centri di ricerca, il loro scopo era e rimane tutt'ora quello di rappresentare uno stato d'animo o di commentare il carattere serio, semi-serio o scherzoso di una frase scritta. La loro nascita si deve probabilmente (3)................ professor Scott Fahlman, docente all'università Carnegie Mellon, che nel settembre 1982 aveva suggerito l'introduzione dei caratteri :-) (4)................ denotare il tono scherzoso di un argomento di una email. Da lì, l'inserimento delle *emoticon* si è diffuso in altre università e, soprattutto, (5)................ ogni Paese. Più che una moda ormai rappresentano un segno di radicata cultura Internet e in parte indicano quanto sia difficile, (6)................ tempi moderni, comunicare il proprio stato d'animo tramite semplici parole scritte, dalle email (7)................ SMS. In ogni caso testimoniano quanto il detto "un'immagine vale quanto mille parole" sia tutt'ora più che valido ;-).

16 Ascolto

Ascoltate il brano e completate le frasi (massimo 4 parole).

1. Vorrei vedere un ....

2. Design bellissimo, schermo al plasma ....

3. Comunque, è un sistema all'avanguardia che le permette di ricevere ....
...., collegarsi a internet...

4. Lei potrà guardare più canali contemporaneamente e scegliere quello ....
....

5. Ecco, questo è meno grande, ... in sala.

6. In più, può memorizzare le abitudini ....

7. Non avrei mai immaginato che .... così.

8. Senti, giovanotto, ci sarebbe qualcosa ....?

TEST FINALE

A Scegliete la risposta corretta.

1. - Se tutti gli uffici del Comune (1)........................... il computer non ci sarebbe bisogno di aspettare una settimana per un certificato.
   - (2)........................... che ci siano ancora uffici senza computer!

(1)	a) avessero avuto	(2)	a) Ma è assurdo
	b) avessero		b) Complimenti
	c) abbiano avuto		c) Non si può andare avanti così

2. Non sarei venuto da te se non (1)........................... sicuro che mi (2)........................... .

(1)	a) sarei	(2)	a) aiutavi
	b) fossi		b) hai aiutato
	c) sia		c) avresti aiutato

3. Se Tommaso non (1)........................... fin da piccolo la tv a un metro di distanza, ora non (2)........................... degli occhiali da vista.

(1)	a) avesse guardato	(2)	a) bisognasse
	b) avrebbe guardato		b) bisognava
	c) guardasse		c) avrebbe bisogno

4.   Se (1)............................, (2)............................ .

(1)   a) era arrivato   (2)   a) ne telefonerebbe
       b) arrivasse   b) ci avrebbe telefonato
       c) fosse arrivato   c) si sarebbe telefonato

5.   Se (1)........................ tanto questi dolcetti, (2)............................ tutti!

(1)   a) ti piacciono   (2)   a) mangiali
       b) ti piacessero   b) mangiatene
       c) ti piaceranno   c) mangiateci

6.   - Antonio! Ma quanti libri (1)............................?
      - Quanti? (2)............................ solo due!

(1)   a) comprarti   (2)   a) Ne ho preso
       b) compravi   b) Ci ho presi
       c) hai comprato   c) Ne ho presi

B   Abbinate le due colonne completando le frasi.

1. Fammi sapere   a. forse sarebbe arrivata in orario.
2. Usciremmo più spesso,   b. partirei per una vacanza anche domani.
3. Se sei stanco,   c. se ti serve una mano.
4. Se Elena avesse messo la sveglia, d. vai a casa!
5. Se avessi la possibilità,   e. se non dovessi lavorare tanto.

C   Completate con le preposizioni.

È Antonio Meucci l'inventore del telefono. Il dovuto riconoscimento (1)........................ genio italiano è giunto con un po' di... ritardo. Infatti, a più di un secolo (2)........................ sua morte, il Congresso degli Stati Uniti (3)........................ America ha riconosciuto ufficialmente a Meucci il merito di avere inventato il telefono. È stata fatta giustizia (4)........................ una questione durata anni e che aveva visto, ingiustamente, Graham Bell entrare (5)........................ possesso del brevetto del nostro connazionale, sbarcato negli Usa (6)........................ ricerca di fortuna.
I libri di storia e le enciclopedie sono state riscritte (7)........................ onore del padre di un'invenzione che ha rivoluzionato la nostra vita di tutti i giorni.

adattato da *http://cellulari.alice.it/news*

D   Leggete le definizioni e risolvete il cruciverba.

ORIZZONTALI:

1. @ in italiano.
4. La utilizziamo per scrivere al computer.
6. E-mail in italiano: posta ...
7. Unità di misura dell'elettricità.
8. Detto di computer che possiamo trasportare con facilità.

VERTICALI:

2. Inserire un programma nel computer.
3. Un sinonimo di "viaggiare per mare", di "muoversi" in Internet.
5. Il telefono è stata un'... di Meucci.

Risposte giuste: /32

3° Test di ricapitolazione (Unità 6, 7 e 8)

A   Completate coniugando i verbi dati al tempo e al modo opportuni.

1. Signorina, la prego, (*farmi*) .... parlare col direttore!
2. Giovanotto, (*stare*) .... attento e non (*disturbare*) .... i suoi colleghi!
3. Signora Carla, (*accomodarsi*) ....! Il dottore La aspetta!
4. Se pensa di far prima, (*chiamare*) .... pure un taxi!
5. Signora Claudia, (*rilassarsi*) ....; non è successo niente di grave!
6. La prego, (*dirmi*) .... almeno se c'è un posto sul prossimo aereo.

/7

B   Completate le seguenti frasi con gli indefiniti.

1. A pranzo non ho mangiato .... e ora ho una fame da lupi.
2. Di .... cosa avrai bisogno, rivolgiti pure a me!
3. .... cerca di risolvere i suoi problemi come meglio può.
4. Dopo .... chilometro ci siamo accorti di aver sbagliato strada!
5. Direttore, ci sono .... signori che dicono di avere un appuntamento con Lei.
6. È proprio un ragazzo fortunato: ha ...., non gli manca proprio ....!

/7

C   Leggete le seguenti frasi e formulate dei periodi ipotetici (*1° - 2° - 3° tipo*).

1. Non hai dato un esame e adesso devi studiare tutta l'estate.

....

2. Non sei stato sincero e ovviamente non ti hanno creduto.

....

3. In centro c'era molto traffico e sono arrivato con mezz'ora di ritardo.

....

4. Sono molto impegnato, perciò non leggo tanto.

....

5. Laura visiterebbe Venezia durante il Carnevale, ma non trova una camera.

....

6. Fa molto freddo, non esco.

....

/6

D   Completate le seguenti frasi con *ci* e *ne*.

1. -Sei mai stato in Sicilia? -No, non .... sono mai stato, però me .... ha parlato spesso Valerio che .... è stato tante volte.
2. Comprare un altro televisore? Non .... vedo la necessità.
3. Con la mia macchina nuova, per andare a Pisa .... abbiamo messo solo un'ora.
4. Io ti consiglio di sposare Marina solo se .... sei veramente innamorato.
5. Hai sentito quello che ha detto Paolo? Ma tu .... credi?
6. Hai visto quella ragazza in macchina? Era Teresa: .... sono sicuro.
7. Con questi occhiali .... vedo benissimo.
8. Manco da una settimana dal mio paese e già .... sento la nostalgia.

/10

E   Coniugate i verbi tra parentesi al tempo e al modo opportuni.

1. Non pensavo che uno come te .... (*credere*) all'oroscopo.
2. Sei già tornato? E io che credevo che ti .... (*piacere*) l'Italia.
3. Non riuscivo proprio a capire cosa .... (*volere*) Piero da me.
4. Credevo .... (*io spiegarsi*) bene e che non c'era bisogno di riparlarne.
5. Non immaginavo che .... (*tu tenerci*) tanto ai tuoi libri.
6. Avrei voluto tanto che .... (*voi essere*) presenti alla scena!
7. Non sapevo che i tuoi genitori .... (*incontrarsi*) all'università!
8. Magari .... (*io conoscere*) Marta prima!

/8

Risposte giuste: /38

L'arte... è di tutti!

Glossary on page 205

1 Trasformate le seguenti frasi alla forma passiva, secondo il modello.

> Alessio carica i bagagli sulla macchina.
> I bagagli *sono* (*vengono*) *caricati* sulla macchina da Alessio.

1. Tutti considerano Leonardo da Vinci un genio.

    ....

2. Il direttore scrive personalmente la lettera di ringraziamento.

    ....

3. Molti attori frequentano questo ristorante.

    ....

4. I bambini colorano le pareti della classe.

    ....

5. La polizia, grazie a numerose telecamere, controlla ogni settore dello stadio.

    ....

6. Molti amano l'arte italiana.

    ....

2 Come il precedente.

1. Il professor Bruni spiega benissimo la matematica.

    ....

2. La nostra direttrice legge sempre i documenti da firmare.

    ....

3. Molti prendono le ferie in luglio.

    ....

4. Gabriella corregge gli esercizi d'italiano.

    ....

5. Giacomo esegue la quinta di Beethoven al pianoforte.

    ....

6. Migliaia di persone visitano ogni anno la Galleria degli Uffizi.

    ....

3 Trasformate le seguenti frasi con il verbo alla forma passiva, come da modello.

> Carlo ha venduto la casa in montagna.
> La casa in montagna *è stata venduta* da Carlo.

1. Tutti i giornali hanno riportato la notizia del furto agli Uffizi.
....

2. Lucia ha comprato la macchina di Sergio.
....

3. Stefano ha interpretato male le mie parole.
....

4. Mia madre ha chiamato mio fratello più di una volta.
....

5. La polizia ha subito interrogato tutte le persone sospette.
....

6. La mia squadra ha vinto ancora una volta il campionato.
....

4 Trasformate le frasi con il verbo al futuro alla forma passiva.

1. Gli esperti troveranno sicuramente una soluzione al problema.
....

2. Penso che tutti dimenticheranno presto questa canzone.
....

3. Mario prenoterà un viaggio a Miami.

4. I nostri tecnici ripareranno il guasto entro un'ora.

5. Non vi preoccupate, i bambini tratteranno benissimo il gattino.
....

6. Nel museo della nostra città esporranno opere di Caravaggio.
....

5 Trasformate le seguenti frasi con il verbo al condizionale alla forma passiva.

1. Pensavo che una ditta specializzata avrebbe ristrutturato il palazzo.
....

2. In caso di temperature elevate, il sindaco prenderebbe delle misure d'emergenza.
....

3. Dicevano che Paola avrebbe invitato Carlo.

....

4. Credevi veramente che questo governo avrebbe abbassato le tasse?

....

5. Pensi che la polizia accetterebbe la tua versione?

....

6. Il fortunato vincitore avrebbe acquistato il biglietto nel bar sotto casa.

....

6 Trasformate le frasi con il verbo al congiuntivo alla forma passiva.

1. Penso che sua madre non lo incoraggi abbastanza.

....

2. Temo che mio padre venda la macchina a un prezzo troppo basso.

....

3. Mi pareva che Sergio avesse accompagnato i ragazzi.

....

4. Credo che molti VIP frequentino questo locale.

....

5. Aveva paura che nessuno leggesse il suo libro.

....

6. Non so quanti italiani leggano *La Gazzetta dello Sport*.

....

7 Abbinate le due colonne.

1. Ma sul serio	a. è così, vero?
2. Non scherzo mai	b. che siano riusciti a vincere.
3. Dimmi che è andato tutto bene:	c. abbiano detto la verità.
4. Ti posso garantire che	d. quando si tratta del nostro futuro.
5. Non c'è dubbio che i ragazzi	e. sei stato in India?
6. È davvero incredibile	f. è stata una magnifica serata!

8 Trasformate le frasi con i verbi modali *potere* e *dovere* alla forma passiva, secondo il modello.

> Soltanto i genitori possono giustificare sempre i figli.
> I figli *possono essere* sempre *giustificati* soltanto dai genitori.

1. Penso che pochi possano comprare una villa così grande.

....

137

2. Solo un grande scrittore poteva scrivere un libro così.

....

3. Il medico deve visitare assolutamente il bambino.

....

4. Non tutti possono leggere un articolo difficile come questo.

....

5. Gli studenti devono rispettare i professori e viceversa.

....

6. Potete acquistare questo prodotto in qualsiasi supermercato.

....

9 **Rispondete alle domande secondo il modello.**

> Chi potrebbe acquistare questo quadro? (*un gallerista*)
> *Potrebbe essere acquistato* da un gallerista.

1. Chi dovrebbe correggere questi test? (*la professoressa*)

....

2. Chi può scrivere una sentenza? (*un giudice*)

....

3. Chi può vendere un orologio tanto antico? (*un antiquario*)

....

4. Chi deve mettere in ordine la camera? (*i ragazzi*)

....

5. Chi dovrebbe interrogare i sospettati? (*il commissario*)

....

6. Chi potrebbe ottenere certi risultati? (*un atleta professionista*)

....

10 **Trasformate le frasi alla forma passiva con il verbo *andare*.**

> Le ragazze non possono tornare da sole: devono essere accompagnate.
> Le ragazze non possono tornare da sole: *vanno accompagnate*.

1. È il museo d'arte moderna più importante d'Italia; deve essere visitato.

....

2. Questo lavoro deve essere consegnato entro domani.

....

3. La parte finale del libro deve essere letta con attenzione.

....

4. I formaggi devono essere tenuti in frigo.

....

5. Erano urgentissime queste lettere, dovevano essere spedite ieri.

....

6. Se non ce la fa da solo, credo che debba essere aiutato.

....

11 Trasformate le frasi date alla forma passiva con il *si* passivante.

> I gelati sono consumati specialmente in estate.
> I gelati *si consumano* specialmente in estate.

1. In tutta Italia le tradizioni popolari sono ancora molto rispettate.

....

2. Per quanto grave sia l'offesa, le scuse sono accettate sempre.

....

3. In quel villaggio turistico vengono organizzate molte serate divertenti.

....

4. Molti prodotti italiani sono esportati in tutto il mondo.

....

5. In questo albergo vengono accettate tutte le carte di credito.

....

6. In quel ristorante viene cucinato benissimo il piatto tipico della regione.

....

12 Completate le frasi alla forma passiva (*si* passivante) con i verbi dati.

> *accettare fare seguire trovare godere studiare*

1. In quel negozio non .... mai sconti.
2. Nel mio Paese .... molto le lingue straniere.
3. Gli amici .... anche con i loro difetti.
4. Nei mercati all'aperto .... tante cose a buon prezzo.
5. In Italia lo sport che .... di più è il calcio.
6. Dalla cupola di San Pietro .... un panorama fantastico.

13 Consultate l'Appendice grammaticale e completate le frasi come da modello.

> Non sapevamo quale decisione dovessimo prendere.
> Non sapevamo quale decisione *si dovesse prendere*.

1. Dobbiamo consegnare il lavoro entro una settimana.

   ....

2. Se vuoi studiare a Milano, dobbiamo trovare una casa in affitto.

   ....

3. Possiamo fare molto per la tutela dell'ambiente.

   ....

4. Gli amici devono essere rispettati e devono essere aiutati.

   ....

5. Questo non lo possiamo fare: è proibito.

   ....

6. In estate, alla televisione, possiamo vedere tanti vecchi film.

   ....

14 Mettete gli infiniti alla forma verbale opportuna, secondo il modello.

> In Italia / fare molti investimenti sulle fonti di energia rinnovabili.
> In Italia *si sono fatti* molti investimenti sulle fonti di energia rinnovabili.

1. Recentemente / fare nuove scoperte nel campo della ricerca contro il cancro.

   ....

2. Per costruire quel ponte / usare una nuova tecnica.

   ....

3. Per l'inaugurazione della nuova pinacoteca / spendere un sacco di soldi.

   ....

4. La vittoria / ottenere solo grazie a un colpo di fortuna.

   ....

5. Negli ultimi anni / importare molti prodotti dalla Cina.

   ....

6. I mosaici di Pompei / scoprire nel corso del 1800.

   ....

15 Nelle frasi seguenti abbiamo usato il *si* alla forma passivante e impersonale. Indicate a quale categoria appartengono (I - impersonale, P - passivante).

1. Ultimamente si sono creati molti posti di lavoro.   I   P
2. Dopo la campagna pubblicitaria i risultati si sono visti subito.   I   P

3. È una trasmissione che si dovrebbe vietare.   I   P

4. Per questa strada si fa prima.   I   P

5. Al Senato si è approvata una nuova legge.   I   P

6. Si dice che Ludovica abbia vinto un milione di euro al lotto!   I   P

7. Spesso si passano dei momenti difficili, ma poi tutto si supera.   I   P

8. Non si dovrebbe parlare in pubblico di fatti personali.   I   P

16   **Le seguenti frasi sono impersonali: trasformatele utilizzando il *si* passivante. Eliminate o sostituite dove necessario.**

> In questo negozio *si compra* bene.
> In questo negozio *si comprano* cose di buona qualità.

1. Ultimamente si spende troppo.

   ....

2. Dopo un grande pericolo, si riscopre quanto sia bella la vita.

   ....

3. In Italia non si parla abbastanza dell'importanza delle lingue straniere.

   ....

4. In quella scuola non si studia molto.

   ....

5. Durante il periodo dei saldi si compra bene spendendo poco.

   ....

6. Tutti vogliono lavorare in quell'azienda perché si guadagna bene.

   ....

17   **Nelle seguenti frasi usiamo il *si* passivante: trasformatele in frasi impersonali. Eliminate o sostituite dove necessario.**

> Ho saputo che in quel locale *si balla* ottima musica.
> Ho saputo che in quel locale *si balla* fino all'alba.

1. In questa casa si consuma troppa energia elettrica: ogni tanto spegnete qualche luce!

   ....

2. Ne ho fin sopra i capelli di questa situazione: si devono cambiare certe cose.

   ....

3. Non si possono dare giudizi senza sapere come sono andati i fatti.

   ....

4. Con l'aiuto di esperti si cercano ancora le cause del blackout!

   ....

5. In estate si beve molta acqua perché fa caldo.

....

6. Quando si perdono troppi soldi, è meglio smettere di giocare.

....

18 Completate con le preposizioni.

Stress da Gioconda, i dipendenti del Louvre incrociano le braccia.

Il personale (1)................... museo di Parigi ha chiesto un bonus (2)................... direzione per "ripagarlo" dallo stress supplementare derivante (3)................... maggiore attenzione che viene loro richiesta (4)................... controllare il dipinto di Leonardo. "Lo stress è chiaramente legato (5)................... numero di visitatori. – ha spiegato un dipendente del Louvre – Quel che è insopportabile è il continuo chiasso (6)................... folla, specialmente (7)................... sale più note, come quella dove si trova la Monnalisa. La domenica, quando l'ingresso è gratis, è ancora peggio. Si può arrivare fino (8)................... 65 mila visitatori in un giorno".

19 Collegate le frasi con le opportune forme di collegamento (congiunzioni, preposizioni, pronomi, avverbi) eliminando o sostituendo, se necessario, alcune parole. Trasformate dove necessario i verbi nel modo e nel tempo opportuni.

1. Teresa è felice
   oggi è il compleanno di Teresa
   il padre di Teresa ha promesso di regalare a Teresa una bicicletta

   ....

   ....

2. Ho paura per Daniela
   Daniela si è innamorata di un ragazzo
   il ragazzo di Daniela non mi piace per niente
   non conosco bene il ragazzo di Daniela

   ....

   ....

3. Maurizio è laureato in Storia dell'Arte
   Maurizio cerca lavoro
   non ci sono molte possibilità di lavoro nel suo campo
   Maurizio forse dovrà trasferirsi all'estero

   ....

   ....

XIV

4. Non sono sicuro di una cosa
   Luca ha capito bene l'ora dell'appuntamento
   ho aspettato Luca più di mezz'ora
   Luca non è arrivato

   ....

   ....

5. Stefano vuole andare a vedere una mostra d'arte
   io preferisco andare al cinema
   accetterò di andare con Stefano
   Stefano deve pagarmi il biglietto

   ....

   ....

6. Mio padre aveva un quadro prezioso
   mio padre ha venduto il quadro
   il prezzo del quadro è stato inferiore al valore reale

   ....

   ....

 20 **Ascolto**

Ascoltate l'intervista al responsabile di un museo italiano e indicate l'affermazione giusta tra quelle proposte.

1. Il museo è attrezzato per
   a. l'ingresso ai portatori di handicap
   b. le visite alle collezioni rare
   c. le catastrofi naturali
   d. le attività culturali all'aperto

2. I programmi per i visitatori prevedono anche
   a. escursioni in siti archeologici
   b. visite guidate in varie lingue
   c. opuscoli informativi
   d. audio e video in una sala apposita

3. Il museo prevede anche
   a. misure di sicurezza speciali
   b. sconti per gli studenti
   c. programmi specifici per le scuole
   d. carte speciali per gli stranieri

4. Il pezzo forte del museo è
   a. un ritratto
   b. un quadro astratto
   c. una scultura
   d. un libro raro

TEST FINALE

A   Scegliete la risposta corretta.

1. Le nuove tecniche di restauro (1)............................ su uno degli affreschi di Giotto. L'affresco (2)............................ restaurato prima che sia troppo tardi.

(1)	a) saranno applicate	(2)	a) andava
	b) hanno applicato		b) si doveva
	c) sono state applicate		c) va

2. Per il concerto di Vasco Rossi, i biglietti (1)............................ acquistare nei centri autorizzati. In caso di pioggia il concerto (2)............................ rinviato.

(1)	a) possono essere	(2)	a) verrà
	b) vanno		b) si è
	c) si possono		c) è stato

3. - Conosci il proverbio che dice "L'abito non (1)............................ il monaco"?
   - Certo! Un proverbio che (2)............................ da tutti.

(1)	a) significa	(2)	a) se ne dovrebbe ricordare
	b) fa		b) dovrebbe esser ricordato
	c) realizza		c) dovrebbe ricordarsi

4. Le offerte (1)............................ dall'avvocato Berti, ma l'opera (2)............................ da un collezionista anonimo.

(1)	a) sono fatte	(2)	a) è stata comprata
	b) si son fatte		b) va comprata
	c) sono state fatte		c) si è comprata

5. Direttore, gli inviti per la serata inaugurale della mostra (1)............................ in quanto (2)............................ l'ultima settimana di settembre.

(1)	a) venivano già spediti	(2)	a) si terrà
	b) si potrebbero già spedire		b) è stata tenuta
	c) vadano già spediti		c) si è tenuta

6. L' (1)............................ più famosa di Leonardo da Vinci è senz'altro (2)............................ .

(1)	a) opera	(2)	a) la Gioconda
	b) arte		b) la Primavera
	c) artista		c) il Giudizio Universale

B Completate le seguenti frasi con la parola opportuna (verbo, sostantivo, aggettivo, avverbio).

1. Sono un grande .... delle opere di Botticelli. (*ammirare*)
2. Credo che tu dia troppa .... ai dettagli. (*importante*)
3. Mamma, sono così .... che potrei non rivolgergli più la parola! (*rabbia*)
4. Michelangelo preferiva essere considerato uno .... (*scolpire*)
5. Il telegiornale ha un suo .... a Parigi. (*inviare*)
6. L'ingresso è riservato .... ai membri dell'associazione. (*esclusivo*)

C Completate il testo scegliendo il termine adatto.

Storia e Storie, rassegna alla Casa della Memoria e della Storia

Dal 16 al 18 luglio, alle ore 21, la terrazza della *Casa della Memoria e della Storia* apre a una breve rassegna di documentari e film, *Storia e Storie*, tratti dall'Archivio multimediale dell'IRSIFAR sui temi della Resistenza, delle donne e delle migrazioni.
Storia e Storie (1)............................. apre lunedì 16 luglio sul tema della Resistenza con un omaggio a Luigi Meneghello. Il film *I piccoli maestri* (regia di Daniele Luchetti, 1998) (2)............................., ispirandosi ad un famoso romanzo di Meneghello, le vicende di un gruppo di giovani partigiani nell'autunno del 1943.
Dello stesso periodo parla il documentario *Roma da un'estate all'altra*, che ricostruisce la storia della capitale (3)............................. l'occupazione nazifascista (prodotto da *Rai Educational*).
La serata di martedì 17 luglio, dedicata alla storia delle donne, presenta *La scuola delle mogli*, un filmato ricavato da una produzione United News, che illustra il modo in cui l'America si preoccupava di "educare" quelle giovani italiane che, durante la seconda guerra mondiale, (4)............................. militari americani.
Del lungo e difficile dopoguerra italiano parla il film *Roma ore 11* (regia di Giuseppe De Santis, 1952), ispirato ad un fatto di cronaca, a una vicenda drammatica che aveva legato personaggi femminili diversi mentre (5)............................. la speranza e il sogno di un lavoro.
L'ultima serata di proiezioni, mercoledì 18 luglio, affronta il tema delle migrazioni attraverso una commedia, il film *East is East* (regia di Damien O'Donnell, 1999), che mette (6)............................. i conflitti e i cambiamenti fra le culture che le immigrazioni portano nei paesi di accoglienza.

1. a. si   b. ci   c. vi   d. li
2. a. si interessa b. narrano   c. racconta   d. parla
3. a. all'epoca   b. tramite   c. mentre   d. durante
4. a. avevano sposato b. si sposano c. avrebbero sposato d. hanno sposato
5. a. insistevano   b. inseguivano   c. insegnavano   d. inserivano
6. a. al centro   b. nel centro   c. sul centro   d. il centro

Risposte giuste: /24

145

Glossary on page 206

1   **Trasformate le seguenti frasi al discorso indiretto, secondo il modello.**

> Angela ha detto: "I miei amici andranno in vacanza in Sardegna".
> Angela ha detto che i suoi amici *sarebbero andati* in vacanza in Sardegna.

1. Anna ieri ha detto: "Non riesco a trovare la mia borsa".

....

2. Carlo ha detto: "Torno verso le due".

....

3. Il direttore ripeteva: "Dobbiamo fare tutti uno sforzo per aumentare la produzione".

....

4. Gli hanno detto: "Sei tu la persona appropriata per il posto di vicedirettore".

....

5. Marco ha detto: "Sono stanco, resto a casa".

....

6. Disse alle figlie: "Parlate troppo al telefono".

....

2   **Come il precedente.**

1. Ha detto: "Mi sembra che voi raccontiate molte bugie".

....

2. Aveva detto: "Non sono andato a lavorare perché non sto per niente bene".

....

3. Mi ha detto: "Quando parli non capisco mai cosa vuoi dire esattamente".

....

4. Enrico le ha detto: "Non credo nemmeno a una delle tue parole".

....

5. Disse: "Non ho resistito, ancora una volta ho mangiato molto".

....

6. Ha detto: "Penso che Monica Bellucci sia una brava attrice".

....

3   Consultate l'Appendice grammaticale e trasformate le seguenti frasi dal discorso diretto al discorso indiretto.

1. "Non sono stato io a parlare male di Gianna."
   Poco fa Carlo mi ha detto che ....

2. "Secondo me, non avresti dovuto dire niente a nessuno, nemmeno al tuo ragazzo."
   Maria mi disse che ....

3. "Non so dove siano i tuoi occhiali!"
   Cinque minuti fa le ho detto che ....

4. "Andai al mare, ma non feci il bagno."
   Aveva detto che ....

5. "Non riuscirei mai a imparare una lingua come l'arabo: troppo difficile."
   Paolo disse che ....

6. "Ho saputo che mio cugino frequenta un corso di tango con la ragazza."
   Ha saputo che ....

4   Come il precedente.

1. "Credo sia arrivata in aereo, non in treno."
   Credeva che Gianna ....

2. "Comprerò una macchina a mio figlio!"
   Ha detto poco fa che ....

3. "Sono stanco morto: faccio una doccia e vado a dormire."
   Disse che ....

4. "Penso che Lei abbia sempre ragione."
   Luca pensava che l'avvocato ....

5. "È meglio preparare la camera degli ospiti prima del loro arrivo."
   Aveva detto che ....
   ....

6. "Sono stato a Londra, ma andrò anche a Dublino."
   Aveva detto che ....
   ....

5 Trasformate le frasi che seguono al discorso indiretto.

1. "Lucio, mi sembra incredibile che tu abbia imparato il tedesco in soli due mesi!"
   Sara ha detto a Lucio che ....

2. "La trama del film è interessante, ma la protagonista è un disastro."
   Ce l'aveva detto che ....

3. "Forse non andrò all'università!"
   Disse che ....

4. "Secondo me avresti dovuto telefonarle tu."
   Vincenzo mi disse che ....

5. "Preferisco prendere un taxi; forse solo così arriverò in tempo."
   Roberta ha detto che ....

6. "Marta non sta bene e non potrà venire al concerto di Ligabue."
   Marta mi ha detto poco fa che ....

6 Abbinate le frasi delle due colonne.

1. Hai sentito che Lucia è partita per l'India?

2. Antonio, non comportarti così in pubblico!

3. Hai sentito che Claudio e Anna Maria si sono lasciati?

4. Caro, domani verrai con me a fare spese?

5. Sergio è veramente coraggioso: immagina che si lancia anche col paracadute!

6. Che dici? Carlo verrebbe con noi alla presentazione di un libro?

a. Mah... Lo sai bene che non gli importa niente di letteratura.

b. E con ciò? Anch'io ne sarei capace...

c. Perdere l'intero pomeriggio in giro per i negozi? Non mi interessa affatto!

d. Ma chi se ne frega! Che facciano quello che vogliono!

e. Me ne infischio di cosa pensano gli altri!

f. E allora?! Io non la vedo da una vita...

7 Trasformate le frasi secondo il modello. Consultate anche l'Appendice grammaticale.

> Mi ha detto che mi avrebbe telefonato il giorno dopo.
> *"Ti telefonerò domani".*

1. Disse che quella era una cifra troppo alta per le sue possibilità.
   ".."

2. Si lamentava che il giorno dopo avrebbe dovuto pagare l'affitto, ma non aveva i soldi.
   " .... "

3. Disse che quel giorno avrebbe lavorato di più, perché era necessario.
   " .... "

4. Ha detto che quella sera era molto felice.
   " .... "

5. Raccontò che aveva visto Carmen due giorni prima, ma non gli aveva detto nulla.
   " .... "

6. Disse che aveva visto la sua ragazza una settimana prima.
   " .... "

7. Ha detto che il giorno dopo sarebbe tornato più tardi del solito.
   " .... "

8. Disse che quella era la casa dove era nato Dante Alighieri.
   " .... "

8   **Trasformate le seguenti frasi dal discorso diretto al discorso indiretto.**

1. "Domani ti telefonerò e usciremo insieme."
   Le disse che ....

2. "Ora non ho un soldo, ma un giorno ne avrò tantissimi."
   Lo aveva detto che ....

3. "Un mese fa ho avuto un incidente stradale."
   Ha detto che ....

4. "I miei sono tornati ieri dalle vacanze."
   Poco fa mi ha detto che ....

5. "Non mi pare che voi abbiate torto; almeno in questa occasione."
   Rossana ha detto che ....

6. "Mi dispiace, Gianna è uscita cinque minuti fa."
   Simone ha detto che ....

7. "Se volete, potete entrare; penso che a quest'ora Gino stia per tornare."
   Gli aveva detto che ....

8. "Due anni fa ero a Torino come inviato del *Corriere della sera*."
   Disse che ....
   ....

9 Trasformate le seguenti frasi al discorso indiretto, secondo il modello.

> "Ragazzi, abbassate il volume del televisore!"
> Ci disse *di abbassare* il volume del televisore.

1. "La mia casa è sempre aperta per gli amici; venite pure quando volete!"
   Ci disse che ....

2. "Venga subito nel mio ufficio!"
   Le ha detto ....

3. "Vattene!"
   Gli ha detto ....

4. "Non vi preoccupate, portate pure i vostri amici!"
   Ci hanno detto ....

5. "Cosa fate nel fine settimana?"
   Ci chiese ....

6. "Chi sono quei ragazzi che ti aspettano in piazza?"
   Mi hanno chiesto ....

10 Come il precedente.

1. "Non essere timido con Gloria: invitala a cena!"
   Mi ha detto ....

2. "Francesco uscirà o resterà a casa?"
   Ci ha chiesto se ....

3. "Mi puoi aspettare sotto il portone di casa tua?"
   Giorgio mi ha chiesto se ....

4. "Ti sei divertita con i tuoi amici?"
   Le ho chiesto ....

5. "Quando verrai a cena da noi?"
   Mi ha chiesto ....

6. "Marco, va' a prendere il prosciutto dal salumiere!"
   Disse a Marco ....

11 Consultate l'Appendice grammaticale e trasformate secondo il modello.

> "Se non mi chiamerà lui, gli telefonerò io."
> *Ha detto che se non l'avesse chiamata, gli avrebbe telefonato lei.*

1. "Se decidi di partire in macchina, verrò con te."
   Mi ha appena detto che se ....

2. "Se riesco a superare anche questo colloquio, mi assumeranno!"
   Carla mi ha detto che se domani ....

3. "Se non avessi studiato, non avrei passato questo esame."

   ....

4. "Chiudi tutte le finestre, se esci di casa per ultimo."

   ....

5. "Se avessi tempo, andrei a vedere quella mostra sull'arte
   precolombiana."

   ....

12   **Come il precedente.**

1. "Mi sarebbe piaciuto, se tu fossi venuto con noi."

   ....

2. "Se avessi un po' di tempo libero, verrei a trovarti."

   ....

3. "Se potessi, prenderei non una, ma quattro settimane di ferie."

   ....

4. "Se corri in questo modo, non posso seguirti."

   ....

5. "Telefonami subito, se ci saranno novità."
   Riccardo mi ha detto poco fa, se ....

13   a) **Leggete il seguente dialogo tra Claudia e sua madre e riscrivete la conversazione usando
   il discorso indiretto.**

Claudia: Mamma, dove hai messo la mia gonna?
Madre: Quale gonna? Ne hai tante!!!
Claudia: Quella blu che ho comprato una settimana fa!
Madre: Ah, quella! È nell'armadio, no?
Claudia: No, non c'è!
Madre: Guardaci bene, sono sicura che è lì!

Ieri Claudia ....

....

....

....

....

....

b) Ora leggete il racconto della seconda parte del dialogo tra Claudia e sua madre e riportatelo al discorso diretto.

Claudia risponde a sua madre che ci ha già guardato due volte e che la gonna non c'è nell'armadio. Inoltre, le chiede perché mette le sue cose sempre dove non le trova.

La madre replica a Claudia di non dire così, perché non è vero, e che sicuramente ha indossato la gonna qualche giorno prima e ora non si ricorda più dove l'ha messa.

Claudia dice di no alla mamma e aggiunge che gliel'aveva data da lavare due giorni prima e perciò l'aveva messa lei da qualche parte.

La madre le risponde che avrebbe guardato lei stessa nell'armadio della figlia. Infatti, guardando meglio trova la gonna e prega Claudia di essere meno distratta!

Claudia: ....

....

Madre: ....

....

Claudia: ....

....

Madre: ....

....

14 **Trasformate come da modello.**

> "Uscirò con un mio vecchio amico".
> *Dice che uscirà con un suo vecchio amico.*
> *Ha detto che sarebbe uscito con un suo vecchio amico.*

1. "Siamo molto stanchi e andiamo a dormire."
   Dicono che ....
   Hanno detto che ....

2. "Se ritornerò presto ti telefonerò."
   Mi dice che ....
   Mi ha detto che ....

3. "Spegni la radio, non posso studiare!"
   Dice ....
   Ha detto ....

4. "Vado da Giovanni, non mi aspettare per cena."
   Alessandra dice che ....
   Alessandra ha detto che ....

5. "Se avessi ascoltato i consigli di Eleonora, ora non mi troverei nei guai."

Dice che ....

Ha detto che ....

6. "Sono stanco di aspettare senza far niente."

Dice che ....

Ha detto che ....

15 Completate il testo con le preposizioni.

Noi donne dobbiamo capire che il passato non c'è più e che non esiste più un certo tipo (1)............. società e (2)............. mentalità; dobbiamo confrontarci (3)............. mondo d'oggi, con la società (4)............. cui viviamo e con quello che produce. Le famiglie d'oggi (5)............. un solo figlio, con entrambi i genitori che lavorano, non sono schiave del consumismo: (6)............. realtà devono fare i conti (7)............. bollette, il mutuo o l'affitto, e le irrinunciabili spese (8)............. semplice sopravvivenza.

tratto da *Donna & mamma*

16 Come il precedente.

Dopo aver fritto patatine e crocchette, l'olio utilizzato (1)............. fast food inglesi di McDonald's non verrà buttato, ma riciclato come biocarburante: come ha annunciato la catena americana il biocarburante servirà (2)............. alimentare i motori degli autoveicoli destinati (3)............. effettuare le consegne. Secondo i responsabili, l'iniziativa consentirà di ridurre le emissioni (4)............. CO_2 di circa 1.700 tonnellate l'anno. Sembra uno scherzo ma è tutto vero. A questo punto, riconoscendo la "non-santità" di questa multinazionale, viene (5)............. chiedersi se l'olio di frittura "griffato" McDonald's potrebbe essere davvero utilizzato dalla compagnia (6)............. inquinare meno. Oppure sarà la solita trovata del marketing (7)............. farsi ulteriore pubblicità utilizzando l'ecologia, che va tanto (8)............. moda, per sembrare un'azienda politically correct...

adattato da *http://oknotizie.alice.it*

17 Ascolto

Leggete le affermazioni che seguono e dopo ascoltate il brano, tratto da una trasmissione radiofonica dedicata al tema del lavoro. Indicate le cinque informazioni veramente presenti.

1. Con la scusa degli *stage* molte aziende utilizzano mano d'opera gratuita.

2. I nuovi contratti danno una grande sicurezza economica ai giovani d'oggi.

3. L'acquisto di una casa per chi ha contratti a progetto diventa sempre più difficile.

4. Il precariato è un problema che riguarda solo i giovani sotto i 30 anni.

5. Valerio lavora, ormai da 5 anni, con un contratto di lavoro a tempo indeterminato.

6. Valerio ha una famiglia da mantenere.

7. Sabrina si accontenterebbe anche di un lavoro per pochi mesi.

8. Sabrina si sente profondamente offesa nella propria dignità.

9. Alessandro lavora come responsabile di un museo d'arte moderna a Firenze.

10. Alessandro tornerà a vivere con i suoi genitori a Lecce.

TEST FINALE

A   Scegliete la risposta corretta.

1.   "Avrei tante cose da dire sul tuo conto."

  a) Ha detto che ha avuto tante cose da dire sul mio conto.
  b) Ha detto che avrebbe tante cose da dire sul mio conto.
  c) Ha detto che aveva avuto tante cose da dire sul mio conto.

2.   Ha detto che era una persona semplice e che cercava solo di vivere al meglio la sua vita.

  a) "Sono una persona semplice e cerco solo di vivere al meglio la mia vita."
  b) "Sono una persona semplice e cerca solo di vivere al meglio la sua vita."
  c) "Ero una persona semplice e ho cercato solo di vivere al meglio la mia vita."

3.   "Non ti fermare in questo Autogrill perché non si mangia bene."

  a) Mi ha detto di non fermarti in quest'Autogrill perché non si mangiava bene.
  b) Mi ha detto di non fermarci in quell'Autogrill perché non si mangia bene.
  c) Mi ha detto di non fermarmi in quell'Autogrill perché non si mangiava bene.

4. "Se telefona il mio ragazzo, ditegli che sono andata a trovare mio zio."

    a) Ha detto che se telefona il suo ragazzo, ditegli che sono andata a trovare mio zio.
    b) Ha detto che se telefona il suo ragazzo, di dirgli che è andata a trovare suo zio.
    c) Ha detto che se avesse telefonato il suo ragazzo, di dirgli che andrebbe a trovare suo zio.

5. "Se mi fossi accorto dello sbaglio avrei cercato di rimediare."

    a) Ha detto che se si fosse accorto dello sbaglio avrei cercato di rimediare.
    b) Ha detto che se si fosse accorto dello sbaglio avrebbe cercato di rimediare.
    c) Ha detto che se si accorgeva dello sbaglio avrebbe cercato di rimediare.

6. "Bambini, fate meno chiasso: papà sta riposando!"

    a) Ci ha chiesto di fare meno chiasso perché papà stava riposando.
    b) Ci chiese fate meno chiasso poiché papà sta riposando.
    c) Ci chiede di fare meno chiasso perché papà starebbe riposando.

B Scegliete la risposta corretta.

La prigione contro il razzismo serve a poco o a nulla: non rieduca, anzi spesso insegna nuova intolleranza. Meglio obbligare lo xenofobo a (1)........................... al servizio di chi ha insultato: un lavoro che lo costringa a rendersi conto della realtà degli altri. (2)..........................., più che le barriere del carcere servono (3)........................... che permettano di superare la distanza tra le comunità, verso l'integrazione nella società ormai multiculturale. Per questo un musulmano, Khaled Fouad Allam, nato in Algeria e diventato cittadino italiano 17 anni fa, e un ebreo della comunità milanese, Emanuele Fiano, sono convinti che sia una strada (4)........................... per garantire la convivenza. Sono convinti che la finalità sia quella di educare il condannato al (5)................. .... della cultura oggetto della discriminazione. Commenta Fiano: "Sono convinto che siano necessarie misure per reintegrare queste persone nella società" e conclude: "Noi crediamo che (6)........................... necessario intervenire senza utilizzare il carcere, ma attraverso un percorso di rieducazione e il contatto diretto con le comunità".

adattato da *L'Espresso*

1.	a. mettere	b. mettersi	c. offrirsi	d. darsi
2.	a. Insomma	b. Benché	c. Tuttavia	d. Comunque
3.	a. pentole	b. porte	c. punti	d. ponti
4.	a. chiusa	b. obbligata	c. privata	d. costretta
5.	a. paragone	b. diritto	c. rispetto	d. programma
6.	a. essere	b. sia stato	c. sia	d. fosse

C   Leggete le definizioni e risolvete il cruciverba.

ORIZZONTALI:

4. Sinonimo di diminuzione.

5. Chi risiede illegalmente in un Paese diverso dal proprio.

6. Musica nello stadio.

7. Da più di un secolo in Sicilia controlla tutte le attività criminali.

VERTICALI:

1. Un lavoro provvisorio, non stabile.

2. Lo è chi ha abbandonato il proprio Paese per venire in Italia a lavorare.

3. Un lavoratore rimasto senza lavoro.

4. Lo si dice quando una coppia vive insieme, anche senza essere sposata.

Risposte giuste: /20

1 Trasformate le frasi usando il gerundio semplice, secondo il modello.

> Poiché ho seguito le sue indicazioni, sono arrivato subito.
> *Seguendo* le sue indicazioni, sono arrivato subito.

1. Se piangi, non risolverai nulla.

   ....

2. È uscita e ha sbattuto la porta rumorosamente.

   ....

3. Studiavo e ascoltavo la radio.

   ....

4. Se vogliamo, si potrebbe anche telefonare.

   ....

5. Se devo scegliere, propongo di restare a casa.

   ....

6. Nel caso trovassi un buon affare, comprerei una casa in campagna.

   ....

2 Trasformate le frasi usando il gerundio composto, come da modello.

> Poiché avevo letto il giornale, ero a conoscenza della notizia.
> *Avendo letto* il giornale, ero a conoscenza della notizia.

1. Avevo messo da parte un po' di soldi e sono andato in vacanza a Cuba.

   ....

2. Siccome ha vissuto molti anni a Londra, ha tanti amici inglesi.

   ....

3. Poiché ha scritto molti libri di successo, viene invitato spesso in televisione.

   ....

4. Siccome erano stati molte volte a Firenze, conoscevano molti locali interessanti.

   ....

5. Siamo tornati tardi ed eravamo troppo stanchi per mangiare.

6. Ho fatto molto tempo prima la prenotazione e ho trovato posto in aereo.

   ....

   ....

3 Completate le risposte con la forma opportuna del gerundio.

1. Perché non sei venuto a trovarci in campagna? (*avere*)
   Non .... la macchina cos'altro potevo fare?
2. Pensi che riusciremo a finire questo lavoro entro la fine della settimana? (*lavorare*)
   Solo .... giorno e notte potremmo riuscirci!
3. Ti vedo deluso dal film, non ti è piaciuto? (*leggere*)
   .... il libro da cui è stato tratto, non mi è sembrato un granché.
4. Vi vedo un tantino stanchi, o sbaglio? (*passare*)
   Hai ragione, ma .... la notte in bianco è più che naturale!
5. Certo che hai dato una risposta proprio strana al professore! (*capire*)
   Sai, non .... bene la sua domanda, dovevo pur dire
   qualcosa!
6. Perché avete venduto la casa in via Condotti? (*venderla*)
   .... abbiamo potuto acquistare un appartamentino in montagna.

4 Consultate l'Appendice grammaticale e rispondete alle domande usando il gerundio presente o passato, come da modello.

> Perché hai pagato tutto il materiale in contanti? (*pagarlo*)
> *Pagandolo* in contanti ho avuto uno sconto maggiore.

1. Come hai capito che si trattava di una brava persona? (*parlargli*)
   .... l'ho capito subito.
2. Come fai a conoscere così bene i suoi pensieri? (*essergli*)
   .... vicino per tanti anni so benissimo come la pensa.
3. Perché non hai invitato anche Chiara? (*invitarla*)
   ...., avrei dovuto invitare almeno altre sei persone.
4. Perché sei partito subito dopo pranzo? (*andarmene*)
   Perché .... prima ho evitato il traffico.
5. Perché non telefoni tu a Nicoletta? A te darà ascolto! (*darne*)
   Non .... al fratello, non vedo perché dovrebbe dare ascolto a me.
6. Perché ti piace così tanto questa città? Io non ci trovo niente di interessante! (*passarci*)
   .... i momenti più belli della mia vita, la vedo con occhi diversi.

5 Completate le frasi usando l'infinito presente, secondo il modello.

> Luca è tornato alle 3 del mattino.
> *Tornare* così tardi il giorno prima di un esame!?

1. Non mangiare troppi gelati, ti fanno male!
   .... troppi gelati fa male.
2. Quando parliamo sempre delle stesse cose annoiamo chi ci ascolta.
   .... sempre delle stesse cose annoia chi ascolta.
3. Ho sentito mia madre che si alzava alle 6 di mattina.
   Ho sentito mia madre .... alle sei di mattina.
4. Vuoi che sia sincero? Il tuo vestito non mi piace proprio!
   A .... sincero, il tuo vestito è proprio brutto.
5. È molto facile che ci si capisca immediatamente quando si è cresciuti insieme.
   È molto facile .... immediatamente quando si è cresciuti insieme.
6. Vedo che non hai ancora smesso di fumare!
   .... di fumare? Ci ho provato tante volte!

6 Abbinate le due colonne.

1. I passeggeri sono pregati di
2. La porta si apre verso l'esterno:
3. In ospedale è severamente
4. Dopo l'apposito segnale acustico
5. Ma che dieta! Ho visto Dario
6. Per ulteriori informazioni,
7. Per mettere in moto,
8. Si prega la gentile clientela di

a. lasciare il proprio messaggio.
b. non toccare la merce esposta.
c. spingere, prego.
d. allacciare le cinture di sicurezza.
e. girare la chiave.
f. vietato fumare.
g. mangiare una pizza enorme.
h. rivolgersi alla segreteria.

7 In base al significato, rispondete alle domande utilizzando il tempo semplice (presente) o composto (passato) del gerundio o dell'infinito.

> Perché Carlo non è venuto? (*andare – avere*)
> Deve *aver avuto* un po' di febbre e deve *essere andato* dal medico.
> *Avendo avuto* un po' di febbre ha preferito restare a casa.

1. Maria non è ancora rientrata? (*passare – andare*)
   Deve .... a prendere qualcosa al supermercato.
   .... dal centro sarà entrata in qualche negozio.

2. Tu dici che ci hanno preso in giro? (*pensarci – dare*)

   Non conoscendoli abbastanza possono .... questa

   impressione! Ma .... bene è possibile.

3. Dov'è Alberto? (*fermarsi – tornare*)

   .... dal lavoro può .... da sua madre.

4. La famiglia Covelli quest'anno non va in vacanza? (*avere*)

   Non credo: da quello che so, devono .... qualche problema

   economico.

5. È possibile che Valerio sia ancora in ufficio? (*avere – rimanere*)

   .... molto lavoro in questo periodo può

   .... in ufficio.

6. Conosci il ristorante *La Cambusa*? (*esserci*)

   Mi sembra di .... un paio di volte.

8 **Come il precedente.**

1. Come hai fatto a capire che sono straniero? (*parlare*)

   .... fai gli errori tipici degli stranieri.

2. Vivi un periodo molto bello, vero? (*diventare*)

   Sì! Dopo il matrimonio mi sembra di .... un'altra persona.

3. Parlate veramente bene l'italiano, come mai? (*vivere*)

   .... in Italia per tre anni abbiamo imparato bene la lingua.

4. Anna è andata in montagna? (*andare – finire*)

   Può darsi. Del resto .... con gli esami può

   .... qualche giorno a rilassarsi in montagna.

5. Hai saputo niente del nuovo concorso? (*sentirne*)

   Se non sbaglio, mi sembra di .... parlare da Giulio.

6. Perché Paolo non viene a sciare? (*smettere*)

   Dopo quella brutta caduta deve ....

   di sciare.

9 **Trasformate con il participio presente, come da modello.**

> È uno che ama la buona cucina.
> È un *amante* della buona cucina.

1. È una cosa che preoccupa veramente.

   È una cosa veramente ....

2. Abbiamo chiesto informazioni ad uno che passava.

   Abbiamo chiesto informazioni ad un ....

3. Secondo me, i test con le parole che mancano sono un po' difficili.

Secondo me, i test con le parole .... sono un po' difficili.

4. Papà, sai chi conduceva l'autobus? Il tuo amico Gigi.

Il .... dell'autobus era il tuo amico Gigi.

5. È una persona che affascina tutti.

È una persona molto ....

6. Quelli che manifestavano hanno gridato slogan contro il governo.

I .... hanno gridato slogan contro il governo.

10 Completate secondo il modello.

> *pesare*   Il film è stato veramente *"pesante"*.

1. *rilassare*   Il mare ha su molte persone un effetto ....
2. *sorridere*   Ci hanno accolto delle belle ragazze ....
3. *scadere*   Questo vestito è di qualità ....
4. *rinfrescare*   Questo profumo ha un effetto ....
5. *promettere*   È un'attrice ....
6. *pendere*   La Torre .... si trova a Pisa.

11 Completate con il participio passato, come da modello.

> *studiare*   Si tratta di un piano *studiato* nei minimi particolari.

1. *scegliere*   .... la casa, dovevamo trovare i soldi per pagarla.
2. *amare - rispettare*   Mario è una persona .... e ....
3. *promettere*   Ha fatto una .... che non potrà mantenere.
4. *invitare*   Gli .... sono andati via tardi.
5. *finire*   .... la lezione, siamo tornati a casa.
6. *attendere*   Guardava continuamente l'orologio come in .... di qualcosa.

12 Come il precedente.

1. *perdere*   .... il treno, abbiamo dovuto aspettare quasi 3 ore quello successivo.
2. *accompagnare*   .... i bambini a scuola, ho riportato la macchina a casa e ho preso l'autobus.

3. *chiudere*   Tengo la mia corrispondenza in un cassetto .... a chiave.

4. *costruire*   È una casa .... con materiali di ottima qualità.

5. *passare*   Un pomeriggio .... con te è sempre un piacere.

6. *leggere*   Spesso i libri .... in gioventù si capiscono meglio rileggendoli nella maturità.

13   **Trasformate con questi suffissi:** *ino / ello / etto / one / accio*

1. Nel mio paese c'è una piccola piazza con una fontana del '500.
   Nel mio paese c'è una .... con una fontana del '500.

2. Sono nato in un piccolo paese della Calabria.
   Sono nato in un .... della Calabria.

3. Ho scritto appena una pagina.
   Ho scritto appena una ....

4. È veramente un cattivo ragazzo.
   È veramente un ....

5. Possiede una grossa macchina.
   Possiede un ....

6. Ha preso un piccolo pezzo di torta.
   Ha preso un .... di torta.

7. Chi leggerà questo grosso libro?
   Chi leggerà questo ....?

8. Ho passato una magnifica settimana sulle rive di un grazioso lago.
   Ho passato una magnifica settimana sulle rive di un ....

14   **Completate con le parole date alla rinfusa.**

libretto   giornataccia   ragazzone   valigione
camicetta   piattone   vocina   casetta

1. Ha una .... così debole che non riesco a sentire mai quello che dice.

2. Ho perso il .... degli assegni. O forse me l'hanno rubato?!

3. Ho incontrato Gino, te lo ricordi? Beh, è diventato un .... di due metri!

4. Per portare tutta questa roba abbiamo bisogno di un ....

5. Oggi non me ne va bene una, è proprio una ....

6. Bella questa .... di seta, dove l'hai comprata?

7. Come vorrei avere una .... vicino al mare!

8. Avevo una fame da lupi e mi sono fatto un .... di spaghetti alla carbonara.

15 I seguenti nomi sono stati alterati: segnate con una *X* la categoria di appartenenza.

	diminutivo	*accrescitivo*	*peggiorativo*
1. *barcaccia*	■	■	■
2. *pacchetto*	■	■	■
3. *lucina*	■	■	■
4. *nottataccia*	■	■	■
5. *scarpetta*	■	■	■
6. *palazzone*	■	■	■
7. *cartellino*	■	■	■
8. *donnaccia*	■	■	■

16 Sottolineate nei 6 gruppi di parole quella che non è un nome alterato.

1. mammina   stradina   regina   gattina

2. uccellino   bambino   ragazzino   vestitino

3. ragazzone   azione   macchinone   tavolone

4. manina   magazzino   quadernino   tavolino

5. giardino   orologino   sorrisino   dentino

6. cassetto   casetta   libretto   foglietto

17 Completate con le preposizioni.

Avevo rivisto Nicola ed eravamo tornati (1)............... frequentarci: mi piaceva, aveva delle belle idee, mi parlava (2)............... parità di diritti (3)............... uomini e donne, era dolce, mi riempiva (4)............... affetto e (5)............... attenzioni, e io cominciavo (6)............... considerarlo il mio Principe Azzurro, quello che non avevo mai cercato né sognato.
Poi i miei genitori si ricordarono (7)............... avere una figlia e decisero (8)............... venirmi a riprendere, (9)............... salvare quell'onore che questi giorni a casa di Angelina avevano messo (10)............... rischio.

tratto dal romanzo *Volevo i pantaloni* di Lara Cardella

18 Ascolto

Ascoltate il brano, tratto dal libro *Va' dove ti porta il cuore* di Susanna Tamaro, e indicate l'affermazione giusta tra quelle proposte.

1. Alla protagonista, tra l'altro, piaceva di Ernesto
   a. il suo modo di concepire il mondo
   b. il fatto che non credesse in Dio
   c. il suo passato da eroe

2. Era molto importante che lei ed Ernesto
   a. potessero comunicare in modo incredibile
   b. amassero le stesse cose
   c. fossero tutti e due liberi

3. Secondo Ernesto, gli uomini
   a. hanno molte possibilità di trovare la persona che cercano veramente
   b. sono destinati a rimanere soli per tutta la vita
   c. devono spesso accontentarsi di relazioni poco profonde

TEST FINALE

A Scegliete la risposta corretta.

1. - Hai sentito le ultime su Stefano? È un ragazzo veramente (1).............................!
    - Eh sì! (2)............................. sin da bambino non mi meraviglio della sua brillante carriera.

(1)	a) promesso	(2)	a) Conosciutolo
	b) promettendo		b) Conoscendolo
	c) promettente		c) Essendo conosciuto

2. (1)............................. anche l'angolo Internet, la libreria (2)............................. nel nostro quartiere è piaciuta in modo particolare ai giovani.

(1)	a) Aver avuto	(2)	a) aperta
	b) Avendo		b) aprendo
	c) Avente		c) aprente

3. Cara, il postino ha portato un (1).............................. per te. L'ho appoggiato sul (2)..............................
    dell'ingresso, accanto al telefono.

    (1)   a) pacchiuccio   (2)   a) tavolinino
           b) pacchetto   b) tavolinaccio
           c) pacchino   c) tavolinetto

4. (1).............................. è stata per me una grande fortuna! Sei il mio "(2)..............................".

    (1)   a) Avendoti conosciuta   (2)   a) tesoruccio
           b) Conosciutati   b) tesorello
           c) Averti conosciuta   c) tesorano

5. A chi non piace (1).............................. in poltrona a (2).............................. un bel libro?

    (1)   a) stare seduto   (2)   a) essere letto
           b) stando seduti   b) leggere
           c) sedendosi   c) leggendo

6. (1).............................. tanto per il mondo, mio nonno conosceva tantissime (2)..............................
    fantastiche.

    (1)   a) Viaggiato   (2)   a) storielle
           b) Avendo viaggiato   b) storiellette
           c) Aver viaggiato   c) storine

B   Abbinate le due colonne e completate le frasi.

1. Non conoscendo la città,   a. su cavalli vincenti.

2. Essere qui non vuol dire   b. non avevo più nessun obbligo.

3. Mario ha sempre scommesso   c. a tutti i partecipanti al concorso.

4. È stato sempre il suo sogno   d. ci perdemmo subito!

5. Avendo rotto il contratto   e. essere d'accordo con le tue scelte.

6. Spedirono una lettera di avviso   f. comprarsi una casetta in campagna.

C   **Leggete le definizioni e risolvete il cruciverba.**

ORIZZONTALI:
2. Il segno zodiacale dei nati il 30 luglio.
5. Un piccolo albero.
6. L'autore del libro *Gli amori difficili*.
7. Battere le mani alla fine di uno spettacolo teatrale.

VERTICALI:
1. Ha scritto *Un uomo*.
2. Ci si va per acquistare un libro.
3. Un grande quaderno.
4. Un autore di commedie teatrali del Settecento.

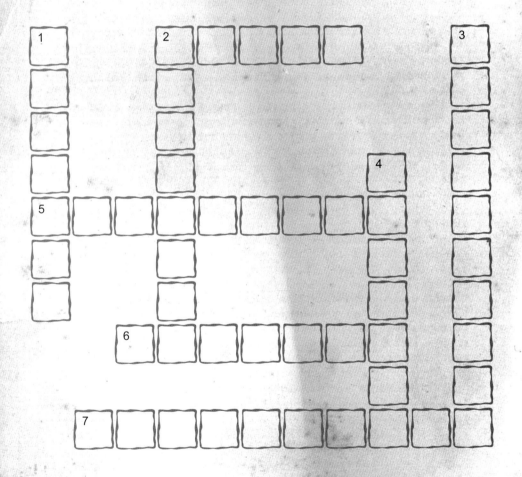

Risposte giuste: /26

4° Test di ricapitolazione (Unità 9, 10 e 11)

A   Trasformate le seguenti frasi dalla forma attiva a quella passiva, e viceversa.

1. La sua magnifica voce affascinò tutti gli spettatori.

....

2. Credevo che Roberto avesse scolpito quella statua.

....

3. Credo che la notizia sia stata trasmessa dalla radio.

....

4. La mia città è stata colpita da una violenta tempesta di neve.

....

5. La nostra scuola assegnerà cinque borse di studio ad altrettanti studenti.

....

/5

B   Rendete passive le seguenti frasi utilizzando il *si*.

1. Ultimamente la medicina ha fatto passi importanti per sconfiggere l'AIDS.
   Ultimamente in medicina .... passi importanti per sconfiggere l'AIDS.
2. A Napoli possiamo mangiare una buona pizza ovunque.
   A Napoli .... una buona pizza ovunque.
3. Dobbiamo spedire questo pacco entro domani.
   .... questo pacco entro domani.
4. In giro per Roma vedo spesso attori famosi.
   In giro per Roma .... spesso attori famosi.
5. Per trovare un accordo abbiamo superato tante difficoltà.
   Per trovare un accordo .... tante difficoltà.

/5

C   Trasformate i discorsi diretti in discorsi indiretti.

1. Ha chiesto: "Per favore, mi puoi portare un bicchiere d'acqua?".
   Mi ha chiesto se ....

   ....

2. Francesco disse: "Questo quadro non è niente di speciale; se mi impegnassi un poco, forse sarei capace anch'io di farne uno simile!".
   Francesco credeva che ....

   ....

3. Ha detto: "È ora che tu la smetta di fare il bambino e ti metta a fare la persona seria! Hai ormai 30 anni!".
   Sua madre gli ha detto che ....

   ....

4. Stefania: "Come stai? Ho saputo che sei stata poco bene e mi ero preoccupata".
   Stefania chiese a Chiara ....
   ....

   /4

D   **Trasformate le frasi mettendo al modo e al tempo giusti le parti evidenziate.**

1. Mentre andavo a casa, ho incontrato Aldo.
   .... a casa, ho incontrato Aldo.
2. Poiché avevo lavorato molto, me ne sono andato per una settimana in montagna.
   .... molto, me ne sono andato per una settimana in montagna.
3. Poiché avevano già visto il film, non vennero con noi.
   .... il film, non vennero con noi.
4. Mentre scendevo le scale sono scivolato e mi sono rotto una gamba.
   .... le scale sono scivolato e mi sono rotto una gamba.
5. Solo se si studia seriamente si superano gli esami!
   .... seriamente si superano gli esami!

   /5

E   **Trasformate le seguenti frasi in base al significato.**

1. Dopo che siamo arrivati in albergo abbiamo fatto una doccia e siamo andati a ballare.
   Dopo .... in albergo abbiamo fatto una doccia e siamo andati a ballare.
   .... in albergo abbiamo fatto una doccia e siamo andati a ballare.
2. Dopo che avevo accompagnato i miei all'aeroporto sono passato a prendere Chiara.
   Dopo .... i miei all'aeroporto sono passato a prendere Chiara.
   .... i miei all'aeroporto sono passato a prendere Chiara.
3. Dopo che abbiamo mangiato la torta abbiamo capito che non era tanto fresca.
   Dopo .... la torta abbiamo capito che non era tanto fresca.
   .... la torta abbiamo capito che non era tanto fresca.

   /6

F   **Trasformate, in base al significato, i sostantivi evidenziati.**

1. Vive in una casa enorme: vive in una ....
2. Questo piccolo pappagallo è per te: un .... tutto tuo!
3. Rosa portava un piccolo cappello: Rosa portava un ....
4. Lui ha veramente un brutto carattere: lui ha un ....
5. Questo non è un paese molto grande: questo è un ....

   /5

Risposte giuste: /30

3° Test di progresso

A   Leggete il testo e indicate le affermazioni corrette.

Pericoli del web

L'oceano sconfinato e incontrollabile di Internet e la curiosità dei ragazzini. Queste due componenti mettono a rischio i minori, lasciati spesso soli con il loro pc. Sono oltre 25 milioni le pagine classificate come dannose su Internet, dove il pericolo è suddiviso in 40 categorie diverse e sono a rischio soprattutto i bambini, il 13% dei quali, chattando, è stato contattato da un pedofilo. Una situazione allarmante che deve essere al più presto messa sotto controllo e in qualche modo regolamentata.

Sono questi i dati presentati a Milano in una tavola rotonda organizzata dall'*Osservatorio dei minori* di Antonio Marziale, alla presenza di esperti di informatica, criminologi e psicoterapeuti. Anche se la mente va immediatamente alla piaga della pedofilia, si deve riflettere sul fatto che i pericoli del web sono vari. Tutto ciò fa spaventare i grandi ma rappresenta una reale minaccia soprattutto per i più giovani, abilissimi a navigare. Dall'incontro è emerso un dato certo: le tecnologie di prevenzione sono molto valide, ma per essere realmente efficaci i genitori devono prendere coscienza che tali strumenti da soli non sono sufficienti. Il 40% dei minori, secondo Roberto Puma, *country manager* di *Panda Software Italia*, passa ore collegato ad Internet, completamente da solo. E spesso gli adulti che stanno con loro, nonni, baby sitter sono completamente analfabeti da questo punto di vista.

La miglior soluzione rimane la navigazione in compagnia, unita a sistemi di *web filtering* facilmente gestibili e aggiornabili. Come afferma il Dr. Antonio Marziale, sociologo e Presidente dell'*Osservatorio sui Diritti dei Minori*, "Non c'è iniziativa legislativa che tenga se alla base non esiste la famiglia, che comunque deve essere messa in condizione di essere presente nella quotidianità dei più piccoli. Si diano incentivi economici alle mamme: in fondo è un mestiere."

Per far fronte ai pericoli del web, tutto il mondo dell'informatica sta studiando come proteggere i minori e impedire che Internet sia sommerso da un'enorme spazzatura. Al momento esistono in commercio validi strumenti di *web filtering* e sistemi sofisticati di monitoraggio che arrivano a controllare oltre 20 milioni di siti. Controllare la Rete e renderla sicura è praticamente impossibile, ma se a potenti tecnologie si affianca una legislazione *ad hoc* si potranno ottenere risultati davvero interessanti. Come sostiene il dottor Danilo Bruschi, presidente del Comitato Internet e Minori del Ministero delle Comunicazioni. Anche se l'unica contromisura oggi realmente efficace rimane una maggiore sorveglianza dei genitori.

tratto e adattato da *http://sociale.alice.it/estratti*

1. I pericoli della Rete riguardano soprattutto

        ❏ a. le pagine Internet senza protezione
        ❏ b. i bambini
        ❏ c. gli esperti d'informatica

2. Spesso gli adulti non possono aiutare i bambini con Internet perché

☐ a. non sanno come comportarsi
☐ b. non conoscono la lingua italiana
☐ c. non conoscono le nuove tecnologie

3. Dall'articolo, tra l'altro, emerge la necessità

☐ a. di avere maggiori regole per Internet
☐ b. che tutti i bambini debbano utilizzare Internet
☐ c. di usare Internet solo in particolari ore del giorno

B **Completate il testo. Inserite la parola mancante negli spazi numerati. Usate una sola parola.**

Firmino salì in camera sua. Fece una doccia, si rase, indossò un ....(1) di pantaloni di cotone e una Lacoste rossa che gli aveva ....(2) la sua fidanzata. Prese velocemente un caffè e uscì per strada. Era domenica, la città era quasi deserta. La gente dormiva ancora, e più tardi ....(3) andata al mare.
Gli venne voglia di andarci anche lui, anche se non aveva il costume ....(4) bagno, solo per prendere una boccata d'aria buona. Poi ci rinunciò. Aveva la sua guida con ....(5) e pensò di andare alla scoperta della città, per esempio i mercati, le zone popolari che non ....(6). Scendendo per le viuzze ripide della città bassa cominciò a trovare un'animazione che non sospettava. Veramente Oporto manteneva delle tradizioni che Lisbona aveva ormai perduto...

tratto da *La testa perduta di Damasceno Monteiro* di Antonio Tabucchi

C **Leggete il testo e rispondete alla domanda.**

Mamma preferisce restare in città

Ogni anno si ripresenta il solito problema: le vacanze della mamma. Io e mia sorella siamo sposate e viviamo in città diverse dalla sua: lei benché anziana, se la cava ancora bene da sola, circondata da cani, gatti e fiori. Però l'afa la fa soffrire. E proprio a causa dei suoi "protetti" se la sorbisce tutta, perché non può allontanarsi da casa. Io e mia sorella avevamo trovato mille soluzioni, nessuna accettabile per lei. E così ci rimane solo il dispiacere di saperla morire di caldo.
Come calmare i nostri turbamenti?

Anna e Vittoria, Bologna

Perché volete crearvi un problema se la mamma è contenta così? Assecondatela, invece, e cercate di rendere la sua vita in città più confortevole.

tratto da *Oggi*

Questa è la risposta data dalla giornalista alle due sorelle: Come avreste risposto voi?
(Da un minimo di 15 ad un massimo di 25 parole)

....

....

....

....

D **Abbinate le informazioni sottoelencate all'articolo corrispondente.**

A

GEMELLI

Lei

-amore: Fine settimana turbato dalla Luna nei Pesci: è meglio evitare discussioni con il partner.

-lavoro: La buona notizia che aspetti potrebbe tardare ancora, ma arriverà di sicuro entro la fine del mese.

-salute: Forma al massimo.

Lui

-amore: La voglia di sentirti libero da qualsiasi impegno familiare non piacerà certo alla partner: pensaci prima di prendere decisioni affrettate.

-lavoro: Chi è del 10 giugno e dintorni raggiungerà un importante traguardo.

-salute: Almeno a tavola cerca di rilassarti.

B

CANCRO

Lei

-amore: Una nuova amicizia ti farà stare bene. E c'è chi farà una conquista.

-lavoro: Con Marte che arriva in Ariete dovrai sforzarti di essere più tollerante se vuoi che tutto vada bene.

-salute: Non accettare passaggi da chi alla guida non è molto attento.

Lui

-amore: Chi è di giugno si guardi dal pretendere troppo dalla partner.

-lavoro: La vita comoda piace molto ai nati del tuo segno, ma se vuoi il successo dovrai guadagnartelo.

-salute: Prudenza negli spostamenti domenica e lunedì.

tratti da *Donna Moderna*

1. È meglio partire nelle ore in cui c'è meno traffico.   A   B
2. Oggi mi sento in grandissima forma.   A   B
3. Questo problema lo discuterò con Vittorio un altro giorno.   A   B
4. Elsa, credo che tu piaccia veramente a quel ragazzo: ti guarda continuamente!   A   B
5. I risultati del concorso usciranno solo il 29. Speriamo bene...   A   B
6. No, io in macchina e con Gabriele al volante non viaggio.   A   B
7. Se vuoi un ambiente più sereno in ufficio, tratta meglio i tuoi dipendenti!   A   B
8. Non si fa carriera solo perché si conosce il presidente dell'azienda.   A   B

4° Test di progresso

A Abbinate le informazioni sottoelencate all'articolo corrispondente.

A

Luglio in Eurostar in compagnia di Cézanne

Firenze - Due convogli Eurostar da stamani in viaggio per portare la mostra Cézanne a Firenze in giro per l'Italia.

Si tratta dell'ultima grande iniziativa promozionale che l'Ente Cassa di Risparmio dedica alla fortunata esposizione che ha promosso e realizzato a Palazzo Strozzi. Inaugurata il 1 marzo, Cézanne a Firenze si avvia infatti verso la chiusura prevista per domenica 29.

I due Eurostar viaggeranno con l'immagine di Madame Cézanne, uno dei più celebri ritratti che il pittore fece alla moglie, per l'intero mese di luglio sulle linee che collegano le principali città della penisola, in particolare sulla tratta Milano-Roma-Napoli.

Intanto la mostra naviga ormai a quota 230 mila visitatori. Anche i dati dell'ultima settimana confermano il tradizionale calo delle presenze con l'arrivo dell'estate, ma si tratta pur sempre di una media di oltre mille al giorno.

B

Firenze: esplode la Cézanne-mania

Firenze - Il panino alla Cézanne adesso esiste. Si ispira alla mostra di Palazzo Strozzi e se l'idea è tutta di A. Frassica, dinamico gestore di un locale in via dei Georgofili, il risultato è frutto di un'autentica consultazione popolare, grazie alla magia del web e alla passione di molti per la buona tavola, che celebra così la bella cézannemania di questi giorni. "Se il cibo è cultura", spiega Frassica, "perfino un panino, nel suo piccolo, può aspirare a essere un'opera d'arte".

Anche al Wine Bar Frescobaldi, D. Magni ha arricchito il menù con un salmone alla Cézanne, privilegiando la dimensione del colore. Poteva mancare il Cocktail Cézanne? È alla frutta, coloratissimo e lo firma T. Zanobini. Nel ristorante Convivium di Borgo S. Spirito, il capo chef P. Biancalani ha consultato uno storico dell'arte per ricordare Cézanne con una serie di ricette mediterranee su misura (A tavola con l'Impressionismo). Nulla è lasciato al caso, neppure l'obbligo della prenotazione.

adattati da *www.nove.firenze.it*

1. Anche un piatto può essere un'opera d'arte.	A	B
2. C'è bisogno della prenotazione obbligatoria.	A	B
3. In molti hanno contribuito alla realizzazione.	A	B
4. È bello guardare un'opera d'arte comodamente seduti.	A	B
5. In estate andremo a Napoli.	A	B
6. A tanti piacciono i colori di Cézanne.	A	B

B Leggete il testo e rispondete alla domanda.

È curioso: quando arriva una novità che riguarda i giovani nove volte su dieci viene presentata all'opinione pubblica in maniera frettolosa e poco chiara. E nove volte su dieci davanti a un argomento esposto in modo frettoloso e poco chiaro la stessa opinione pubblica si divide subito in due schiere: da una parte con un drastico sì al cambiamento, da un'altra parte con un ancora più drastico no. Così è avvenuto anche per la patente a sedici anni. Per qualche giorno si è discusso sui giornali e in televisione intorno a questa proposta, ed ecco subito schiere di genitori preoccupatissimi per l'eventualità di affidare a ragazzini irrequieti la guida di bolidi a quattro ruote.

Trovate giuste le osservazioni fatte dallo scrittore sui giovani e sull'opinione pubblica?
(da un minimo di 15 ad un massimo di 25 parole)

....

....

....

....

C Completate il testo. Inserite la parola mancante negli spazi numerati. Usate una sola parola.

Agostino orfano di padre, si trova in ....(1) al mare con la madre ancora giovane e ....(2), con la quale ha un rapporto di ....(3) perfetto e senza ombre. Ad un certo ....(4) si sente però rifiutato dalla ....(5) corteggiata da un bagnante, e si allontana. Incontra un ....(6) di ragazzi rozzi e violenti, figli di pescatori, dai quali Agostino si sente nello ....(7) tempo attratto e respinto.
Nel corso di pochi giorni Agostino esce dall'infanzia e attraverso le dure ....(8) a cui lo sottopongono i nuovi ....(9) acquista consapevolezza ....
.........(10) realtà di un mondo squallido e crudele.

Agostino di Moravia, tratto da *Leggere letteratura*

D Collegate le frasi con le opportune forme di collegamento. Se necessario, eliminate o sostituite alcune parole. Trasformate, dove necessario, i verbi nel modo e nel tempo opportuni.

1. - Sono andato a cenare in un ristorante
   - non andavo in questo ristorante da tempo
   - nel ristorante ho trovato alcuni amici
   - con questi amici ho passato una bellissima serata

....

....

2. - Avevo un appuntamento con Roberto
   - Roberto non è venuto
   - Roberto mi ha telefonato e mi ha chiesto scusa

   ....

   ....

3. - Penso di scrivere una lettera a Luisa
   - scrivere mi è difficile e ci vuole tempo
   - telefonerò a Luisa

   ....

   ....

4. - Ho seguito un corso di Storia della musica
   - ho trovato molto interessante questo corso
   - la professoressa era veramente molto preparata

   ....

   ....

5 - Lucio ha comprato una nuova auto
   - Lucio preferisce guidare sempre la sua vecchia 500
   - la vecchia 500 di Lucio sta cadendo a pezzi
   - la vecchia 500 di Lucio può essere pericolosa

   ....

   ....

6. - Devi seguire i consigli di tua madre
   - tua madre ti consiglia per il tuo bene
   - i consigli di tua madre, a volte, richiedono sacrifici

   ....

   ....

Unità 6
page 8

The *imperativo* of the verbs *essere* and *avere*

	tu	*lui, lei*	*noi*	*voi*	*loro*
essere	sii	sia	siamo	siate	siano
avere	abbi	abbia	abbiamo	abbiate	abbiano

page 16

The *indefiniti* as pronouns

They are always in the singular and substitute a noun:
uno/a: Eugenio? L'ho visto poco fa che parlava con uno, forse un suo collega.
ognuno/a: Ognuno deve saper comportarsi.
qualcuno/a: Qualcuno di voi è mai stato in Italia?
chiunque: Quello che è successo a te potrebbe succedere a chiunque.
qualcosa: Vuoi qualcosa da bere?
niente / nulla: Nella vita niente è gratis! *but*: Io non ho visto niente.
Nulla è perduto. *but*: Non è perduto nulla.

The *indefiniti* as adjectives

They accompany a noun:
ogni: C'è una soluzione per ogni problema.
qualche: Se hai qualche problema, non esitare a parlarmene.
qualsiasi / qualunque: Non preoccuparti! Mi puoi chiamare a qualsiasi ora.
Ti starò vicina qualunque cosa tu voglia fare.
certo/a - certi/e: Certe (alcune) persone mi danno proprio ai nervi.

Careful!
diverso/a - diversi/e: È un tipo interessante con diversi hobby. (molti hobby)
Io e Marcella abbiamo hobby diversi. (hobby non uguali)

vario/a - vari/ie: Quest'estate ho intenzione di leggere vari libri. (molti)
L'estate scorsa ho letto libri vari. (non uguali, di generi diversi)

Unità 7
page 24

The *congiuntivo imperfetto* of the verbs *essere*, *dare* and *stare*

	essere		**dare**		**stare**	
	Credeva che...		*Occorreva che...*		*Hanno pensato che...*	
io	fossi		dessi		stessi	
tu	fossi		dessi		stessi	
lui, lei	fosse	*insieme.*	desse	*cinque esami.*	stesse	*male.*
noi	fossimo		dessimo		stessimo	
voi	foste		deste		steste	
loro	fossero		dessero		stessero	

page 28

Use of the *congiuntivo* (I)

Subjectivity:	*Credevo / Pensavo / Avrei detto ch*e lui fosse più intelligente.
	Immaginavo / Supponevo / Ritenevo che tutto fosse finito.
	Mi pareva / Mi sembrava che lei fumasse troppo.
Uncertainty:	*Non ero sicuro / certo che* Mario fosse veramente bravo.
	Dubitavo che Anna avesse pensato qualcosa del genere.
	Non sapevo se / Ignoravo se si fosse già laureato.
Desire:	*Volevo / Desideravo / Preferivo che* venisse anche lei.
	Vorrei / Avrei voluto che tu rimanessi / fossi rimasto.
Mood:	*Ero felice / contento che* finalmente vi sposaste.
	Mi faceva piacere / Mi dispiaceva che le cose stessero così.
Hope:	*Speravo / Mi auguravo che* tutto finisse bene.
Expectation:	*Aspettavo che* arrivasse mia madre per uscire.
Fear:	*Avevo paura / Temevo che* lui se ne andasse.

Impersonal verbs or forms

Bisognava / Occorreva che voi tornaste presto.
Si diceva / Dicevano che Carlo e Lisa si fossero lasciati.
Pareva / Sembrava che fossero ricchi sfondati.
Era preferibile che io non uscissi con voi: ero di cattivo umore!
Era bene che foste venuti presto.
Era ora che lei mi dicesse tutta la verità.

(non) {
Era opportuno / giusto che quella storia finisse lì.
Era necessario / importante che io partissi subito.
Era un peccato che aveste perso lo spettacolo.
Era meglio che io avessi invitato tutti quanti?
Era normale / naturale / logico che ci fosse traffico a quell'ora?
Era strano / incredibile che Gianna avesse reagito così male.
Era possibile / impossibile che tutti fossero andati via.
Era probabile / improbabile che lei sapesse già tutto.
Era facile / difficile che uno desse l'impressione sbagliata.
}

Careful!
If a sentence expresses certainty or objectivity we use the *indicativo*:
Ero sicuro che lui era un amico.
Sapevo che era partito.
Era chiaro che aveva ragione.

page 29

Use of the *congiuntivo* (II)

benché / sebbene nonostante / malgrado	*Nonostante* mi sentissi stanco, sono uscito.
purché / a patto che a condizione che	Ho accettato di uscire con lui, *a condizione che* passasse a prendermi.
senza che	Mi hanno dato un aumento, *senza che* io lo chiedessi!
nel caso (in cui)	Ho preso con me l'ombrello *nel caso* piovesse.
affinché / perché	L'ho guardata a lungo, *perché* mi notasse!
prima che	Dovevo finire *prima che* cominciasse la partita.
a meno che / (tranne che)	Sarebbe venuto, *a meno che* non avesse qualche problema.
come se	Ricordo quella notte *come se* fosse ieri.

page 31

Use of the *congiuntivo* (III)

chiunque	Lui litigava con chiunque avesse idee diverse dalle sue.
qualsiasi	Poteva chiamarmi per qualsiasi cosa avesse bisogno.
qualunque	Qualunque cosa le venisse in mente, la diceva senza pensarci!
(d)ovunque	Dovunque lei andasse, lui la seguiva!
comunque	Comunque andassero le cose, lui non si scoraggiava mai.
il ... più	Era la donna più bella che avessi mai conosciuto.
più ... di quanto	L'incendio è stato più disastroso di quanto si potesse immaginare.
l'unico / il solo che	Giorgio era l'unico / il solo che potesse aiutarti in quella situazione.
augurio / desiderio	Magari tu avessi ascoltato i miei consigli!
dubbio	Che fossero già partiti?
domanda indiretta alcune frasi relative	Mi ha chiesto se tu fossi sposato o single. Dovevo trovare una segretaria che fosse più esperta. Cercava una casa in campagna che non costasse troppo.
Che...	Che avessero dei problemi, lo sapevamo già. *but*: Sapevamo che avevano dei problemi.
(inversion)	Che mi avesse tradito era sicuro. *but*: Era sicuro che mi aveva tradito.

page 31

When NOT to use the *congiuntivo*!

A mistake often made by Italian learners is using the *congiuntivo* too much!
The *infinito* or the *indicativo* and not the *congiuntivo* are used in the following cases:

stesso soggetto

Pensavo che tu fossi bravo.	*but*: Pensavo di essere bravo. (*io*)
Ilaria voleva che io andassi via.	*but*: Ilaria voleva andare via. (*lei*)

espressioni impersonali

Bisognava che tu facessi presto.   *but*: Bisognava / Era meglio fare presto.

secondo me / forse / probabilmente

Secondo me, aveva torto.

Forse lui non voleva stare con noi.

anche se / poiché / dopo che

Anche se era molto giovane, non gli mancava l'esperienza.

Unità 8
page 42

Other forms of the *periodo ipotetico*

1° tipo:	Se hai bisogno di qualcosa, chiamami!
3° tipo:	Se venivi ieri, ti divertivi un sacco. / Se non andavo, era meglio.
	(= se fossi venuto, ti saresti divertito / = se non fossi andato, sarebbe stato meglio)

page 44

Uses of *ci*

Ciao, ci vediamo..., ci sentiamo... Insomma, a presto!	pronome riflessivo
È molto gentile: ci saluta sempre!	pronome diretto (*noi*)
I tuoi genitori ci hanno portato i dolci?! Come mai?	pronome indiretto (*a noi*)
Stamattina sull'autobus c'erano forse più di cento persone!	*ci* + essere = essere presente (talvolta: esistere)
-Hai tu le mie chiavi? -No, non ce le ho io. È il vicino di casa ideale: né ci sente, né ci vede tanto bene! Io veramente non ci capisco niente in questa storia. Noi, in questo locale, non ci siamo mai stati.	*ci* pleonastico
Lui ha inventato una scusa, ma non ci ho creduto! Uscirai con Stefano?! Ma ci hai pensato bene? Sì, è un po' lamentosa, ma ormai mi ci sono abituato! Parlare con il sindaco? Ci ho provato, ma non ci sono riuscito.	ad una cosa / persona
Con Donatella? Ci sto molto bene. È una faccenda seria, non ci scherzare. Si è comprato un nuovo DVD e ci gioca dalla mattina alla sera.	con qualcosa / qualcuno
A Roma? Sì, ci sono stata due volte. Stasera andiamo al cinema. Tu ci vieni? Alla fine ci siamo rimasti molto più del previsto.	in un luogo
Di solito ci vogliono quattro ore, ma io ce ne metto due! Ragazzi, andate più piano; non ce la faccio più!	espressioni particolari

page 46
Uses of *ne*

-Quante e-mail ricevi al giorno? -Ne ricevo parecchie.
-Quanti anni hai, Franco? -Ne ho ventitré.
-Coca cola? -No, grazie, oggi ne ho bevuta tantissima.
Mi piacciono molto i libri di Moravia; ne ho letti quattro o cinque.

ne partitivo

-Come va con Gino? -Ne sono innamorata come il primo giorno!
-Gli hai parlato del prestito? -Sì, ma non ne vuole sapere!
-Ma perché tante domande su Serena? -Perché non ne so niente.
Di matrimonio? Figurati! Marco non ne vuole sentire parlare!
I suoi genitori sono sempre a casa nostra, ma io non ne posso più!
È un'insegnante molto nervosa: gli alunni ne hanno paura!
Ti volevo avvisare del mio ritardo, ma me ne sono dimenticato!!
Hanno speso tanti milioni per capire che non ne valeva la pena!

di qualcosa / qualcuno

-È così brutta questa situazione? -Sì... e non so come uscirne.
Vattene! Non ti voglio più vedere! ...Per i prossimi trenta minuti!
Se n'è andato senza dire nemmeno una parola.

da un luogo / una situazione

Unità 9
page 56

The *pronomi diretti* in the *forma passiva*

active	passive
Questa trasmissione la guardano tutti.	Questa trasmissione è guardata da tutti.
Non è un segreto: me l'ha detto Fabio.	Non è un segreto: mi è stato detto da Fabio.
Bravi ragazzi: ce li ha presentati Sara.	Bravi ragazzi: ci sono stati presentati da Sara.
Queste rose ce le ha offerte Dino.	Queste rose ci sono state offerte da Dino.

page 62

The *si passivante* with *dovere* and *potere*

La verdura si dovrebbe mangiare anche tre volte al giorno.
Con le nuove misure si dovrebbero licenziare migliaia di operai.
Dove si può bere un buon caffè da queste parti?
Ormai molti prodotti si possono comprare per corrispondenza.

page 64

Doubts about the *forma passiva*

F	Tutti i verbi possono avere la forma passiva.
V	Il verbo *venire* si usa solo nei tempi semplici.
F	Preferiamo la forma passiva quando ci interessa chi fa l'azione.
V	Il verbo *andare* dà un senso di necessità.
F	La forma passiva dei verbi modali (*dovere - potere*) si forma con l'infinito del verbo *avere*.
V	La differenza tra il *si* impersonale e il *si* passivante sta nel fatto che il verbo di quest'ultimo ha un soggetto con cui concorda.

- Only transitive verbs have a *forma passiva*, those which have an object. But the *forma passiva* does not always make sense: *Ogni mattina un caffè è bevuto da me.*
- The *forma passiva* is preferred when we do not know or are not interested in who does the action: *Le opere sono state rubate ieri sera. / La legge è stata approvata.*

- The verb *venire* is only used in simple tenses and often highlights the habitual aspect of the action: *Ogni giorno venivano cancellati molti voli.*
- The verb *andare* gives a sense of need: *Il film va visto = deve essere visto = si deve vedere (è da vedere).*
- The *forma passiva* of modal verbs (*dovere - potere*) is formed with the *infinito* of the verb *essere*: *La casa deve essere venduta al più presto.*
- The difference between the *si impersonale* and the *si passivante* is that the verb of the latter has a subject with which it agrees. Note:
  In Italia si mangia molto bene. (*impersonale*: without a subject)
  In Italia si mangia molta mozzarella. (*passivante*: with a subject)
  Basically you must only be careful of plural forms: *Si mangiano vari tipi di pasta.*
- The periphrastic form (*Sto scrivendo una lettera*) cannot be used in the *forma passiva.*

Unità 10
page 72

Discorso diretto and *indiretto* (I)

DISCORSO DIRETTO	DISCORSO INDIRETTO	
presente	**imperfetto**	
Ha detto: "Penso che tu *abbia* torto".	Ha detto che pensava che io *avessi* torto.	
imperfetto	**imperfetto**	*al congiuntivo*
Disse: "Credevo che lui *fosse* a scuola".	Disse che credeva che lui *fosse* a scuola.	
passato	**trapassato**	
Mi disse: "Credo che Aldo *sia partito*".	Mi disse che credeva che Aldo *fosse partito*.	

DISCORSO DIRETTO	DISCORSO INDIRETTO
passato remoto	**trapassato prossimo**
Ha detto: "A vent'anni *andai* in Cina".	Ha detto che a vent'anni *era andato* in Cina.
futuro (o presente come futuro)	**condizionale composto**
Ha detto: "*Andrò* via".	Ha detto che *sarebbe andato* via.
Ha detto: "*Parto* stasera".	Ha detto che *sarebbe partito* quella sera.

page 74

Discorso diretto and *indiretto* (II)

DISCORSO DIRETTO	DISCORSO INDIRETTO
questo	quello
qui	lì
ora (adesso, in questo momento)	allora (in quel momento)
oggi	quel giorno
domani	il giorno dopo
ieri	il giorno prima
fra...	...dopo
...fa	...prima

page 77

Discorso diretto and *indiretto* (III)

DISCORSO DIRETTO	DISCORSO INDIRETTO
imperativo	**di + infinito**
"*Parla* più piano!"	Mi ha detto *di parlare* più piano.

venire
"*Vengono* spesso a farmi visita."
domanda (al passato)
Le chiese: "*Hai visto* Marco?"
Gli ho chiesto: "Come *sta* tuo padre?"
domanda (al futuro)
Mi ha chiesto: "A che ora *tornerai?*"
Mi ha chiesto: "*Tornerai?*"

andare
Disse che *andavano* spesso a farle visita.
(se +) congiuntivo o indicativo
Le chiese *se avesse (aveva) visto* Marco.
Gli ho chiesto come *stesse (stava)* suo padre.
(se +) condizionale composto
Mi ha chiesto a che ora *sarei tornato.*
Mi ha chiesto *se sarei tornato.*

page 79

The *periodo ipotetico* in the *discorso indiretto*

When we refer to hypotheses/consequences prior to the moment of utterance, all types of the *periodo ipotetico* turn to the 3rd type in the *discorso indiretto*:

DISCORSO DIRETTO

Marco mi ha detto:
I.   "Se vinco/vincerò il concorso, ti invito/inviterò a cena".
II. "Se vincessi il concorso, ti offrirei una cena".
III. "Se avessi vinto il concorso, ti avrei offerto una cena".

DISCORSO INDIRETTO

Marco mi ha detto che se avesse vinto il concorso, mi avrebbe offerto una cena.*

*The contest results are already known.

When the hypotheses refer to a moment subsequent to the utterance, the 1st and 2nd types remain the same in the *discorso indiretto*:

DISCORSO INDIRETTO

I. Marco mi ha detto che se vince/vincerà il concorso, mi offre/offrirà una cena.**
II. Marco mi ha detto che se vincesse il concorso, mi offrirebbe una cena.**

**The contest results are not yet known.
In some cases, the *pronomi personali* and *possessivi* change:
"Oggi io uscirò con le mie amiche".   Gianna dice che oggi lei uscirà con le sue amiche.

Unità 11
page 88

Irregular verbs in the *gerundio*

The verbs that are irregular in the *gerundio* are also irregular in the *imperfetto*. In other words:

- *fare - facendo*
- *bere - bevendo*
- *dire - dicendo*
- verbs that finish in *-urre*, come *tradurre - traducendo*
- verbs that finish in *-orre*, come *porre - ponendo*
- verbs that finish in *-arre*, come *trarre - traendo*

Use of the *gerundio semplice*

simultaneous actions: Camminava *parlando* al cellulare.
manner (come?):   Mi guardava *sorridendo*.
cause (perché?):   *Essendo* stanco, ho preferito non uscire.
hypothesis (se...):   *Cercando*, potresti trovare una casa migliore.

181

The *gerundio* with pronouns

The *gerundio*, both *semplice* and *composto*, forms a single word with every type of pronoun:

semplice

Vedendola entrare, l'ho salutata.
Scrivendole una poesia, l'ho conquistata.
Alzandosi presto, ci si sente stanchi.
Parlandone, abbiamo chiarito tutto.
Andandoci spesso, si divertono.

composto

Avendola vista, l'ho salutata.
Avendole scritto una poesia, l'ho conquistata.
Essendosi alzato presto, si sente stanco.
Avendone parlato, abbiamo chiarito tutto.
Essendoci andati, si sono divertiti.

page 90

Infinito presente

as noun: Il *mangiare* in continuazione è sintomo di stress. / Tra il *dire* e il *fare* c'è di mezzo il mare.
as subject: *Camminare* fa bene. / *Fidarsi* è bene, non *fidarsi* è meglio.
in exclamatory or interrogative sentences: *Parlare* così a me! / *Uscire*? No, sono stanco. / E ora, che *fare*?
in instructions: *Compilare* il modulo. / *Premere* per prenotare la fermata. / *Rispondere* alle domande.
preceded by a preposition: Ad *essere* sincero... / A *dire* la verità... / A *sentire* Gianni, la situazione è difficile.

page 92

Participio presente

adjective: Il libro era veramente *interessante*. / È molto *pesante*.
noun: I miei *assistenti*. / Una brava *cantante*.
verb: Una squadra *vincente* (che vince). / Il pezzo *mancante* (che manca).

Soluzioni delle attività di autovalutazione

Unità 6
1. 1-e, 2-a, 3-d, 4-b, 5-c
2. 1-d, 2-a, 3-e, 4-c, 5-b
3. 1. La Traviata, Aida, Rigoletto, Nabucco, Il Trovatore, I Vespri siciliani, La forza del destino; 2. Rossini, Puccini; 3. Giro d'Italia; 4. qualche, ogni; 5. Me lo dica
4. 1. tenore, debutto; 2. interpretazione, applauso; 3. spettacolo, fila; 4. squadre, giocatori; 5. autobus, fermata

Unità 7
1. 1-d, 2-a, 3-c, 4-e, 5-b
2. 1-b, 2-d, 3-e, 4-c, 5-a
3. 1. appartamento, 2. invivibili, 3. risorse, 4. alluvione, 5. volontari
4. 1. Legambiente; 2. agriturismo; 3. Verdi, Rossini, Puccini; 4. benché, sebbene, malgrado, nonostante, purché, perché, affinché ecc; 5. dessi

Unità 8
1. 1-c, 2-e, 3-d, 4-X, 5-b, 6-a
2. 1-c, 2-a, 3-e, 4-b, 5-d
3. 1. Marconi; 2. Galilei, Volta, Meucci, Leonardo; 3. diretto, indiretto, riflessivo; 4. foste stati/e;
4. 1. installare, 2. collegare/collegarsi, 3. allegato, 4. chiamata; 5. invenzione, 6. stampante/stampa, 7. riciclare, 8. cliccare

Unità 9
1. 1-d, 2-a, 3-c, 4-e, 5-b
2. 1-d, 2-b, 3-a, 4-e, 5-c
3. 1. rubare, opera; 2. ladro, Carabinieri, furto; 3. artisti, capolavori; 4. pittore, scultori
4. 1. Leonardo da Vinci, 2. Michelangelo Buonarroti, 3. Galileo Galilei, 4. Teresa era/veniva invitata spesso da Gianni, 5. Deve essere visto

Unità 10
1. 1-c, 2-a, 3-d, 4-e, 5-b
2. 1-c, 2-e, 3-d, 4-a, 5-b
3. 1. il Mezzogiorno/l'Italia meridionale (del Sud), 2. Camorra, 3. gli Uffizi, 4. il giorno dopo
4. 1. spacciatori, tossicodipendenti; 2. carcere, giudice; 3. immigrati, multietnico; 4. boss, criminalità; 5. opere, artisti

Unità 11
1. 1-c, 2-d, 3-a, 4-b
2. 1-d, 2-a, 3-b, 4-c
3. 1. scrittori, 2. letteratura, 3. copertina; 4. rapina
4. 1. Dante Alighieri; 2. Pirandello, De Filippo; 3. partendo; 4. passante

Autovalutazione generale
1. 1.a, 2.b, 3.b, 4.c, 5.a, 6.b
2. 1.f, 2.e, 3.b, 4.c, 5.i, 6.g, 7.h, 8.a
3. 1. interessi, sportello, prelevare; 2. prenotazione, mezza pensione, pernottamento; 3. appunti, tesi, corsi; 4. soprano, libretto, tenore; 6. scultura, statua, dipinto; 7. racconto, romanzo, giallo; 8. doppi servizi, monolocale, cantina
4. 1. mi, 2. dirglielo, 3. ciascuno/ognuno, 4. Di, 5. cui, 6. Ci, 7. Ce, 8. ne
5. 1. avrei chiamato, si trattasse; 2. sono stati sorpresi, minacciandoli; 3. arrivati, aver dimenticato; 4. lavorando, farai
6. *1. c - purché*, 2. d - nonostante, 3. f - affinché, 4. a - nel caso, 5. b - prima che, 6. e - a meno che
7. 1. ambientalisti, 2. professionista, 3. tranquillità, 4. spaziosa, 5. improvvisamente, 6. difficoltà
8. Sei stato promosso, aver studiato; 6. fossi, dovresti; 7. si sarebbe trasferita/si è trasferita, dice; 8. si possono, si possono

Unità 11
page 97

Material for A:

AUTORE	GENERE	CARATTERISTICHE
Niccolò Ammaniti (1966 –)	Narrativa	Linguaggio semplice, trame avvincenti
Alberto Moravia (1907 – 1990)	Narrativa – Saggistica	Racconti e romanzi di analisi sociale e psicologica Saggi di critica letteraria
Italo Calvino (1923 – 1985)	Narrativa – Saggistica	Molto fantasioso, ma anche difficile come linguaggio Saggi letterari
Luigi Pirandello (1867 – 1936)	Teatro – Narrativa	Analisi psicologica, affronta il conflitto individuo-realtà
Umberto Eco (1932 –)	Narrativa – Saggistica	Romanzi filosofici; linguaggio difficile, temi interessanti ma complessi Saggi di critica letteraria e di linguistica

Traces and ideas for the discussion:
- Cosa mi consiglia per una lettura leggera sotto l'ombrellone?
- Vorrei fare un regalo a un amico che…
- Vorrei leggere un "classico" della letteratura italiana contemporanea / del dopoguerra: cosa mi consiglia?
- Vorrei leggere un autore giovane, ma bravo e di successo: quale autore mi suggerisce? E quale tra i suoi libri?
- Cerco un libro per un ragazzino di 14-15 anni…

Unità 6
page 17

*Material for **B***:

This is the weekend program of a theatre. Consult it and give *A* the information he will ask you for. Afterwards, you will also find the map of the theatre with seats from which *A* can choose.

L'Accademia musicale e l'Associazione Giovani talenti *presentano:*
IL RIGOLETTO
Musica di Giuseppe Verdi
La famosissima opera di Verdi interpretata dai giovani studenti di lirica dell'Accademia Musicale della nostra regione. Con la collaborazione dell'Associazione *Giovani talenti* che ha contribuito all'allestimento dello spettacolo, con la prestigiosa regia di Luca Ronconi.
Da domenica per 15 giorni.

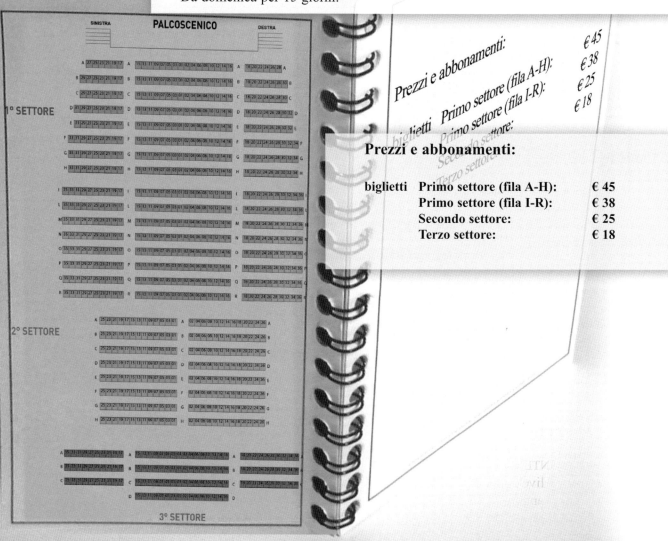

Prezzi e abbonamenti:

biglietti	Primo settore (fila A-H):	€ 45
	Primo settore (fila I-R):	€ 38
	Secondo settore:	€ 25
	Terzo settore:	€ 18

Unità 7
page 33

*Material for **B**:*

PREZZO: € 175.000
SUPERFICIE: MQ. 150
CONDIZIONI: abitabile
CAMERE DA LETTO: 2
SERVIZI: 1

- POSTO AUTO INTERNO
  Al centro di delizioso paese, luminoso appartamento in villetta bifamiliare di mq. 150 circa su due livelli, immediatamente abitabile. Al secondo livello 2 camere, bagno, soggiorno, cucina, terrazzo, al primo livello giardino, garage, cucina rustica, depositi vari, termoautonoma, allarme.

PREZZO: € 90.000
SUPERFICIE: MQ. 140
CONDIZIONI: da ristrutturare

- POSTO AUTO ESTERNO
  Bella proprietà con casolare, da ristrutturare, mq. 140 circa su due piani, garage per 2 posti auto, doppio ingresso, al centro del paese. Divisibile in 2 appartamenti con ingressi indipendenti. Ideale come agriturismo, come rifugio dallo stress della citta o per chi vuole rilassarsi immergendosi nella natura.

PREZZO. € 135.000
SUPERFICIE: MQ. 150
CONDIZIONI: abitabile
CAMERE DA LETTO: 5
SERVIZI: 2

- POSTO AUTO INTERNO
  Villetta su due livelli più sottotetto, composta da 2 camere, salone, angolo cottura e bagno al primo piano, e da 3 camere, salone, angolo cottura e bagno al piano terra. Cantina, giardino, tutti i servizi, vicina a tutti i negozi di prima necessità e ad altre case abitate. Ideale anche per due nuclei familiari.

Unità 8
page 49

*Material for **B***:

Corso di formazione
COMPUTER E INTERNET
prospetto informativo

Descrizione

Il corso si rivolge a coloro che vogliono usare meglio il computer per ragioni di lavoro, di studio o per hobby.

Continue esercitazioni pratiche fanno apprendere in modo semplice e immediato tutti i concetti necessari per avere una padronanza nell'uso del computer.

Il corso mette in grado il partecipante di saper utilizzare i principali servizi presenti su Internet: i motori di ricerca e le tematiche della sicurezza, della privacy e del commercio elettronico. Tutti gli argomenti trattati prevedono esercitazioni pratiche.

Contenuto del corso

- Excel e Word
- Grafici con Excel: creazione, formattazione e modifica
- Database: creazione e gestione
- Virus e sicurezza dati
- Internet: navigazione sui siti Web, l'uso di Internet Explorer, la posta elettronica
- Acrobat Reader e i file in formato PDF
- Internet e la multimedialità
- La sicurezza in Internet: opzioni di protezione di Internet Explorer
- La privacy su Internet
- Come fare acquisti in rete in maniera sicura: il commercio elettronico

Durata

La durata del corso è di sedici ore (otto lezioni di due ore).

Orari e giorni dei corsi

Corsi diurni	9.00 - 13.00 (lunedì - mercoledì - venerdì)
Corsi pomeridiani	14.30 - 18.30 (lunedì - mercoledì - venerdì)

Quota di partecipazione

Il costo del corso per partecipante, comprendente il Manuale del Corso e l'attestato di frequenza, è di 220 euro (IVA inclusa).

Per i corsi individuali il costo orario è di 45 euro (IVA esclusa), per ogni partecipante oltre il primo si aggiungono 10 euro in più.

Unità 9
page 65

*Material for **B**:*

Musei Vaticani

Tra i più importanti musei al mondo, sono suddivisi in numerose sezioni splendidamente allestite che conservano capolavori dei più grandi artisti, raccolti o commissionati dai Papi nel corso dei secoli. Al termine del percorso la Cappella Sistina, *il cui recente restauro ha restituito alla volta e al* Giudizio Universale *di Michelangelo i colori che il tempo aveva offuscato.*

Viale Vaticano - www.vatican.va   e-mail: musei@scv.va
Ingresso: € 12.00, ridotto € 8.00 – gratuito l'ultima domenica del mese 8.45 - 13.45
Orario: dal 7 gennaio al 6 marzo e dal 2 novembre al 24 dicembre 8.45 - 13.45
(ingresso fino alle 12.20)

Foro Romano

Era il centro politico, economico e religioso di Roma Antica; sede di templi, tribunali e altri edifici dove si trattavano gli affari pubblici e privati.

Via dei Fori Imperiali - tel. 0639967700
(informazioni e prenotazioni visite guidate)
Ingresso: gratuito
Orario: 9.00 - 1h prima del tramonto

Colosseo (Anfiteatro Flavio)

Nell'anfiteatro, il più importante monumento della Roma Antica, si svolgevano combattimenti cruenti tra gladiatori e con animali feroci. Diviso in quattro ordini di posti, poteva contenere almeno cinquantamila persone.

Informazioni e prenotazioni tel. 0639967700
Prenotazione online: www.pierreci.it + € 1.50
Ingresso: € 8.00 + € 2.00 supplemento mostra (il biglietto è valido anche per il Palatino)
Orario: 9.00 - 1h prima del tramonto

AGEVOLAZIONI PER L'INGRESSO
NEI MUSEI E LUOGHI D'ARTE STATALI E COMUNALI
Ingresso gratuito per i cittadini dell'Unione Europea che abbiano meno di 18 anni e più di 65.
Riduzione del 50% del prezzo del biglietto per i giovani dell'Unione Europea in età compresa tra i 18 e i 25 anni.

BIGLIETTI CUMULATIVI

- MUSEO NAZIONALE ROMANO CARD: € 7.00 – validità 3 giorni – include l'ingresso alle sedi del Museo Nazionale Romano (Palazzo Altemps, Palazzo Massimo alle Terme, Terme di Diocleziano, Cripta Balbi).
- ROMA ARCHEOLOGIA CARD: € 20.00 – validità 7 giorni – include l'ingresso a: Colosseo, Palatino, Terme di Caracalla, Palazzo Altemps, Palazzo Massimo, Terme di Diocleziano, Cripta Balbi, Tomba di Cecilia Metella e Villa dei Quintili.

I biglietti cumulativi possono essere acquistati presso tutti i siti e presso il Centro Visitatori dell'APT di Roma in Via Parigi 5.

Unità 11
page 97

*Material for **B***:

Titolo libro	*Autore e genere*	*Consigliato per...*
Ti prendo e ti porto via (1999)	**Niccolò Ammaniti** (1966 –) Narrativa	Storia d'amore con un ritmo da commedia, che si legge in un fiato ma si ricorda a lungo.
Gli indifferenti (1929)	**Alberto Moravia** (1907 – 1990) Narrativa – Saggistica	Un classico della letteratura italiana del Novecento: un romanzo intenso e ancora attuale, sociale e psicologico allo stesso tempo.
Marcovaldo (1963)	**Italo Calvino** (1923 – 1985) Narrativa – Saggistica	Favola moderna e delicata, *Marcovaldo* è un libro per ragazzi ma anche per grandi che non hanno perso la voglia di stupirsi.
Il fu Mattia Pascal (1904)	**Luigi Pirandello** (1867 – 1936) Teatro – Narrativa	Un classico "sempreverde" della letteratura italiana, dove ironia e dramma si uniscono nel paradosso che è la realtà.
Il nome della rosa (1980)	**Umberto Eco** (1932 –) Narrativa – Saggistica	Un best-seller degli anni 80, diventato anche un film di successo con Sean Connery. In realtà è un impegnativo giallo filosofico, complesso e affascinante.

L'IMPERATIVO DIRETTO - DIRECT IMPERATIVE

The imperative form of the verb has different functions. It is used to give commands, instructions, warnings and make polite suggestions and requests.

In Italian, we have the *imperativo diretto* when we use the 2nd person singular (*tu*) and the 1st and 2nd person plural (*noi* and *voi*).

- The conjugation of the *imperativo diretto* corresponds to that of the *indicativo presente*. The exception is the 2nd person singular of the verbs in –*are*, which in the *imperativo diretto* ends in –*a*, whereas in the *indicativo presente* ends in –*i*:
  Parla *pure!* = *Go ahead and speak!* / **Leggi**! = *Read!* / **Senti** *cosa dice!* = *Listen to what he/she's saying!*
- Pronouns (*diretti, indiretti, combinati, ci, ne*) always follow the *imperativo diretto*, forming a single word:
  Lasciatemi *in pace!* = *Leave me alone!* / **Svegliati**! = *Wake up!* / **Andiamoci** *subito!* = *Let's go there now!*
- The negative form of the *imperativo diretto* is made using the verb in the *imperativo* preceded by *non*. Only for the 2nd person singular (*tu*), the negative form is made with *non* + the verb in the *infinito*; in this case the pronouns (*diretti, indiretti, combinati, ci, ne*) can precede or follow the verb in the *infinito*:
  Non andate *via!* = *Don't go away!* / **Non andare** *via, ti prego!* = *Don't go away, I implore you!* / **Non me lo dire!** / **Non dirmelo**! = *Don't tell me!*
- Some verbs in the 2nd person singular (*tu*) present one-syllable imperative forms: *andare* → **va'** (go), *fare* → **fa'** (do), *dare* → **da'** (give), *stare* → **sta'** (stay), *dire* → **di'** (say). Should this form of the imperative be followed by a pronoun, the first consonant of the pronoun is doubled (except for the *pronome indiretto gli*):
  Va' *e non tornare!* = *Go and don't come back!* / **Fa'** *attenzione!* = *Pay attention!* / **Dacci** *un colpo di telefono!* = *Give us a ring!* / **Stammi** *a sentire!* = *Listen to me!* / **Diglielo** *subito!* = *Tell him right away!*

The *imperativo indiretto* occurs when we use the 3rd person singular and plural (*lei* and *loro*). The 3rd person plural is rarely found in the spoken language; it is now out of use and restricted to written tests or very formal situations.

- The conjugation of the *imperativo indiretto* is the same as that of the *congiuntivo presente*:
  Stia *attento, signore!* = *Be careful, sir!* / **Parlino** *più piano, per favore!* = *Speak more slowly please!*
- Pronouns (*diretti, indiretti, combinati, ci, ne*) always precede the *imperativo indiretto*:
  Si sieda! = *Sit down!* / **Glielo dica**! = *Say it to him/her!*
- The negative form of the *imperativo indiretto* is made with the verb in the *imperativo* preceded by *non*:
  Non vada *via, signorina!* = *Don't go away, miss!* / *Signori,* **non restino** *in piedi!* = *Gentlemen, don't remain standing!*

AGGETTIVI E PRONOMI INDEFINITI - INDEFINITE ADJECTIVES AND PRONOUNS

The *indefiniti* indicate the quantity or identity in an indefinite way, the quality of the noun that they accompany (if they are adjectives) or the noun which they substitute (if they are pronouns).

Here are some *indefiniti* that function as adjectives and pronouns: **alcuno** (any), **altro** (other), **ciascuno** (each one), **molto** (much/many), **nessuno** (noone/none), **parecchio** (much), **poco** (little), **quanto** (as much as), **tale** (such), **tanto** (so much), **troppo** (too much), **tutto** (all/everything).

- *Ciascuno* and *nessuno* are only used in the masculine/feminine singular:
  Ciascuna *decisione dev'essere presa da tutti* = *Each decision must be taken by everyone.*
- *Nessuno* has a negative meaning and it is only used when preceded by the verb. However, when it follows the verb, it must be accompanied by another negation (*non*) and can be substituted by *alcuno*:
  Nessuno *l'ha visto* / **Non** *l'ha visto* **nessuno** = *No one saw him/it.* / **Non** *ha portato* **nessun** *regalo* / **Non** *ha portato* **alcun** *regalo.* = *He/She didn't bring any gifts.*

Here are some *indefiniti* that only function as pronouns and are only used in singular: **uno** (a), **qualcuno** (someone), **ognuno** (each), **chiunque** (anyone), **qualcosa** (something), **niente/nulla** (nothing).

- When *niente/nulla* follow the verb, they must be accompanied by another negation (*non*); if they precede the verb, they do not need it:
  Niente mi interessa / Non mi interessa niente = Nothing interests me.

Here are some *indefiniti* that function as adjectives: **ogni** (each), **qualche** (some), **qualsiasi** (any), **qualunque** (every), **certo** (certain), **alcuno** (any), **diverso** (different), **vario** (various):

- *Ogni, qualche, qualsiasi/qualunque* are invariable and accompany only nouns in singular:
  Ogni ragazzo ha il suo libro = Every child has his/her book. / Qualche volta mi piace stare solo = Sometimes I like to be alone.

- When *diverso* and *vario* precede the noun that they accompany, they have the meaning of *parecchio, molto*. When, however, they follow a noun they have the meaning of *differente*:
  Ho letto diversi libri di Moravia = I've read many books by Moravia. / Giulio ha realizzato un progetto diverso = Giulio has created a different project.

UNITÀ 7 *Andiamo a vivere in campagna*

IL CONGIUNTIVO IMPERFETTO (E TRAPASSATO)
THE IMPERFECT SUBJUNCTIVE (AND PAST ANTERIOR)

In order to conjugate the *congiuntivo imperfetto*, it is useful to know the 1st person of the *indicativo imperfetto* (with the exception of the verbs *essere, dare, stare*): dire → dicevo → **dicessi**; fare → facevo → **facessi**.

- In independent clauses, the *congiuntivo imperfetto* expresses a fact, a wish which is considered unrealistic in the present or immediate future:
  Ah! Se non fossi solo ora! = If I weren't alone now!

- In dependent clauses, it is the tense that expresses anteriority or contemporaneity with respect to a verb in the present or past of the main sentence:
  Tante persone pensano che cinquant'anni fa si vivesse meglio = Many people believe that fifty years ago life was better. / Massimo temeva che io non partissi con lui = Massimo was afraid that I wouldn't leave with him.

- Verbs in the *condizionale* which express a desire require the *congiuntivo imperfetto*:
  Vorrei che tu mi dessi una mano = I would like you to give me a hand. But: Direi che sia meglio andare = I'd say it's better to go. / Desidererei che lei arrivasse sempre in orario in ufficio = I would like her to always arrive at the office on time.

The *congiuntivo trapassato* is a compound tense, formed with the *congiuntivo imperfetto* of the auxiliary *essere* or *avere* + the *participio passato* of the main verb.

- In independent clauses, the *congiuntivo trapassato* indicates a fact, a wish, or a hypothesis referring to the past which has not been realized:
  Ah, se fossi venuto con me! = Ah, if you had come with me!

- In dependent clauses it expresses anteriority with regard to the verb in the past of the main clause,or it expresses an impossible condition which has not been realized in the past:
  Accettò ugualmente di aiutarmi, nonostante avesse lavorato tutto il giorno in ufficio = He accepted to help me, even though he had worked all day in the office. / Se fosse partito prima, non avrebbe trovato tanto traffico = If he had left earlier he would have found so much traffic.

- The expression *come se*, which introduces a subordinated hypothetical comparative, is always followed by the verb in the *congiuntivo imperfetto* or *trapassato*, regardless of the verb tense of the main clause:
  Si comporta come se fosse lui il direttore = He behaves as if he were the director. / Ha cominciato ad urlare come se avesse visto un fantasma = He/She started screaming as if he'd/she'd seen a ghost.

- After *magari*, the *congiuntivo imperfetto* or *trapassato* is used:

Magari avessi la tua età! = *I wish I were your age!* / *Magari fossi venuto* prima! = *I wish I had come sooner!*

As to the use of the *congiuntivo imperfetto* (or *trapassato*) also compare the grammar notes on the *congiuntivo presente* (or *passato*) [see examples on page 175-176-177-178].

CONGIUNTIVO: CONCORDANZA DEI TEMPI - SUBJUNCTIVE: AGREEMENT OF TENSES

With the verb of the main clause in the present tense, the subordinate clause expresses:

- posteriority (tomorrow, in the future) with the *congiuntivo presente* or the *indicativo futuro semplice*:
  P*enso che Giorgio* **parta / partirà** *in treno* = *I think that Giorgio is leaving / will be leaving by train.*
- contemporary (today) with the *congiuntivo presente*:
  Penso che Giorgio **parta** *in treno* = *I think Giorgio is leaving by train.*
- anteriority (yesterday, in the past) with the *congiuntivo passato*:
  Penso che Giorgio **sia partito** *in treno* = *I think Giorgio has left by train.*

With the verb of the main clause in the past tense, the subordinate clause expresses:

- posteriority (the next day) with the *congiuntivo imperfetto* or the *condizionale composto*:
  Pensavo che Giorgio **partisse / sarebbe partito** *in treno* = *I thought Giorgio was leaving / would be leaving by train.*
- contemporary (in that moment/period) with the *congiuntivo imperfetto*:
  Pensavo che Giorgio **partisse** *in treno* = *I thought Giorgio was leaving by train.*
- anteriority (the day before) with the *congiuntivo trapassato*:
  Pensavo che Giorgio **fosse partito** *in treno* = *I thought Giorgio had left by train.*

UNITÀ 8 *Tempo libero e tecnologia*

IL PERIODO IPOTETICO - THE HYPOTHETICAL CLAUSE

In Italian three hypothetical clauses are generally distinguished. Hypothetical is a period in which the conjugation *se* introduces the condition of a consequence.

The *periodo ipotetico* of the 1st type is also called "real", in that it expresses an event that is certain or will be realized with certainty.

- **Se + indicativo presente / indicativo futuro semplice → indicativo presente / indicativo futuro semplice / imperativo**:
  Se **finisco** *prima,* **verrò** *da te* = *If I finish early, I'll come to you.* / *Se* **avrò** *tempo,* **andrò** *a fare spese* = *If I have time, I'll go shopping.* / *Se* **vai** *all'edicola,* **comprami** *il giornale* = *If you go to the newsstand, buy me the newspaper.*

The *periodo ipotetico* of the 2nd type is also called that of "possibility" in that it expresses an event believed possible but not certain.

- **Se + congiuntivo imperfetto → condizionale presente**:
  Se **avessi** *tempo libero,* **andrei** *in palestra* = *I'd go to the gym if I had some free time.*

The *periodo ipotetico* of the 3rd type is also called "unreal/impossible" in that it expresses an event that is unrealizable because it is impossible or because it refers to the past and is therefore unchangeable.

- **Se + congiuntivo imperfetto / congiuntivo trapassato → condizionale semplice / condizionale composto**:
  Se me **l'avessi chiesto**, *te l'*avrei dato = *If you had asked me for it, I would have given it to you.* / *Se* **avessi comprato** *un computer migliore, ora non* **avresti** *tutti questi problemi* = *You wouldn't have all these problems if you had bought a better computer.* / *Se tutti* **fossero** *come te, il mondo* **andrebbe** *sicuramente meglio* = *The world*

would certainly be a better place if there were more people like you.

- **Se + indicativo imperfetto → indicativo imperfetto.** In the spoken language, the *indicativo imperfetto* is often used to express an unreal hypothesis:
*Se mi **telefonavi**, **venivo** subito = I would have come right away if you had called me.*

USES OF *CI*

There are many uses of the particle *ci*.

- As a *pronome riflessivo* (1st person plural):
***Ci** vediamo domani! = See you tomorrow!*

- As an unstressed *pronome diretto* (*noi*):
*Quando Stefano ha bisogno di aiuto **ci** chiama sempre = Whenever Stefano needs help, he always calls us.*

- As an unstressed *pronome indiretto* (*a noi*):
*Sì, Gloria **ci** telefona spesso = Yes, Gloria often calls us.*

- When it accompanies the verb *essere* (*esserci*), the latter assumes the meaning of *being present* or of *existing*:
*Oggi in classe **c'erano** soltanto cinque ragazzi = Today there were only five children in class. / **C'era** una volta un piccolo paese... = Once upon a time there was a small town...*

- When it accompanies the verb *entrare* (*entrarci*), the latter assumes the meaning of *finding space* (having enough room for something to fit) or to *have a relationship with something*:
*In questa borsa **c'entrano** veramente poche cose = Very few things fit in this bag. / Lascialo in pace! Lui non **c'entra**! = Leave him in peace! He has nothing to do with it!*

- As a pleonastic reinforcer:
***C'ho** freddo (spoken language) = I'm really cold. / Da qui non **ci** vedo bene = I can't see well from here. / Il nonno **ci** sente poco, se vuoi farti sentire devi gridare = Grandfather hears little; if you want him to hear you you'll have to yell.*

- As a pronoun of the 3rd person singular or plural (*lui, lei, loro, quello, quella, quelli, quelle, questo, questa, questi, queste*) preceded by a preposition (*a, di, da, in, con, su*) it has the value of indirect object:
*Non **ci** credo (non credo **a questa/e cosa/e**) = I don't believe it.*
*Elisabetta? **Ci** penso sempre (penso sempre **a lei**) = Elisabetta? I always think of her.*
*Tu parlavi di musica rap, ma io non **ci** capivo niente (non capivo niente **di quella cosa**)= You were talking about rap music, but I didn't understand a thing.*
*Non andiamo in vacanza dai miei perché Stefano non **ci** vuole andare (non vuole andare **da loro**)= We aren't going on vacation to my parents' because Stefano doesn't want to.*
*È stato un pessimo affare. **Ci** ho perduto tanti soldi! (**in questa cosa**, in questo affare) = It was a terrible deal. I lost so much money!*
*Con le conchiglie raccolte al mare **ci** ho fatto una collana bellissima (**con quelle cose**, con le conchiglie) = I made a lovely necklace with the shells gathered at the sea.*
*-Cara, hai riflettuto sul nostro rapporto? -**Ci** ho riflettuto! Non va! (ho riflettuto **su questa cosa**) = -Dear, have you reflected on our relationship? -I've reflected on it! It isn't working!*

- As an adverbial particle of place it substitutes, in fact, a place (*lì* = in that place):
*-Sei mai stato a Roma? -Sì, **ci** sono stato tre volte = -Have you ever been to Rome? -Yes, I've been there three times.*

- When it accompanies expressions like *farcela* (in the sense of *succeeding, being able to, bearing*), *metterci* (in the sense of *how long it takes to do something*), *ci vuole / ci vogliono* (in the sense of *è necessario* = to be necessary, *occorre* = to be needed).
*Aiuto! Non **ce** la faccio ad aprire la porta = Help! I can't open the door!*
***Ci** metto un'ora per andare in ufficio = It takes me an hour to get to the office.*
***Ci** vogliono ancora quattro ore per arrivare a Bologna = It'll take another four hours to get to Bologna.*

USES OF *NE*

There are many uses of the particle *ne*.

- In the partitive function it indicates a part of the whole:
  *-Quanti libri hai letto quest'estate? -**Ne** ho letti due / Non **ne** ho letto nessuno* = *-How many books have you read this summer? -I've read two / I haven't read any.*

- As a pronoun of the 3rd person singular or plural (*lui, lei, loro, quello, quella, quelli, quelle, questo, questa, questi, queste*) preceded by a preposition (*di, da*) it functions as an indirect object:
  *Di quell'uomo **ne** parlano tutti male* (parlano male ***di lui***) = *Everyone speaks badly about that man.*
  *Sì, Carla è partita ieri e io **ne** sento già la mancanza* (sento la mancanza ***di lei***)= *Yes, Carla left yesterday and I already miss her.*
  *Hai sentito le ultime notizie? Cosa **ne** pensi?* (pensi ***di questa cosa***, di questa situazione) = *Have you heard the latest news? What do you think?*
  *Ti credo! Non dubito della tua sincerità. Non **ne** dubito affatto!* (non dubito ***di questa cosa***) = *I believe you! I don't doubt your sincerity. I have no doubt at all!*
  *Non mi sembra un buon affare: **ne** guadagnerà solo la banca!* (guadagnerà ***da questo affare***) = *It doesn't look like a good deal: only the bank will profit from it!*

- As an adverbial particle of place it substitutes, in fact, a place (*da lì, da qui, di lì, di qui*):
  *-Quando sei uscito di casa? -**Ne** sono uscito un'ora fa* (sono uscito ***di lì***, di casa)= *-When did you leave home? -I left an hour ago.*
  *Luisa e Marcella se **ne** sono andate senza dire nulla* (sono andate via ***da qui***, da questo luogo) = *Luisa and Marcella left without saying anything.*

- In a pleonastic function, for emphasis and with some idiomatic expressions:
  Andarsene = *andare via da un luogo* (to leave. to leave a place):
  *Non posso più stare qui. **Me ne vado**! = I can't stay here any longer. I'm going!*
  Dimenticarsene = *dimenticarsi di qualcosa* (to forget about something):
  *Sarei dovuto andare dal dentista e **me ne sono dimenticato** = I should have gone to the dentist, but I forgot.*
  Partirsene = *partire da un luogo* (to leave, to leave a place):
  *Senza dire niente a nessuno, **me ne partii** = I left without saying anything to anyone.*
  Ricordarsene = *ricordarsi di qualcosa, di qualcuno* (to remember something, someone):
  *Il compleanno di Gianni? **Me ne sono ricordata** all'ultimo momento = Gianni's birthday? I remembered it at the last minute.*
  Starsene = *stare in un luogo* (to stay, to stay in a place):
  *Oggi non esco, **me ne sto** tranquillo a casa! = I'm not going out today; I'm staying at home!*
  Non poterne più / ***Averne abbastanza*** = *non essere più in grado di sopportare* (to not be able to stand something anymore:
  *Scusami, ma non **ne posso più** di ascoltare sempre le stesse cose = Sorry, but I can't stand hearing the same things over and over.*
  *Scusami, ma **ne ho abbastanza** di ascoltare sempre le stesse cose = Sorry, but I've had it with hearing the same things over and over.*
  Valerne la pena = *meritare* (to be worth it, to deserve):
  *Visitare quel piccolo paese **n'è valsa la pena**: era stupendo! = Visiting that tiny town was worth it! It was amazing!*

UNITÀ 9 *L'arte... è di tutti!*

LA FORMA PASSIVA - THE PASSIVE FORM

In the active form, for both transitive and intransitive, whoever performs the action (the agent) is always the subject of the sentence. In the passive form, the subject receives/undergoes the action done by an agent. In the example, we can see that *Omero* (the subject in the active form), in the passive form, is both the author and the agent of the action but not the subject which is *l'Iliade*. The passive form, therefore, is used to emphasize primarily the action itself and not so much who does it:

Omero *scrisse l'Iliade* = *Homer wrote the Illiad.*
L'Iliade *fu scritta da Omero* = *The Illiad was written by Homer.*

In Italian the passive is formed, both for transitive and intransitive verbs (which are those which have a direct object that follows the verb without preposition), with the auxiliary *essere* + the *participio passato* of the verb, which agrees in gender and number with the subject of the sentence. It is therefore the verb *essere* which indicates the mood and tense of the verb. In the transformation from the active form to the passive, the preposition *da* precedes the subject of the active form which in the passive form has become, as said, an agent:

Credo che questi libri **siano stati letti da** *tutti* (→ Credo che tutti abbiano letto questi libri) = *I think these books have been read by everyone* (→ I think everyone has read these books).

In the construction of the passive form, with simple tenses, both *essere* and *venire* can be used. With compound tenses, only the verb *essere* can be used:

Mi auguro che tutti i ragazzi **siano/vengano inviati** *alla festa* = *I hope that all students are invited to the party.*

In the transformation from the active form to the passive one:

- *pronomi diretti* are eliminated while the *participio passato* of the verb in the passive form agrees in gender and number with the direct object of the active form:

  Sono stati chiamati *dal direttore* (→ **Li** ha chiamati il direttore) = *They were called by the director* (→ They were called by the director).

- only *pronomi indiretti* are preserved if we are dealing with *pronomi combinati*.

  Questi regali **le sono stati offerti** *da suo marito* (→ Questi regali **glieli** ha offerti suo marito) = *These gifts were given by her husband* (→ These gifts were given by her husband).

If in the active form there are *verbi modali* such as *dovere* (must), *potere* (can) and *volere* (want), then in the passive form there must always be the *verbo modale* + the verb *essere* in the *infinito* + the verb in the *participio passato*:

Il conto **deve essere pagato** *da Luigi* (→ Luigi deve pagare il conto) = *The bill must be paid by Luigi* (→ Luigi must pay the bill).

In the construction of the passive form, with simple tenses, we can also use the verb *andare* followed by the *participio passato* of the verb. In this case the passive form expresses necessity:

Signora, questo farmaco **va preso** (deve essere preso) *dopo i pasti e non a stomaco vuoto* = *Madam, this drug should be taken after meals and not on an empty stomach.*

IL *SI* PASSIVANTE - THE PASSIVE *SI*

We can also construct the passive form with the particle *si* + 3rd person singular or plural of the active transitive verb. In this case the subject is usually after the verb and the agent, the author of the action is not written as the *si passivante* gives the sentences an impersonal sense:

Da qui **si sente** *scorrere* ***l'acqua*** *del fiume / Da qui* **si sentono i ragazzi** *che parlano* = *The river water can be heard running from here / Children talking can be heard from here.*
A Natale **si ricevono** *molti regali* = *Many gifts are received at Christmas.*

This construction with the *si passivante* is often used in advertising and the particle *si* often follows the verb with which it forms a single word:

Si affittano *camere /* **Affittasi** *camere* = *Rooms to let.*

The passive form with the *verbi modali dovere, potere* and *volere*, can also be formed with the *si passivante* + 3rd person singular or the plural of *dovere, potere, volere* + verb in the *infinito*. In this case the difference lies in the character of impersonality which the *si passivante* gives to the sentence:

Il conto **si deve pagare** (→ Il conto **deve essere pagato** da Luigi) = *The bill must be paid* (→ The bill must be paid by Luigi).

With a compound tense, the construction with the *si passivante* is given by: *si* + auxiliary *essere* + *participio passato* of the verb, which agrees in gender and number with the subject of the sentence:
Si è costruito un nuovo **stadio** di calcio per i Mondiali (→ Un nuovo stadio di calcio *è stato costruito* per i Mondiali / Per i Mondiali, il Ministero *ha costruito* un nuovo stadio di calcio) = *A new football stadium was built for the World Cup* (→ A new football stadium was built for the World Cup / The Minister had a new football stadium built for the World Cup).
Ai bambini **si sono servite** *solo* **aranciate** (→ Ai bambini *sono state servite* solo aranciate dai camerieri / I camerieri *hanno servito* solo aranciate ai bambini) = *Children were only served orange sodas* (→ Only orange sodas were served to the children by the waiters / The waiters served only orange sodas to the children).

To distinguish if there is a *si passivante* or an *si impersonale,* it should be reminded that:

* the *si passivante* always has the verb which agrees with the subject that follows:
  In quel ristorante **si mangia** *un'ottima* **pizza** = *In that restaurant you can eat a great pizza.*
  In quel ristorante **si mangiano** *delle buonissime* **pizze** = *In that restaurant you can eat great pizzas.*

* the *si impersonale* always has a verb without a direct object that follows it:
  In quel ristorante **si mangia** *molto bene* = *In that restaurant you can eat very well.*

UNITÀ 10 *Paese che vai, problemi che trovi*

DISCORSO DIRETTO E INDIRETTO - DIRECT AND INDIRECT SPEECH

In the transition from direct to indirect speech, there are one or more subordinate clauses which depend on a main one that contains a declarative verb (*dire* = to say, *affermare* = to assert, *domandare* = to ask, *rispondere* = to answer, *chiedere* = to ask, *osservare* = to observe...):
Luigi **dice** *ad Elena* **che** *domani andrà a Roma* (→ Luigi dice ad Elena: «Domani andrò a Roma») = *Luigi tells Elena that tomorrow he is going to Rome* (→ Luigi tells Elena: «Tomorrow I will go to Rome»).

When the verb of the main clause is in the past, the transition from direct to indirect speech involves the following changes in verb tense:

* **indicativo presente → indicativo imperfetto**:
  Elisa disse: «Giovanni **ha** *un bel cane»* → *Elisa disse che Giovanni* **aveva** *un bel cane»* = *Elisa said: «Giovanni has a nice dog»* → *Elisa said that Giovanni had a nice dog.*

* **indicativo presente → congiuntivo imperfetto**:
  Elisa ha chiesto a Giovanni: «Cosa **hai?**» → *Elisa ha chiesto a Giovanni cosa* **avesse** = *Elisa asked Giovanni: «What's wrong?»* → *Elisa asked Giovanni what was wrong.*

* **indicativo presente → condizionale composto**:
  Elisa ci ha promesso: «Non lo **faccio** *più»* → *Elisa ci ha promesso che non lo* **avrebbe fatto** *più* = *Elisa promised us: «I won't do it again»* → *Elisa promised us that she wouldn't do it again.*

* **indicativo passato prossimo → indicativo trapassato prossimo**:
  Elisa disse «Ho comprato *un nuovo libro»* → *Elisa disse che* **aveva comprato** *un nuovo libro» = Elisa said: «I bought a new book»* → *Elisa said that she had bought a new book.*

* **indicativo passato remoto → indicativo trapassato prossimo**:
  Elisa ha detto «Feci *tutto da sola»* → *Elisa ha detto che* **aveva fatto** *tutto da sola» = Elisa said: «I did everything alone»* → *Elisa said that she had done everything alone.*

* **indicativo imperfetto → indicativo imperfetto**:
  Elisa disse: «Da bambina **ero** *molto timida»* → *Elisa disse che da bambina* **era** *molto timida» = Elisa said: «When I was a child I was very shy»* → *Elisa said that when she was a child she was very shy.*

* **indicativo trapassato prossimo → indicativo trapassato prossimo**:

*Elisa disse: «**Avevo portato** una torta»* → *Elisa mi disse che **aveva portato** una torta* = *Elisa said: «I had brought a cake»* = *Elisa told me that she had brought a cake.*

- **indicativo futuro semplice → condizionale composto**:
  *Elisa rispose: «Non **sposerò** mai Enzo»* → *Elisa rispose che non **avrebbe sposato** mai Enzo* = *Elisa replied: «I'll never marry Enzo»* → *Elisa replied that she'd never marry Enzo.*

- **condizionale semplice → condizionale composto**:
  *Elisa disse: «**Andrei** io, ma non posso»* → *Elisa disse che **sarebbe andata** lei, ma non poteva* = *Elisa said: «I would go but I can't»* → *Elisa said that she would have gone but couldn't.*

- **condizionale composto → condizionale composto**:
  *Elisa disse: «**Sarei andata**, ma non potevo»* → *Elisa disse che **sarebbe andata**, ma non poteva* = *Elisa said: «I would've gone but I couldn't»* → *Elisa said that she would've gone but she couldn't.*

- **congiuntivo presente → congiuntivo imperfetto**:
  *Elisa ha detto: «Credo che tu non **stia** bene»* → *Elisa credeva che tu non **stessi** bene* = *Elisa said: «I don't think you are well»* → *Elisa believed that you weren't well.*

- **congiuntivo imperfetto → congiuntivo imperfetto**:
  *Elisa ha detto: «Credevo che lei **fosse** italiana»* → *Elisa credeva che lei **fosse** italiana* = *Elisa said: «I thought she was Italian»* → *Elisa believed that she was Italian.*

- **congiuntivo passato → congiuntivo trapassato**:
  *Elisa disse: «Credo che lui **sia andato** in ufficio»* → *Elisa credeva che lui **fosse andato** in ufficio* = *Elisa said: «I think he has gone to the office»* → *Elisa thought that he had gone to the office.*

The *indicativo presente* does not change if the verb of the main clause is in the *passato prossimo*, but the effects of the action continue in the present time:

- **indicativo presente → indicativo presente**:
  *Elisa ha detto: «Giovanni **è** felice»* → *Elisa ha detto che Giovanni **è** felice* = *Elisa said: «Giovanni is happy»* → *Elisa said that Giovanni is happy.*

In general, the *pronomi personali*, *pronomi* and *aggettivi possessivi* of the 1st and 2nd person singular and plural change to the 3rd person:

- **io, tu → lui, lei / noi, voi → loro**:
  *I ragazzi dicono: «**Noi** ce ne andiamo»* → *I ragazzi dicono che **(loro)** se ne vanno* = *The children say: «We are leaving»* → *The children say that they are leaving.*

- **mio, tuo → suo / nostro, vostro → loro**:
  *Elisa dice a Maria: «**Ti** regalo la **mia** matita»* → *Elisa dice a Maria che **le** regala la **sua** matita* = *Elisa tells Maria: «I'll give you my pencil»* → *Elisa tells Maria that she will give her her pencil.*

Pronomi and *aggettivi dimostrativi* also change:

- **questo, costui → quello**:
  *Elisa dice: «Voglio **questa** camicetta»* → *Elisa dice che vuole **quella** camicetta* = *Elisa says: «I want this shirt»* → *Elisa says that she wants that shirt.*

If in the main clause the verb is in the past, the adverbs of time and place also change:

- **ora** (now, in this moment) → **allora** (then, in that moment)
- **ieri** (yesterday) → **il giorno prima** (the day before), **il giorno precedente** (the previous day)
- **oggi** (today) → **quel giorno** (that day)
- **domani** (tomorrow) → **il giorno dopo** (the next day), **il giorno seguente** (the following day)
- **qui, qua** (here) → **lì, là** (there)
- **...fa** (ago) → **...prima** (before)
- **fra...** (in) → **...dopo** (after)

*Elisa ha detto: «Ci siamo visti **ieri**»* → *Elisa ha detto che si erano visti **il giorno prima*** = *Elisa said: « We saw* *each other yesterday»* → *Elisa said that they had seen each other the day before.*

Even verbs can change:

- **venire** (to come) → **andare** (to go):
  *Elisa ha detto: «I ragazzi **vanno** al mare»* → *Elisa ha detto che i ragazzi **andavano** al mare* = *Elisa said: «The children are going to the sea»* → *Elisa said that the children were going to the sea.*
- **imperativo** → **congiuntivo imperfetto** / **di** + **infinito**:
  *Il giudice ordinò: «**Sedetevi**!»* → *Il giudice ordinò che **si sedessero** / Il giudice ordinò **di sedersi** = The judge ordered them: «Be seated!»* → *The judge ordered them to be seated.*

The following also changes (see examples on page 181):

- question in the past → *(se +)* **congiuntivo** or **indicativo**
- question in the future → *(se +)* **condizionale composto**

If in the direct speech the verb of the main clause is in the past and there is one of the three types of the *periodo ipotetico*, in the indirect speech the *periodo ipotetico* will always be of the 3ʳᵈ type (see examples on page 192 of the *Student's Book*).???

Therefore, in the transition from direct to indirect speech, not only the *indicativo imperfetto*, the *indicativo trapassato prossimo*, the *congiuntivo imperfetto* and *trapassato* don't change, but also the *infinito*, the *gerundio* and the *participio*:
*Elisa disse: «**Andando** a casa ho visto Alfredo»* → *Elisa disse che **andando** a casa aveva visto Alfredo* = *Elisa said: «I saw Alfredo while I was going home»* → *Elisa said that she had seen Alfredo while she was going home.*

UNITÀ 11 *Che bello leggere!*

MODI INDEFINITI - INDEFINITE MOODS

IL GERUNDIO - THE GERUND

The *gerundio semplice* (or *presente*) is invariable. It expresses a contemporaneous action (in the present, past or future) to that expressed by the verb of the main clause, with which it usually shares the same subject.

The *gerundio composto* (or *passato*) is formed by the *gerundio* of the auxiliary *essere* or *avere* + the *participio passato* of the verb. It expresses a past action with regard to that expressed by the verb of the main clause.

The *gerundio* can be related to the main clause in terms of:

- time (simultaneous actions or in succession):
  ***Tornando** dal lavoro, ho fatto la spesa* (→ *Mentre tornavo dal lavoro, ho fatto la spesa*) = *I did the shopping while coming back from work* (→ *While coming back from work, I did the shopping*).
  ***Avendo mangiato**, ha lavato i piatti* (→ *Dopo che aveva mangiato, ha lavato i piatti*) = *Having eaten dinner, he/she washed the dishes* (→ *After having eaten, he/she washed the dishes*).
- cause (why?):
  ***Essendo** stanco, non esco* (→ *Siccome sono stanco, non esco*) = *Being tired, I'm not going out* (→ *Since I'm tired, I'm not going out*).
  ***Avendo speso** tutto, non può pagare l'affitto* (→ *Poiché ha speso tutto, non può pagare l'affitto*) = *Having spent everything, he/she cannot pay the rent* (→ *Since he spent everything, he/she cannot pay the rent*).
- manner (how?):
  ***Guardandomi**, mi comunicava la sua paura* (→ *Mi comunicava la sua paura con lo sguardo*) = *By looking at me, he/she communicated his/her fear* (→ *He/She communicated his/her fear with his/her look*).

- conditions, hypotheses (*se...*):
  Partendo *ora, arriviamo in tempo* (→ *Se partiamo ora, arriviamo in tempo*) = *Leaving now, we'll arrive on time* (→ If we leave now, we'll arrive on time).
  Non avendo studiato, *non lo sa* (→ *Se avesse studiato, lo saprebbe*) = Not having studied, he/she doesn't know it (→ If he/she had studied, he/she would know it).

The pronouns (*diretti, indiretti, combinati, riflessivi, ci, ne*) always follow the *gerundio* to which they refer and form a single word:
Guardandomi, *ha cominciato a ridere* = *Looking at me, he/she started laughing*.
Essendosi svegliata *prima, ha preparato la colazione* = *Having woken up first, she made breakfast*.

The *gerundio* is also used, only in simple tenses, in the construction *stare + gerundio* (page 34 of the *Student's Book?????*) and *andare + gerundio* (which stresses the repetition or intensity of an action):
Leonardo ***andava dicendo*** *in giro di aver vinto una grossa somma alla lotteria* = *Leonardo went around saying that he'd won a large sum in the lottery*.

The *gerundio* is also used in the *pur + gerundio semplice / composto* construction which expresses a contrast:
Pur avendo studiato, *non ho superato l'esame* (→ *Anche se avevo studiato, non ho superato l'esame*) = *Even though I studied, I didn't pass the exam* (→ Even though I'd studied, I didn't pass the exam).

L'INFINITO - THE INFINITIVE

The *infinito presente* expresses, in fact, contemporeneity (to the present, past and future) and we use it:

- in exclamatory or interrogative sentences to express surprise, doubt or desire:
  Uscire *adesso? Ma sì* = *Go out now? Sure. / Che* ***dire?*** = *What can I say? /* ***Venire*** *ora, sarebbe una buona idea!* = *Coming now would be a good idea!*

- as an imperative, to express an order, a prohibition, instructions given in an impersonal way:
  Non ***fumare*** = *No smoking. /* ***Cuocere*** *a fuoco lento per cinque minuti* = *Cook on a low flame for five minutes*.

- as a noun (with or without the article):
  Spesso ***sperare*** *aiuta a vivere meglio* = *Often hoping helps you live better. / Il* ***guardare*** *la tv troppo da vicino fa male* = *Watching TV too close is bad for you*.

- in many sentences preceded by the prepositions *di, a, da*:
  Penso ***di invitare*** *tutti i colleghi* = *I think I'll invite all my collagues. / Ho preparato* ***da mangiare*** *per tutti* = *I made food for everybody. / Giulio non è qui, è andato* ***a comprare*** *il latte* = *Giulio isn't here; he went to buy milk*.

- when it is preceded by *fare* or *lasciare* to indicate an action which the subject does not do directly, but has it done or lets it be done by someone else:
  La piscina? L' ***ho fatta costruire*** *per me* = *The swimming pool? I had it built for me. / Maria non è venuta perché i suoi non la* ***lasciano uscire*** *a quest'ora* = *Maria didn't come because her parents don't let her go out at this hour*.

- with the phrasal verb *stare per + infinito*, to express the imminence of an action:
  Stavo per addormentarmi *quando mi hai telefonato* = *I was about to fall asleep when he/she called me*.

- in idiomatic expressions: *ad essere sincero* (to be honest), *a dire la verità* (to tell the truth).

The *infinito passato* (formed by the *infinito* of the auxiliary *essere* or *avere* + the *participio passato* of the verb) expresses a past action compared to that expressed by the verb of the main clause:
Dopo ***aver finito*** *gli studi ho cominciato subito a lavorare* (→ ***Dopo che avevo finito*** *gli studi...*) = *After having finished my studies I immediately started working*.

The pronouns (*diretti, indiretti, combinati, riflessivi, ci, ne*) always follow the *infinito* and are attached to the verb forming a single word:
Dopo ***averlo chiamato***, *gli ho spiegato tutto* = *After having called him, I explained everything*.
Come ***dirglielo?*** = *How to say that to him?*

IL PARTICIPIO - THE PARTICIPLE

The *participio presente* (compare with page 92 of the *Student's Book*) is used above all as an adjective and a noun, in singular or plural. It is rarely used as a verb, except in expressing literary, legal, bureaucratic language and it expresses an action that is happening at the same time as the verb in the main clause.

- As an adjective:
  *Uno spettacolo **divertente*** = *A fun show.* / *Sono dei ragazzi **ubbidienti*** = *They are obedient children.* / *Vorrei una bibita **dissetante*** = *I'd like a thirst-quenching drink.*

- As a noun:
  *È lui il mio **comandante*** = *He is my commander.* / *Scrivi il **mittente*** = *Write down the sender.* / *È una brava **docente*** = *She's a good teacher.*

- As a verb:
  *È un quadro **raffigurante** un paesaggio* (→ che raffigura un paesaggio) = *It's a painting which depicts a landscape.* / *È arrivato un pacco **contenente** libri* (→ che contiene libri) = A package containing books has arrived.

The *participio passato* expresses an action which already happened and is completed (*Il film **visto**, è stato molto bello* → *Il film **che ho visto**, è stato molto bello* = *The film shown was very good* → *The film I saw was very good*). It is used to construct compound tenses. When preceded by the auxiliary *essere,* it agrees with it in gender and number; when preceded by the auxiliary *avere* it remains unvaried, unless the auxiliary *avere* is preceded by some pronouns.

- When used alone as a verb, it can indicate an action which happened prior to that which is expressed by the main clause:
  *(Una volta/Appena) **Scoperto** il colpevole, il caso fu chiuso* (→ **Dopo aver scoperto** il colpevole...) = Once/As soon as the guilty party was discovered, the case was closed (→ After having discovered the guilty party...).

- When used alone as a verb, it can express the cause:
  ***Partito** in ritardo, non arrivò puntuale all'appuntamento* (→ **Poiché era partito** in ritardo...) = *Having left late, he/she didn't arrive punctually to the appointment* (→ Since he/she left late...).

- As an adjective, it agrees in gender and number with the noun:
  *La lettura è il mio passatempo **preferito*** = *Reading is my favorite passtime.* / *È un bellissimo libro **illustrato*** = *It is a beautiful illustrated book.*

- As a noun:
  *È un **fatto** clamoroso* = *It is a sensational fact.* / *Io vorrei un **fritto** di pesce* = *I'd like some fried fish.*

- The pronouns (*diretti, indiretti, combinati, riflessivi, ci, ne*) always follow the *participio passato* and are attached to the verb forming a single word:
  ***Riconosciutolo**, lo abbracciai* (→ **Dopo che l'ebbi riconosciuto** lo abbracciai) = *After recognising him, I hugged him* (→ After having recognised him, I hugged him).

GLOSSARY
CONTENTS

	page
Unità 6 - *Andiamo all'opera?*	200
Unità 7 - *Andiamo a vivere in campagna*	201
Unità 8 - *Tempo libero e tecnologia*	203
Unità 9 - *L'arte... è di tutti!*	204
Unità 10 - *Paese che vai, problemi che trovi*	205
Unità 11 - *Che bello leggere!*	207

The words, in separate units, are listed as they appear, with clear reference to the part (*Student's book* or *Workbook*) and the section (A, B, C, D...). When a word is not stressed on the penultimate syllable, or when the stress is not clear, the stressed vowel is underlined (i.e.: *di̲alogo*, *farmaci̲a*).

Abbreviations

avv.	avverbio	adverb
f.	femminile	feminine
m.	maschile	masculine
sg.	singolare	singular
pl.	plurale	plural
inf.	infinito	infinitive
p.p.	participio passato	past participle

UNITÀ 6 *Andiamo all'opera?*
STUDENT'S BOOK
Per cominciare...

barbiere, *il*: the barber

A1

libretto: libretto
detto tra noi: between you and me
verso: toward
dal momento che...: since
godersi: to enjoy
in pace: in peace
atto: act

A3

i ruoli sono capovolti: roles are reversed
capovo̲lgere (*p.p.* capovolto): to overturn, to reverse
accomodarsi: to take a seat

A7

quadratino: little box, square

B

feno̲meno: phenomenon

B1

teatralità: theatricality
curiosità: curiosity, oddity
coro: chorus
ecclesia̲stico: ecclesiastical
canto: singing

gioventù, *la*: youth
affamato: hungry
debuttare: to debut
stagione: season
al di là di...: beyond, apart from
brillante: brilliant
dramma, *il*: drama
minaccia: threat
tradimento: betrayal
compagno: companion
malatti̲a: disease
polmonare: pulmonary
emorragi̲a: hemorrhage, bleeding
delirare: to be delirious
sofferenza: suffering
personalità: personality
debutto: debut
a̲ria: aria (opera)
reci̲tal, *il*: recital
antologi̲a: anthology, collection
apparizione: appearance
notorietà: notoriety
socialmente (*avv.*): socially
beneficenza: charity
partecipazione: participation
stella: star

B2

osta̲colo: obstacle

B3

ispirare: to inspire
terrazza: terrace
schiarirsi (la voce): to clear (one's throat)
scio̲gliere (*p.p.* sciolto): to melt
vena: vein
dolore, *il*: pain
morte, *la*: death
la̲crima: tear
mi̲mica: mime
scordare: to forget
voltarsi: to turn around
sple̲ndere: to shine
assai (*avv.*): very
soffocare: to suffocate

B6

da parte mia: on my behalf, for me

B7

narrare: to narrate
tra̲gico: tragic
gelosi̲a: jealousy
manifestare: to show, to manifest

C2

convenire (*p.p.* convenuto): to suit, to be convenient

C5
completamente (*avv.*): completely
piovere a dirotto: pouring rain
D1
insolito: unusual
fischiare: to whistle
palco: stage
sostituto: substitute
D2
trasmettere (*p.p.* trasmesso): to transmit
giornale radio, *il*: radio news
D3
sceneggiata: scene
rappresentazione: representation
prima: premiere
mondanità: beau monde, high society
celeste: heavenly
gradire: to appreciate
vergogna: shame
platea: audience
primo tempo: first part
applauso: applause
fischio: whistle, boo
perplesso: perplexed, puzzled
intervallo: break, interval
sovrintendente, *il*: superintendent, overseer
rincrescimento: regret
riscaldamento: warming up
intanto (*avv.*): in the mean time
ripagare: to pay back
performance, *la*: performance
accaduto: event
buttare: to throw, to throw out
di corsa: in a hurry
rimborso: reimbursement
D4
radiofonico: regarding the radio
D5
in corsivo: in handwriting/italics
domattina (*avv.*): tomorrow morning
tale (*un*): someone
tale: such
D6
seno: breast, bosom
piuma: feather
mutare: to change, to mutate
amabile: lovable, sweet
pianto: cry, weep
riso: laughter
misero: miserable
affidarsi: to rely on, to trust
cauto: careful, cautious
brindare: to toast
prudente: careful, prudent
D8
mi danno proprio ai nervi: … get on my nerves
E1
soprano, *il*: soprano
orchestra: orchestra
E3
botteghino: ticket office
o meno: or less, or not
E5
black out, *il*: black out
Conosciamo l'Italia
L'opera italiana
non a caso: not by chance
Gioacchino Rossini
ritirarsi: to retire
buffo: comic, funny
la gazza ladra: the thieving magpie
drammatico: dramatic

Giacomo Puccini
trionfo: triumph
vicenda: event
ruotare: to be about
amante: lover
suicidarsi: to commit suicide
Giuseppe Verdi
ali, *le* (*sg.* l'ala): wings
dorato: golden
ebreo: Jewish, jew
prigioniero: prisoner
patriottico: patriotic
per sbaglio: by mistake
sbaglio: mistake, error
opporsi (*p.p.* opposto): to oppose
camelia: camellia (flower)
consolare: to console
vespro: versper
patrioti, *i* (*sg.* il patriota): patriots
onorare: to honor
lanciare: to launch
destino: destiny
ambientare: to set
commozione: emotion
spegnersi (*p.p.* spento): to die
cavalleria: chivalry
rusticano: rustic
questione d'onore: question of honour
onore: honour
librettista: librettist (music)
Autovalutazione
peggiorare: to worsen
Appendice grammaticale:
esitare: to hesitate
Appendice situazioni comunicative
B
contribuire: to contribute
allestimento: preparation, set up

WORKBOOK
1
bidone, *il*: bin
riciclaggio: recycling
comprensivo: comprehensive
immediatamente (*avv.*): immediately
2
avere cura (di): to take care of
leggibile: legible
7
mal di schiena, *il*: back ache
schiena: back
ragioniere, *il*: accountant, book keeper
azione: share
società: society, company
8
faccenda: matter, issue
pettegola: gossip, gossipy
prendersela: to take it personally
9
di persona: in person
10
pinacoteca: picture gallery
11
scottarsi: to get burnt
12
sincerità: sincerity
13
franchezza: frankness
disperarsi: to despair
14
fare colpo (su): to impress
mercatino: street market

16
abbronzarsi: to tan
creme abbronzanti: sun/tanning creams
abbronzante: tanning
ombrellone: beach umbrella
inedito: unpublished
iniziativa: initiative
creativo: creative
18
connettore: connector
19
prescegliere (*p.p.* prescelto): to choose
manifestante: striker
contestazione: dispute, protest
consueto: usual
sindacato: labour union
immancabile: ever-present
animalista: animal rights activist
no global: no-global
pacifista: pacifist
protestare: to protest
dare eco: to spread information, words, to echo
eco, *l'* (*m. o f., pl.* gli echi): echo
del resto: after all
nel complesso: overall, on the whole
pacifico: pacific, peaceful
amarezza: bitterness
spiare: to spy
distante: distant, far
rituale, *il*: ritual
spalla: shoulder
20
conservatorio: conservatory, school of music
separazione: separation
rivale: rival
Test finale
A
chiacchiera: rumor, gossip
B
allievo: student, pupil
coordinamento: coordination
cartellone, *il*: billboard
ripensare: to rethink
rimontare: to set up, to restage
appositamente (*avv.*): especially
regio: royal
parallelo: parallel
comicità: comedy
shakesperiano: Shakespearian
collaudato: tested
coinvolgente: involving
fusione: fusion
recitazione: acting
impresa: undertaking
attitudine: attitude
entusiasmare: to enthuse
entusiasmante: exciting, enthusiastic
stagnina: a flower

UNITÀ 7 Andiamo a vivere in campagna
STUDENT'S BOOK
Per cominciare...
inquinamento: pollution
smog, *lo*: smog
casetta: house, cottage, cabin
A1
inferno: hell
insopportabile: unbearable
razza: breed, race
ecologico: environmentally friendly
ecologista: ecologist
oggigiorno (*avv.*): nowadays

A4

a me fa molto comodo: it is very convenient for me
irrespirabile: unbreathable
ma che ti è preso oggi?: what's wrong with you today?

B1

metro quadrato: square metre
costruzione: constuction
riscaldamento autonomo: independent heating
ammobiliare: to furnish

B2

cucina abitabile: kitchen (with table and chairs)
doppi servizi: two bathrooms
ripostiglio: utility room, cupboard
cantina: basement
termoautonomo: independent heating
recentissimo: very recent
edificazione: construction
ampio: large, wide
abitativo: housing
mq (metro quadro/quadrato): square metre
riordinare: to rearrange
d'epoca: vintage
monolocale: studio, one-roomed flat
arredare: to furnish
angolo cottura, l' (m.): kitchenette

B4

marmo: marble
pietra: stone
ceramica: ceramic
cemento: cement

C6

opuscolo: booklet, brochure
pista ciclabile: cycle-path
combinare: to combine
mobilità: mobility
civiltà: civilization
integrarsi: to integrate
incoraggiare: to encourage
attuazione: carrying out, accomplishment
salvaguardare: to safeguard
drastico: drastic
inquinante: polluting
incremento: increase
coda: queue, line
multa: fine
introvabile: unfindable
rapidamente (avv.): fast, rapidly
invivibile: unlivable

C8

liberamente (avv.): freely

D1

misurare: to measure

D2

ambientale: environmental
raccolta differenziata: separated trash collection
differenziare: to differenciate

D3

attuale: current
cortile, il: courtyard
a piedi nudi: barefoot
nudo: nude
prato: lawn, field
respirare: to breathe
scordarsi: to forget
comperare: to buy
catrame, il: tar
erba: grass
criticare: to criticize

D5

pallido: pale
fantasma, il: ghost

E1

impazzire: to go crazy
eolico: wind-powered
geotermico: geothermic
idrogeno: hydrogen
esperimento: experiment
elettricità: electricity
alimentare: to feed
biodiesel, il: biodiesel

E2

impatto: impact
occidente, l' (m.): West
fare la parte del leone: to play the part of the lion
esaurimento: exhaustion, depletion
paesi in via di sviluppo: developing countries
subire: to suffer, to undergo
esclusivamente (avv.): exclusively
ecosistema, l' (m.): ecosystem
capacità: capacity
pianeta, il: planet
arco (di tempo): period
generazione: generation
allegramente (avv.): happily
rigenerabile: renewable
all'infinito: to infinity
infinito: infinity, infinite
prossimo al collasso: near collapse
collasso: collapse
umanità: humanity
costringere (p.p. costretto): to force
imbarcarsi: to embark
sopravvivere (p.p. sopravvissuto): to survive

E3

effetto serra: greenhouse effect
spreco: waste
riciclare: to recycle

E5

scoraggiarsi: to be discouraged

F1

danneggiare: to damage
rinnovabile: renewable
sprecare: to waste
proteggere (p.p. protetto): to protect
in via d'estinzione: in risk of extinction
estinzione: extinction

F2

al sicuro: safe

F5

agenzia immobiliare: (real) estate agency

F6

scienziato: scientist
priorità: priority

Conosciamo l'Italia
Gli italiani e l'ambiente

agricolo: agricultural
fattoria: farm
gradualmente (avv.): gradually
condividere (p.p. condiviso): to share
nel corso di...: in the course of, during
a contatto con...: in contact with
contatto: contact
coltivare: to cultivate
allevamento: breeding
agrituristico: agrotouristy
molteplice: various
ristorazione: cattering
didattico: didactic, educational
scolaresca: group of schoolchildren
in crescita: in growth
crescita: growth
permanenza: stay
soggiornare: to stay
imitare: to imitate

trattenere: to hold up

Legambiente

tutela: guardianship, protection
difesa: defense
quotidianamente (avv.): daily
battaglia: battle
affiancare: to put side by side, to flank, to support
spiaggia: beach
volontario: volunteer
parco nazionale: national park
trekking, il: trekking, hiking
paesaggio: landscape
sentiero: trail, path

Autovalutazione

riciclabile: recyclable
esaurirsi: to exhaust
alluvione: flood
riciclaggio: recycling

Appendice grammaticale

esperto: expert

Appendice situazioni comunicative
B

delizioso: delicious
villetta: small house, cottage
bifamiliare: semi-detached house
immediatamente (avv.): immediately
terrazzo: terrace, balcony
rustico: rustic
deposito: store-room, depot, warehouse
allarme, l' (m.): alarm
casolare, il: farmhouse
divisibile: dividable
rifugio: shelter
immergersi (p.p. immerso): to immerse
sottotetto: attic
nucleo familiare: family unit

WORKBOOK
1
cucciolo: puppy, baby animal
2
evidentemente (avv.): evidently
da morire: to death
diffidente: diffident
3
scadenza: expiry, deadline
rimandare: to postpone, to put off
4
cartello: sign
5
rompere con...: to break up with
convegno: convention, meeting
6
andare in pensione: to retire
pensione: pension, retirement
in orario: on time
cagnolino: little dog, lapdog
9
pretendere (p.p. preteso): to demand
11
dimostrare: to prove, to demonstrate
guarire: to heal, to recover
13
connettivo: connective
dare un passaggio: to give a lift/ride
passaggio: lift, ride
rimproverare: to scold, to admonish
15
critico: critical
isolato: isolated
18
perturbazione: disturbance, storm
preparativi: preparations

sostenibile: sustainable
istituzionale: institutional
19
degrado: deterioration
fondatore: founder
naturalista: naturalist
biologo: biologist
principe, il: prince
Test finale
A
urgente: urgent
B
morbidamente (avv.): softly
strisciare: to stripe, to crawl, to slither
serpente, il: serpent, snake
laboratorio: laboratory
vernice, la: varnish, paint
chimico: chemical, chemist
primaverile: springlike
sgradevole: unpleasant
odore: odour
indescrivibile: undescribable
deodorante, il: deodorant
candela: candle
aromatico: aromatic
violetta: violet

UNITÀ 8 Tempo libero e tecnologia
STUDENT'S BOOK
A1
stufo: bored
effetti: effects
isolarsi: to get isolated
estroverso: extroverted
socievole: sociable
superficiale: superficial
c'entra: it has to do with something
pub, il: pub
realtà virtuale: virtual reality
virtuale: virtual
a proposito: by the way
A5
riguardante: regarding
A8
miliardario: billionaire
cieco: blind
lira: lira, the former Italian currency
miliardo: billion
pensione: pension
lotteria: lottery
B1
reazione: reaction
B2
approvare: to approve
B5
avvisare: to give notice, to advise
C3
segnalare: to signal, to announce, to point out
megafono: megaphone
utente: user
imporre (p.p. imposto): to impose
fase, la: phase
pionieristico: pioneer
frutto di...: fruit of
consentire: to allow
dichiarazione d'amore: declaration of love
dichiarazione: declaration
cerimonioso: cerimonious
Ch.imo (Chiarissimo): a very formal courtesy form
used mainly to address university professors
grottesco: grotesque
disegnino: little drawing
canzoncina: little song

in confidenza: in confidence
confidenza: confidence
punire: to punish
rassicurazione: reassurance
chiocciolina: "@" symbol
rifilare: to give
eccessivo: excessive
sintassi, la: syntax
ortografia: spelling
perdonabile: forgivable
virgolette: quotes
C5
indovinare: to guess
abuso: abuse
incollato: stuck
dipendenza: dependence, addiction
patologia: pathology, disease
terapia: therapy
C6
tribunale, il: court
condannare: to condemn
circostante: surrounding
curare: to cure, to treat
disintossicazione: detoxification
C7
ci sentiamo: let's stay in touch, talk to you soon
pleonastico: pleonastic
D1
pagina web: webpage
promozionale: promotional
contrattuale: contractual
ricaricare: to recharge, to load
assistenza: assistance
ricaricabile: rechargeable
videochiamata: video-call
videominuto: video-minute
attivare: to activate
attivazione: activation
attivabile: that can be activated
riacquistabile: that can be bought again
riacquistare: to buy again
accedere: to access
pubblicizzare: to advertise
D3
scommettere (p.p. scommesso): to bet
D4
pesare: to weigh
batteria: battery
D5
individualmente (avv.): individually
squillare: to ring
accorto: careful
digerire: to digest
cosina: little thing, something
essere alle prese con...: to be busy with
essenza: essence
squillo: ring
bloccarsi: to block
scostumato: impolite
giustificare: to justify
disturbo: disturbance
arrecare: to bring, to cause
giovanotto: young person
partecipe: a person that shares in something
approfittare: to profit
piazzare: to place, to put
pressappoco (avv.): about, nearly
E1
stampante, la: printer
lettore cd, il: CD player
altoparlante, l' (m.): loudspeaker
processore: processor
memoria: memory

cavo: cable
filo: wire
allegato: attachment, enclosure
E2
griglia: grid, table
tasto: key, button
E4
certificato: certificate
suoneria: ringtone
giustificarsi: to justify oneself
Conosciamo l'Italia
Scienziati e inventori italiani
progresso: progress
Galileo Galilei
fondatore: founder
meccanica: mechaniscs
ideare: to conceive
perfezionare: to perfect
telescopio: telescope
satellite, il: satellite
Giove: Jupiter
macchie solari: sun spots
macchia: spot, stain
microscopio: microscope
astronomico: astronomical
Copernico: Copernicus
universo: universe
carcere, il: prison
copernicano: copernican
Alessandro Volta
volt, il: volt
unità di misura: unit of measurement
cattedra di fisica: chair of physics
cattedra: professorship, chair
elettroforo: scientific instrument, electrophorus
pratico: practical
Antonio Meucci
brevettare: to patent
causa: case, suit
Guglielmo Marconi
intuire: to perceive, to sense
onda: wave
elettromagnetico: electromagnetic
trasmittente: transmittor
ricevente: receiver
impressionante: impressive
radiotelegrafico: radio-telegraphic
Atlantico: Atlantic
dedicarsi (a): to dedicate oneself (to)
perfezionamento: perfection, improvement
radiotelegrafia: radio-telegraphy
praticamente (avv.): practically, really
giustamente (avv.): rightly, justly
influenzare: to influence
decisivo: decisive
scienza: science
definitivamente (avv.): definitely
telegrafo: telegraph
senza fili: wireless
Leonardo da Vinci
elicottero: helicopter
ricostruzione: reconstruction
Autovalutazione
installazione: installation
clic, il: click
Appendice grammatica
talvolta (avv.): sometimes
lamentoso: plaintive, whinny
Appendice situazioni comunicative
B
prospetto: prospect
continuo: continuous
esercitazione: exercise, drill

immediato: immediate
concetto: concept
padronanza: mastery
partecipante: participant
motore di ricerca, il: search engine
motore: motor, engine
sicurezza: safety, security
grafico: graphic
formattazione: formatting
modifica: change, modification
gestione: management
virus, il: virus
navigazione (in internet): internet browsing
formato: format
multimedialità: multi-mediality
opzione: option
diurno: daytime
pomeridiano: in the afternoon
quota: quote, fee
comprendente: including
attestato di frequenza: certificate of attendance
attestato: certificate

WORKBOOK

3
debito: debt

4
stop, lo: stop sign

5
mi gira la testa: I'm dizzy

10
complicato: complicated
ciecamente (avv.): blindly

11
pezzetto: small piece

12
scaffale, lo: shelf

13
a voce: by word of mouth
preistoria: prehistory
connessione: connection
i propri cari: dear ones
rivoluzionario: revolutionary
dotare: to endow, to equip
sensore: sensor
calore: heat
corporeo: physical, corporeal
applicazione: application
abbraccio: hug
ricambiare: to return something
confortevole: comfortable
microfibra: microfibre
necessariamente (avv.): necessarily
innovativo: innovative

14
promozione: promotion

15
resistere (p.p. resistito): to resist
tentazione: temptation
faccina: smiley
tutt'ora (avv.): up to now, until now
semi-serio: sort of serious
scherzoso: playful, funny
introduzione: introduction
denotare: to denote
inserimento: entry, insertion
radicato: rooted
testimoniare: to witness
detto: saying
valido: valid

16
al plasma: plasma
all'avanguardia: high-tech, state of the art

collegarsi: to connect
contemporaneamente (avv.): at the same time, contemporaneously
memorizzare: to memorize

Test finale
A
assurdo: absurd

C
congresso: congress
giustizia: justice
ingiustamente (avv.): unrightly, unjustly
connazionale: compatriot
sbarcare: to disembark
enciclopedia: encyclopedia
rivoluzionare: to revolutionize

D
trasportare: to transport

3o test di ricapitolazione (unità 6, 7 e 8)
A
giovanotto: young man

E
oroscopo: horoscope
tenerci: to care for

UNITÀ 9 L'arte... è di tutti!

STUDENT'S BOOK
Per cominciare...
liuto: lute
Venere, la: Venus
meravigliarsi: to be astonished
rubare: to steal
arrestare: to arrest
guardiano: guard
fuggire: to run away, to escape

In questa unità...
forma passiva: passive form

A1
restauro: restauration
Dio mio!: my God!
a quanto pare: as far as it seems
chi si è visto si è visto: disappear, hit the road
cifra: figure, amount of money
imprenditore: businessman
commissionare: to commission
custode: guardian
interrogare: to interrogate
sullo sfondo: on the background
sfondo: background

A2
sorprendere (p.p. sorpreso): to surprise
incredibilmente (avv.): incredibly
scappare: to run away, to escape

A3
riprendere (p.p. ripreso): to record, to shoot
clamoroso: sensational
inviato: correspondent
inestimabile: unestimable
beni culturali: cultural heritage
al riguardo: about (something previously mentioned)

A4
che fine hanno fatto...?: what ever happened to...

A6
forma attiva: active form
dipingere (p.p. dipinto): to paint
zoo: zoo

A7
comprensibile: comprehensible
collezionista: collector
inaugurare: to inaugurate

A8
fabbricare: to manifacture, to make

B2
assicurare: to assure

B4
viaggiatore: traveller

B5
al più presto: as soon as possible

B6
didascalia: subtitle, legend
scolpire: to sculpt
collocare: to place
affrescare: to paint a fresco
volta: vault, archway
affresco: fresco
giudizio universale: universal judgement
universale: universal
risistemazione: rearrangement
cupola: dome
figura: figure
biblico: biblical
giudice: judge
riemergere (p.p. riemerso): to resurface, to re-emerge
autentico: authentic
condanna: sentence
definitivo: definitive
peccatore: sinner

C2
finanziare: to finance, to fund
gigante, il: giant
raffigurare: to portray
appariscente: striking, gaudy
semiaffondato: semi-sunk
giacere: to lie

C4
riformulare: to reformulate
merce, la: merchandise, goods
quanto prima: as soon as possible

C5
annunciazione: annunciation
adorazione: adoration
magi, i (sg. il magio): the Magi
incompiuto: unfinished
al servizio di...: at the service of...
scultore: sculptor
scenografo: set designer
roccia: rock
enigmatico: enigmatic
avanzare: to advance
ammiratore: admirer
applicare: to apply
tecnica: technique
sfumato: shaded
chiaroscuro: chiaroscuro, light and shade
sperimentazione: experimentation
anatomia: anatomy
astronomia: astronomy
idraulica: hydraulics
ottica: optics
carro armato: tank
rivoluzionario: revolutionary
manoscritto: manuscript
schizzo: sketch, rough draft
pittura: painting
apostolo: apostle
Gesù: Jesus

D1
etichetta: label
divano tre posti: sofa for three
a partire da...: starting from
bontà: goodness
stagionare: to season, to age, to mature
confezionare: to package

D4
versione: version

rondine, *la*: swallow
gallo: rooster
topo: mouse
confessare: to confess
nuocere (*p.p.* nociuto/nuociuto): to harm, to damage
appetito: apetite
buoi, *i* (*sg.* il bue): cows
panni: laundry

D7

sacrificio: sacrifice

E1

per natura: by nature
lupa: she-wolf
lupetto: wolf cub
disperazione: desperation
ammazzare: to kill
mordere (*p.p.* morso): to bite
grotta: cave
laggiù (*avv.*): down there
materasso: mattress
petto: chest
mi mise una pulce nell'orecchio: he/she put doubt into my mind
pulce, *la*: flea
morso: bite
bene, *il*: good
ebbene: well, then
religione: religion

F1

astratto: abstract

F2

natura morta: still life
ritratto: portrait

F5

riproduzione: copy, reproduction

Conosciamo l'Italia

L'arte in Italia

movimento: movement

Dal 1600 a oggi

nomi di spicco: high profile names
esercitare: to exercise
realista: realist
caratteristico: characteristic
allungare: to lengthen
lineare: linear
risentire (di): to feel the effect, to be influenced by
cubismo: cubism
continuità: continuity
retro: back

L'arte contemporanea ?... a portata di mano!

contemporaneo: contemporary
a portata di mano: at hand, closeby, handy, within reach
predecessore: predecessor
su commissione: by commission
grattacielo: skyscraper
estetica: aesthetics
eredità: heredity
designer: designer
scheggia: splinter
pendolino: type of train
futurismo: futurism

Autovalutazione

riallacciarsi: to refer back

Appendice grammaticale

per corrispondenza: by correspondence

Appendice situazioni comunicative

B

suddividere (*p.p.* suddiviso): to subdivide
splendidamente (*avv.*): splendidly
allestire: to arrange, to organize
offuscare: to dim, to darken, to blur
tramonto: sunset

combattimento: combat
cruento: bloody, gory
gladiatore: gladiator
feroce: ferocious
cumulativo: cumulative
validità: validity
cripta: crypt
tomba: tomb
visitatore: visitor

WORKBOOK

1

caricare: to load

2

eseguire: to perform, to do, to carry out

3

sospetto: suspect

4

guasto: damage
gattino: kitten

5

elevato: high, elevated

9

gallerista: art dealer
sentenza: sentence
antiquario: antique dealer
commissario: inspector, police superintendent

10

frigo: fridge, refrigerator

11

offesa: offence
villaggio turistico: tourist resort

13

proibire: to prohibit

14

investimento: investment
fonte, *la*: source
recentemente (*avv.*): recently
cancro: cancer
colpo di fortuna: stroke of luck
mosaico: mosaic

16

riscoprire (*p.p.* riscoperto): to re-discover, to uncover again

17

ne ho fin sopra i capelli: I've had enough

18

incrociare: to cross
bonus, *il*: bonus
derivante: deriving
chiasso: noise

20

portatore di handicap: a handicapped person
raro: rare
catastrofe, *la*: catastrophe
archeologico: archeological
apposito: special

Test finale

A

restaurare: to restore
autorizzare: to authorize
rinviare: to postpone
anonimo: anonymous
inaugurale: inaugural

B

dettaglio: detail

C

rassegna: review
archivio: archive
multimediale: multimedia
migrazione: migration
omaggio: homage
nazifascista: Nazi Fascist
filmato: film

illustrare: to illustrate
educare: to educate
cronaca: chronicle
proiezione: projection
inseguire: to pursue

UNITÀ 10 *Paese che vai, problemi che trovi*

STUDENT'S BOOK

Per cominciare...

tizio: guy, person
porta blindata: armoured door
blindato: armoured
mascherare: to mask

In questa unità...

discorso diretto: direct speech
discorso indiretto: indirect speech

A1

capitare: to happen
questura: police headquarters
evidentemente (*avv.*): evidently
assurdo: absurd
all'opera: at work
camion, *il*: truck, lorry
trasloco: move
travestirsi: to disguise
facchino: remover man, porter
che faccia tosta!: what a nerve!
tosto: soon, cool
umidità: humidity, dampness
portone, *il*: gate
questo è il colmo: that beats everything!, unbelievable!
tranquillamente (*avv.*): easily, tranquilly

A3

disperato: desperate
toh!: expression used to manifest astonishment
gentilmente (*avv.*): kindly
gentiluomo: gentleman

B1

messa: mass
fare la comunione: to take Holy Communion
comunione: Holy Communion
vorrebbe dargliele: he'd/she'd like to give him/her a spanking
bastone, *il*: stick
bimbo: baby
arrendersi (*p.p.* arreso): to give up
rispetto: respect

B2

droga: drug
razzismo: racism
aborto: abortion
divario: gap, discrepancy

B4

infischiarsene: not to give a damn

C2

statistico: statistic
tossicodipendente: drug addict
in cura: under treatment
comunità: community
laico: secular

C3

con me hai chiuso: I won't have anything more to do with you

C5

fatica: effort
affetto: affection
struttura: structure
rimandare: to postpone, to put off
diminuire: to diminish, to lessen
via d'uscita: way out
malavita: underworld
traffico: traffic
stupefacente, *lo*: drug

una volta per tutte: once and for all
presidenza: presidency
consiglio dei ministri: board of ministers, government
stanchezza: tiredness
sforzo: effort
spaccio: drug dealing

D1

arresto: arrest
prigione, *la*: prison
delinquente: delinquent
rapina: robbery
spacciatore: drug dealer
pena: punishment, penalty

D2

CENSIS: national opinion research institute
zingaro: gypsy
microcriminalità: petty crime
criminale: criminal
reato: crime, offence
insicurezza: insecurity

D3

punizione: punishment
evadere (*p.p.* evaso): to evade, to break out
arresti domiciliari: house arrest
domiciliare: house
convivenza: cohabitation
caserma: barracks
maresciallo: marshall
militare: millitary
evasione: escape, evasion
scontare (una pena): to serve (a sentence)
domicilio: house, home
galera: prison

E1

rifarsi una vita: to start life all over again, to rebuild one's life
primo '900: beginning of the 1900s

E2

vu' cumprà, *il*: immigrants who sell cheap wares in public places
affettuoso: affectionate
conciliare: to conciliate
compatrioti, *i* (*sg.* il compatriota): compatriots
ammucchiare: to pile, to bunch
piroscafo: steamer, liner
offesa: offence
sbarcare: to disembark
fibra: fibre
bottiglione, *il*: big bottle
brillantina: grease, brillantine
lucido: shiny
sceicco: sheik
obolo: offering
accendino: lighter
lavavetri, *il*: window washer
crudeltà: cruelty
alla ventura: to go towards the unknown

E3

selezionare: to select
parola chiave: keyword
emigrato: emigrant
immigrare: to immigrate

E4

odierno: of today, present

E5

allenatore: trainer

F2

calo: fall

F3

incinta: pregnant
disgrazia: disgrace
dittatura: dictatorship

omicidio: homicide
assassinio: murder, assasination
sfida: challenge
annoiare: to bore
battersi: to fight
avvertire: to feel
vuoto: emptiness, void
umiliazione: humiliation
violentare: to rape
buio: dark
servirsi (di): to make use (of)
sguardo: look
malvagio: wicked
schiavitù, *la*: slavery
ingiustizia: injustice
muscolo: muscle
saldo: strong
fardello: burden
tenerezza: tenderness
ordinare: to order
prepotente: bully, overbearing

F5

parità: equality
sesso: gender, sex

G1

derivare: to derive
minacciare: to menace, to threaten

G3

giustizia: justice
tradizionalista: traditionalist

G4

immaginario: imaginary
possibilmente (*avv.*): possibly

Conosciamo l'Italia
Aspetti e problemi dell'Italia moderna

contratto a tempo determinato: temporary contract
in definitiva: after all
profondo: deep
criminalità organizzata: organized crime
Cosa Nostra: Mafia
affondare le proprie radici: to sink one's roots
radice, *la*: root
omertà: conspiracy of silence
boss: boss (often used to mean "mafia boss")
mafioso: of the mafia
pentito: mafioso turned informant
pentirsi: to repent, to regret
radicarsi: to root, to plant roots
camorra: mafia, organized crime in Naples
'ndrangheta: mafia, organized crime in Calabria
Sacra Corona Unita: United Sacred Crown, mafia-like organized crime in Apulia
paese delle meraviglie: wonderland
meraviglia: wonder
rigoroso: strict
istituzione: institution
sanitario: sanitary
preoccupante: alarming
crescente: growing
pensionato: pensioner, retiree
tutt'altro che...: everything but…
ottimistico: optimistic
tendenza: trend, tendency
leggermente (*avv.*): slightly
invertirsi: to be reversed
temporaneo: temporary
processo: process
profugo: refugee
salario: salary, wages
scoraggiare: to discourage
asiatico: Asian

Autovalutazione

francamente (*avv.*): frankly

maleducato: rude
severo: severe, strict
trullo: traditional house with a conical roof typical of Apulia

WORKBOOK

1

appropriato: appropriate

3

arabo: Arabic
tango: tango

4

camera degli ospiti: guest room
Dublino: Dublin

5

disastro: disaster

6

India: India
coraggioso: courageous
lanciarsi: to jump
paracadute, *il*: parachute

10

salumiere, *il*: person who sells cold cuts (meat), delicatessen seller

11

precolombiano: precolombian

13

replicare: to object, to replicate

15

schiavo: slave
consumismo: consumerism
fare i conti con: to deal with
bolletta: bill
sopravvivenza: survival

16

crocchetta: croquette
biocarburante, *il*: bio-fuel
autoveicolo: autovehicle
destinato: appropriate, assigned
effettuare: to make, to carry out
consegna: delivery
emissione: emission
tonnellata: ton
non-santità: no sanctity
santità: sanctity
multinazionale: multinational
frittura: fried food
griffato: designer made
inquinare: to pollute
trovata: bright idea, trick

17

contratto a progetto: contract work
precariato: precarious work
profondamente (*avv.*): deeply
dignità: dignity

Test finale
A

sul tuo conto: on your account, about you
al meglio: better, at one's best
rimediare: to remedy

B

rieducare: to re-educate
intolleranza: intolerance
obbligare: to obligate, to oblige
xenofobo: xenophobe
insultare: to insult
barriera: barrier
integrazione: integration
multiculturale: multicultural
musulmano: Muslim
Algeria: Algeria
finalità: aim
oggetto: object, subject

discriminazione: discrimination
reintegrare: to re-integrate
intervenire (*p.p.* intervenuto): to intervene
rieducazione: re-education
C
criminale: criminal

UNITÀ 11 *Che bello leggere!*
STUDENT'S BOOK
Per cominciare...
commissario: police superintendent, inspector
anonimo: anonymous
principe, il: prince
tiranno: tyrant
saggio: essay
segno zodiacale: zodiac sign
astrologia: astrology
In questa unità...
parole alterate: heated words
A
gemelli: Gemini, twins
A1
confuso: confused
ariete, l' (*m.*): Aries
guastare: to spoil, to ruin
cancro: Cancer
è nato sotto il segno del...: he/she was born under the sign of...
vergine, la: Virgo
A3
sorridere (*p.p.* sorriso): to smile
chiaro e tondo: straight out, clearly
pesci: Pisces
resistere (*p.p.* resistito): to resist
impermeabile: water proof
A5
simultaneo: simultaneous
A6
rimproverare: to scold, to reproach
promozione: promotion
B
di che segno sei?: what sign are you?
B1
capricorno: Capricorn
B2
passionalità: passion
toro: Torus
semplicità: simplicity
paziente: patient
sensibile: sensitive
parole a doppio senso: words with two meanings, double entendre
sognatore: dreamer
zodiaco: zodiac
esibire: to show
esteriore: exterior
interiore: interior
seducente: seductive
puntualità: punctuality
altruismo: altruism
bilancia: Libra
in compenso: on the other hand
creativo: creative
tollerante: tolerant
scontro: clash
scorpione, lo: Scorpio
provocatore: trouble-maker, tease
ambizioso: ambitious
catturare: to capture
riprendersi (*p.p.* ripreso): to recover
sagittario: Sagitarius
buon umore: good mood

fidanzamento: engagement
concreto: concrete
a lungo: for a long time
ringiovanire: to rejuvinate
acquario: Acquarius
eccentrico: eccentric
fantasioso: imaginative
stupire: to astonish
razionalità: rationality
imprevedibile: unpredictable
B4
esclamativo: exclamatory
compilare: to fill out/in
modulo: form
in continuazione: continuously
sintomo: symptom
di mezzo: between, in the middle
B5
non penso che a lui: I only think of him
C1
corrente, la: current
narratore: narrator
ribaltare: to overturn
ottimismo: optimism
propagandare: to propagandize
borghesia: middle classes
privo di...: to be devoid of, lacking, without
noia: boredom
L'amore coniugale: The conjugal love
borghese: bourgeois
orientarsi: to orientate, to find one's bearings
psicoanalisi, l' (*f.*): psychoanalisis
giocoso: playful
unirsi: to join
ragno: spider
Il visconte dimezzato: the Cloven Viscount
barone, il: baron
Il cavaliere inesistente: the Nonexistant Knight
antenato: ancestor
definire: to define
parodia: parody
cavalleresco: chivalrous
allusione: allusion
fiabesco: like a fairy tale
invisibile: invisible
liberazione: liberation
C3
sorridente: smiling
C5
laser, il: laser
D2
basarsi (su): to base on
oggettivo: objective
relativo: relative
costante: constant
mentire: to lie
ingannare: to deceive
crearsi illusioni: to delude oneself
illusione: illusion
milionario: millionaire
riconoscere: to recognize
D3
compagnia: theatre company
copione, il: script
mercato nero: black market
arricchirsi: to enrich, to get rich
fare l'amore: to make love
soldato: soldier
tolleranza: tolerance
sipario: curtain
furioso: furious
irrefrenabile: uncontrollable
palcoscenico: stage

berretto: beret, cap
sonaglio: rattle
D4
teatrino: little theatre
librone: big book, tome
ragazzaccio: bad boy
D5
dimensione: dimension, size
diminutivo: diminutive
accrescitivo: augmentative
peggiorativo: pejorative
dispregiativo: disparaging, depreciatory
parolaccia: bad word, swear word
vezzeggiativo: pet name, form of endearment
E1
libraio: book seller
E3
storicamente (*avv.*): historically
bene o male: somehow
invogliare: to tempt, to induce
confrontarsi: to confront
lettura: reading
casa editrice: publishing company
E5
tendere (a): to tend, to be inclined
narrazione: narration
intreccio: intertwining, plot
memoria: memory
biografia: biography
e via via: and so on
disdegnare: to disdain
tomo: tome
adesione: adhesion
appassionante: exciting
casuale: by chance
gradevole: pleasant
accostarsi: matching, combination
sensazione: sensation
accessorio: accessory
decorativo: decorative
impegnare: to pawn, to bind, to commit
abbronzato: tanned
materassino: inflatable mattress
cenno: sign, nod
vago: vague
riabbassare: to re-lower
proseguimento: continuation
d'un fiato: in one breath
fiato: breath
capo: head
amaro: bitter
staccarsi: to detach
minaccioso: meanacing, threatening
voluminoso: voluminous
F1
tipografo: printer
impaginare: to do the lay-out
redattrice: editor
editore: publisher
grafico: graphic, graphic designer
Conosciamo l'Italia
La letteratura italiana in breve
1300
divino: divine
punto di riferimento: reference point
1500
poema, il: poem
addio: farewell, goodbye
1700
La Locandiera: The Mistress of the Inn
Il Servitore di due Padroni: The Servant of Two Masters

1800

esaltare: to exalt, to elate
prosa: prose
analitico: analytic
esito: result
ugualmente (*avv.*): equally
pessimistico: pessimistic

1900-1950

dare vita (a): to give life to
illustre: illustrious
narrativa: narrative

1950-2000

Anima mundi: Anima mundi
anima: soul

I premi Nobel

assegnare: to assign
romanziera: novelist
Ossi di seppia: Cuttlefish Bones
a sorpresa: by surprise
satirico: satirical, satirist
anarchico: anarchist
promozione: promotion

Autovalutazione

pseudonimo: pseudonym

Autovalutazione generale

1
mansione: task, duty
3
scultura: sculpture
4
mancante: missing
compito in classe: class work
irresponsabile: irresponsible
non posso dargli tutti i torti: I can't say he/she is all wrong
rimpiangere (*p.p.* rimpianto): to regret
5
urgente: urgent
ladruncolo: petty thief
portiera: concierge, door-keeper
duramente (*avv.*): hard, harshly
onestamente (*avv.*): honestly
7
competente: competent
bagnarsi: to get wet, to take a dip
memorizzare: to memorize
8
disordinato: messy, untidy

Appendice grammaticale

assistente: assistant
vincente: winning

Appendice situazioni comunicative

A
avvincente: enthralling
saggistica: non-fiction
individuo: individual
filosofico: philosophical
complesso: complex
linguistica: linguistics
ombrellone: beach umbrella
B
stupirsi: to be astonished, to be surprised
sempreverde: evergreen
ironia: irony
paradosso: paradox
impegnativo: challenging, demanding

WORKBOOK

1
rumorosamente (*avv.*): noisily, loudly
2
essere a conoscenza (di): to be aware of something
3
un tantino: a little bit
notte in bianco: sleepless night
4
dare ascolto: to listen to someone
6
severamente (*avv.*): strictly
acustico: acoustic
mettere in moto: to start
allacciare: to fasten
cinture di sicurezza: safety belt
8
del resto: after all
caduta: fall
10
rilassare: to relax
rinfrescare: to refresh
pendere: to lean
12
chiudere a chiave: to lock
rileggere (*p.p.* riletto): to reread
13
suffisso: suffix
grazioso: graceful
17
frequentarsi: to see one another
principe azzurro: prince charming

Test finale

A
ultime: latest news
sin da...: since
promettente: promising
appoggiare: to lean, to put
ingresso: entrance
B
lettera di avviso: advisory letter, letter of notice
avviso: warning, advisory

4o test di ricapitolazione (unità 9, 10 e 11)

A
tempesta: storm, tempest
C
impegnarsi: to apply oneself, to commit
D
scivolare: to slip
F
pappagallo: parrot

Episodio unità 6 - *A scuola di canto*

Per cominciare…

1 Guardate i primi 30 secondi dell'episodio. Gianna e Lorenzo camminano per Milano. Quali dei luoghi e monumenti sapete riconoscere in questa prima parte dell'episodio?

☐ Navigli   ☐ Basilica di S. Ambrogio   ☐ Teatro alla Scala

☐ Castello Sforzesco   ☐ Galleria Vittorio Emanuele   ☐ Piazza del Duomo

2 Di seguito trovate alcune battute dell'episodio. Potete indovinare se sono di Lorenzo (L) o di Gianna (G)? Inoltre, fate un'ipotesi su cosa succederà in seguito.

☐ 1. Guarda, questa tua passione per il canto lirico io proprio non la capisco.

☐ 2. Senti che bella atmosfera!

☐ 3. Non dicevi che la lirica non ti piaceva?

☐ 4. Un cd di lirica ce l'ho pure io, a casa…

☐ 5. Adesso ho capito quest'improvvisa passione per la lirica!

☐ 6. Lascia perdere, guarda!

Guardiamo

1 Guardate l'episodio e verificate le ipotesi fatte precedentemente.

2 Osservate alcune scene tratte dall'episodio e mettetele in ordine.

Facciamo il punto

Rispondete alle domande.

1. Perché Gianna va in un istituto musicale?

2. Cosa pensa Lorenzo della musica lirica?

3. Cosa fa Lorenzo quando Gianna va in segreteria?

4. Secondo Gianna, perché Lorenzo non potrà "conquistare" la cantante?

Episodio unità 7 - *Che aria pulita!*

Per cominciare...

1 Guardate i primi 30 secondi senza audio. A coppie, descrivete la situazione. Cosa potete capire dall'espressione dei due protagonisti? Cosa prevedete che succederà nel corso dell'episodio?

2 Abbinate le parole alle immagini.

a. *ape*   b. *pomata*   c. *miele*   d. *cavallo*

Guardiamo

1 Guardate l'intero episodio e verificate le ipotesi fatte.

2 Rispondete alle seguenti domande.

1. Cosa ha messo Lorenzo nelle borse? Perché?
2. Che differenza c'è tra l'atteggiamento di Lorenzo e quello di Gianna mentre visitano l'agriturismo?
3. Cosa chiede Lorenzo al proprietario dell'agriturismo? Perché Gianna lo interrompe?

Facciamo il punto

Osservate le immagini e le battute e rispondete alle domande.

Lorenzo usa l'espressione in grigio per dire che...:

  a. non ha voglia di andare in campagna

  b. non gli piace la campagna

A me la campagna poi non è che...

Altro che aria pulita!

Lorenzo usa l'espressione in grigio per dire che...:

  a. l'aria non è per niente pulita

  b. l'aria è anche troppo pulita

Lorenzo, sei il solito guastafeste!

Gianna usa l'espressione in grigio per dire che...:

  a. Lorenzo rovina sempre tutto

  b. Lorenzo non è stato gentile

Episodio unità 8 - *Lorenzo e la tecnologia*

Per cominciare...
Sapete il significato delle parole date (incontrate anche nell'unità 8 del Libro dello studente)?

☐ *schermo* ☐ *installare* ☐ *salvare* ☐ *scaricare* ☐ *cavo* ☐ *scheda memoria*

Guardiamo
1 Guardate l'episodio e confermate le ipotesi fatte al punto precedente.

2 Osservate le immagini e le battute di Gianna. In coppia, scrivete le "risposte" di Lorenzo. Se necessario, potete guardare l'episodio una seconda volta.

> Oggi in agenzia è arrivato un cliente che guarda... se avessi potuto l'avrei mandato a quel paese!

> ....!

> ....!

> Senti, non c'entra molto, ma hai sentito Ludovica per caso?

> ....!

> E poi mi avevi detto che l'avresti chiamata... Lo sai, lei ha una cotta per te.

Facciamo il punto
1 Indicate le tre informazioni esistenti.

1. Gianna pensa che Lorenzo parli con lei.
2. Gianna ha lavorato molto.
3. A Lorenzo non è simpatica Ludovica.
4. L'amico di Lorenzo ha un pc molto potente.
5. Lorenzo è un appassionato di tecnologia.
6. Gianna è sorpresa dal messaggio che riceve al cellulare.

2 Fate un breve riassunto orale dell'episodio.

Episodio unità 9 - *Arte, che fatica!*

Per cominciare...

1 In coppia, guardate le foto: conoscete le opere d'arte rappresentate? In coppia, abbinate i titoli dati alle foto. Attenzione, ci sono due titoli in più.

a. La nascita di Venere (Botticelli)
b. Autoritratto (Leonardo da Vinci)
c. La Primavera (Botticelli)

d. L'uomo vitruviano (Leonardo da Vinci)
e. Ragazzo con canestro di frutta (Caravaggio)
f. Il duca di Urbino (Piero della Francesca)

2 Perché Gianna e Lorenzo si trovano in un negozio d'arte? In coppia, fate due ipotesi su quello che secondo voi succederà nell'episodio.

Guardiamo

1 Guardate l'episodio e verificate le ipotesi fatte nell'attività precedente.

2 Abbinate le battute a Gianna (G) e Lorenzo (L)

1. Ma è un po' nuda, no? ▪

2. Luci, colori, c'è tutto. ▪

3. Che te ne pare di questi? ▪

4. Di sicuro non c'è molto colore. ▪

5. Caravaggio è del 1600! ▪

Facciamo il punto

Completate le frasi.

1. Gianna non sceglie l'autoritratto di Leonardo perché ....

....

2. Gianna non sceglie il quadro di Caravaggio perché ....

.... e il suo direttore ....

3. Alla fine telefona il direttore e ....

....

Episodio unità 10 - *Non sono io il ladro!*

Per cominciare...

1 Guardate i primi 30 secondi dell'episodio senza audio e descrivete la situazione: cosa potete capire dalle loro espressioni e dai gesti?

2 Guardate l'episodio da 2'20" a 2'50" senza audio. Cosa pensate stia succedendo? In coppia, fate delle ipotesi.

Guardiamo

1 Guardate l'intero episodio e verificate le ipotesi fatte alle attività precedenti.

2 Guardate il video e abbinate le battute alle scene.

a. Perché lo prendi così? Non è mica un'arma!
b. No! Perché, se ci fossero tu che ne faresti?

c. Parla tu! Io non sono brava in queste cose.
d. Questa è matta...

Facciamo il punto

Lorenzo riferisce spesso a Gianna le parole che l'anziana signora gli dice al telefono. Immaginate cosa gli dice.

1. Lorenzo a Gianna: "Andava a fare gli esami del sangue da un medico amico del suo "povero" marito!"

   L'anziana signora a Lorenzo: "..
   ...."

2. Lorenzo a Gianna: "Dice che aveva con sé più di 150 euro..."

   L'anziana signora a Lorenzo: "..
   ...."

3. Lorenzo a Gianna: "Dice che l'abbiamo seguita, spiata e poi derubata!"

   L'anziana signora a Lorenzo: "..
   ...."

● Episodio unità 11 - *Un libro introvabile*

Per cominciare...

1 Guardate i fotogrammi e in coppia provate ad abbinarli alle battute.

a. Adesso che cosa regalo io a Caterina?

b. Vedrà, sua nipote ne sarà entusiasta!

c. Può controllare meglio, per piacere?

d. Mi dispiace signore, ma è un libro che sta vendendo molto.

2 **Provate ora a mettere in una sequenza logica i fotogrammi visti all'attività precedente. Potete prevedere lo svolgimento dell'episodio?**

Sequenza dei fotogrammi:

Guardiamo

Fate attenzione alle due sequenze date e rispondete alle domande.

Il commesso usa l'espressione in grigio per dire

....

....

> Beh, restando nelle biografie, ci sarebbe questa... questa biografia di Barack Obama, per esempio.

Ho capito! Sì, ci sono!

Il commesso usa l'espressione in grigio

per dire ....

....

....

Facciamo il punto

Ricostruite le frasi abbinando le due parti.

1. Io sono venuto qui

2. Aspetti, magari sullo scaffale

3. Mi potrebbe consigliare qualcosa

4. Tra la biografia della Pausini e

5. Però se vuole qualcosa di più moderno

a. quella di Obama c'è una bella differenza...!

b. c'è la storia del Festival di Sanremo.

c. sicuro che l'avrei trovato...

d. di adatto ad una ragazzina di quell'età?

e. ne è rimasta una copia.

Game instructions

Materials needed: the 30-square board, a dice and a token for each player
(for example, a coin).

1. 1 to 4 students, or two pairs can play with each board.
2. The player that gets the higher number by rolling the dice starts first.
3. The player that arrives first to square 30 wins.
4. Each player rolls the dice and moves his token a number of squares on the board as specified by the
   dice. He reads and does the activity indicated in the square he landed on.
5. If the player does the exercise correctly he can stay at the square (or go to the indicated one). If he
   fails the answer, he moves back to the previous square. In both cases the turn passes to the other
   player.
6. To win, it's necessary to reach square 30 with an exact dice roll. If the player with his dice roll goes
   past the last square, he has to go back one square for each point in excess (for example if I am at
   square 28 and my dice roll is 6, I reach square 30 and then back to square 26).

1 Completa la frase: "Tre problemi ecologici tipici di una grande città sono…"

2 Cosa non avresti mai creduto?

3 Potresti andare avanti di 3 caselle, ma prima devi dire il nome di una famosa opera lirica italiana che ricordi.

PARTENZA

12 Fai una frase con il verbo *installare* e una con il verbo *scaricare*.

11 Usa la forma di cortesia e dai ad uno sconosciuto delle indicazioni stradali.

10 Fai due frasi, una con *qualsiasi* e una con *chiunque*.

13 In poche parole, parla di un libro che hai letto recentemente. Se non hai letto nessun libro, vai indietro di quattro caselle!

14 Formula una frase usando la forma passiva.

15 Un capolavoro di Michelangelo e uno di Leonardo. Se conosci la risposta vai alla casella 17, altrimenti vai indietro di 3 caselle!

24 Fai due frasi usando *ne* e *ci*.

23 Completa questo proverbio: *Le bugie hanno le gambe…*

22 Ti hanno rubato il portafoglio! Vai in Questura e fai la denuncia (dove è successo, cosa c'era dentro ecc.)!

25 Qual è il tuo segno zodiacale? E quali sono le principali caratteristiche?

26 Fai una frase usando un verbo all'infinito come soggetto o come sostantivo. Usa il verbo *parlare*.

27 Il nome di un famoso scrittore italiano? Hai 5 secondi per ricordarlo! Se non ci riesci, stai fermo un giro per pensarci su.

Gioco unità 1 - 11

24 Ti ricordi due parole relative alla banca e ai suoi servizi?

25 Una persona chiede di entrare nel tuo ufficio: invitala a entrare e a sedersi usando la forma di cortesia.

26 Fai una frase con magari e una con come se.

23 In un minuto, parla del tuo rapporto con il computer e/o con il cellulare.

8 Convinci un compagno a fare insieme un viaggio di 4 giorni in Italia. Decidi tu quali città visiterete.

7 Due forme di energia alternativa.

16 Sei in fila per entrare alla Galleria degli Uffizi e un turista ti chiede se vale la pena di visitarla. Rispondi e spiega il perché.

17 Matteo: "Domani andrò dai miei genitori!" Riporta questa frase il giorno dopo ad un amico: *Matteo mi ha detto che...*

13 Come si chiama un quadro di questo genere?

21 Fai una frase con sebbene e una con purché.

20 Ricordi il nome di un grande compositore italiano di opera?

19 Il nome di un artista italiano contemporaneo. Se non lo sai, vai indietro di due caselle. Se lo sai, avanzi di una.

ARRIVO

28 Un libro brutto e vecchio è un...

29 Fai una frase con un periodo ipotetico del terzo tipo (irrealtà).

30 Parla per almeno 30" di un personaggio italiano famoso che abbiamo incontrato in *The Italian Project 2*. Se non ci riesci torna alla casella 24!

Unit Section	Communicative and vocabulary elements	Grammar elements

Unità 6   *Andiamo all'opera?*   page 5

Unit Section	Communicative and vocabulary elements	Grammar elements
A Compri un biglietto anche per...	Speaking about taste of music Giving advice, instructions, orders Asking for and giving permission	*Imperativo indiretto*
B Due tenori fenomeno	Speaking about... love, falling in love, jealousy	The *imperativo* with pronouns
C Giri a destra!	Asking for and giving street directions	Negative form of the *imperativo indiretto*
D Alla Scala		*Aggettivi* and *pronomi indefiniti*
E Vocabolario e abilità	Vocabulary regarding the opera The ticket office of a theatre	

Conosciamo l'Italia:
L'Opera italiana. Gioacchino Rossini, Giacomo Puccini, Giuseppe Verdi.

Authentic material:
Passage by a *www.opera.it*: "Caruso" (B1)
Passage by *www.lucianopavarotti.it*: "Luciano Pavarotti" (B1)
Lyrics of the song *Caruso* by Lucio Dalla (B3)
Listening exercise of the radio news: "Alagna fischiato" (D2)
Article from *Corriere della sera*: "Fischiato, lascia il palco. L'Aida va avanti col sostituto" (D3)
Listening to *Rigoletto* by Giuseppe Verdi: "La donna è mobile" (D6)

Unità 7   *Andiamo a vivere in campagna*   page 21

Unit Section	Communicative and vocabulary elements	Grammar elements
A Una casetta in campagna...	City and country: pros and cons	*Congiuntivo imperfetto*
B Cercare casa	Reading house adverts Buying, selling or letting a house	*Congiuntivo trapassato*
C Nessun problema...	Presenting a fact as easy Speaking about environmental initiatives	Agreement of the tenses of the *congiuntivo* Use of the *congiuntivo* I
D Vivere in città	Speaking about the liveability of a city	Use of the *congiuntivo* II
E Salviamo la Terra!	Expressing fears/worries about the future of the planet Environmental awareness: individual and collective	Use of the *congiuntivo* III
F Vocabolario e abilità	Protection of the environment and the human impact	

Conosciamo l'Italia:
Gli italiani e l'ambiente. Agrotourism in Italy. The environmental association *Legambiente*.

Authentic material:
House adverts by *Fondocasa informa* (B2)
Passage by the *Associazione città ciclabile*: information booklet (C6)
Lyrics of the song *Il ragazzo della via Gluck* by Adriano Celentano (D3)
Cover of *Panorama*: "Attacco alla Terra" (E1)
Article from *la Repubblica*: "Allarme del WWF" (E1)

Unit Section	Communicative and vocabulary elements	Grammar elements
Unità 8	*Tempo libero e tecnologia*	**page 37**
A Se provassi anche tu...	Making hypotheses	The *periodo ipotetico* of the 1st and 2nd type
B Complimenti!	Congratulating someone, giving approval Disapproving	The *periodo ipotetico* of the 3rd type
C Tutti al computer!	How to write an e-mail Use and abuse of technology	Uses of *ci*
D Pronto, dove sei?	Advertising offer The mobile phone and us	Uses of *ne*
E Vocabolario e abilità	Vocabulary regarding the computer and new technology	

Conosciamo l'Italia:
Scienziati e inventori italiani. G. Galilei, A. Volta, A. Meucci, G. Marconi, L. da Vinci.

Authentic material:
Passage from *Io speriamo che me la cavo* by Marcello D'Orta: "Se fossi miliardario" (A8)
Passage from *Manuale dell'uomo domestico* by Beppe Severgnini: "Le cose che facciamo al computer" (C3)
Passage from *Il pressappoco* by Luciano De Crescenzo: "Il pressappoco del telefonino" (D5)

Unit Section	Communicative and vocabulary elements	Grammar elements
Unità 9	*L'arte... è di tutti!*	**page 53**
A Furto agli Uffizi!	Reporting news and facts	*Forma passiva*
B Certo che è così!	Asking for confirmation, confirming something, reinforcing a sentence The artwork of Michelangelo	The *forma passiva* with *dovere* and *potere*
C Opere e artisti	Famous fountains of Rome The artwork of Leonardo da Vinci	The *forma passiva* with *andare*
D Si vede?	Italian proverbs	*Si passivante* The *si passivante* in compound tenses
E Ladri per natura?		Reflections on the *forma passiva*
F Vocabolario e abilità	Vocabulary regarding art	

Conosciamo l'Italia:
L'arte in Italia. From modern art to architecture and Italian design to today.

Authentic material:
Passage from *Racconti romani* by Alberto Moravia: "Ladri in chiesa" (E1)

Unit Section	Communicativie and vocabulary elements	Grammar elements

Unità 10   *Paese che vai, problemi che trovi*   page 69

Unit Section	Communicativie and vocabulary elements	Grammar elements
A Criminalità e altre... storie	Talking about a negative experience	*Discorso diretto* and *indiretto* I
B Io no...	Expressing indifference	*Discorso diretto* and *indiretto* II: time indicators
C In una pillola...	Speaking about the drug problem	
D Paure...	Speaking about society problems	*Discorso diretto* and *indiretto* III
E Anche noi eravamo così.	Speaking about fears	The *periodo ipotetico* in the *discorso indiretto*
F Vorrei che tu fossi una donna...	Men and women: discrimination and stereotypes	

E Vocabolario e abilità. Expansion of the unit contents through certain skills (listening, speaking, writing)

Conosciamo l'Italia:

Aspetti e problemi dell'Italia moderna. Unemployment, precarious work, the gap between North and South, organized crime, illegal immigration, the drop in the birth-rate...

Authentic material:
Lyrics of the song *Io no* by Jovanotti (B1)
Pubblicità Progresso: "Con me hai chiuso" (C4/C5)
Listening exercise: radio message about the fears of Italians (D1)
Article from *La Stampa*: "Evade dagli arresti domiciliari: Non sopporto più i miei suoceri" (D3)
Passage from *I come italiani* by Enzo Biagi: "Vu' cumprà" (E2)
Passage from *Lettera ad un bambino mai nato* by Oriana Fallaci (F3)

Unità 11   *Che bello leggere!*   page 85

Unit Section	Communicativie and vocabulary elements	Grammar elements
A È Gemelli per caso?	Asking for and giving advice about buying a book	*Gerundio semplice* *Gerundio composto* The *gerundio* with pronouns
B Di chi segno sei?	The Horoscope Characteristics of zodiac signs	*Infinito presente* *Infinito passato*
C Due scrittori importanti	Speaking about books	*Participio presente* *Participio passato*
D Andiamo a teatro		*Parole alterate*
E Librerie e libri	Italians and reading	

F Vocabolario e abilità. Book industry vocabulary

Conosciamo l'Italia:

La letteratura italiana in breve. History of Italian literature: from the origins to the 19th century, Italian literature of the 20th century, Italians awarded the Nobel Prize.

Authentic material:
Enzo Biagi's interview of Eduardo De Filippo (D3)
Audio interview of a bookseller (E1)
Passage from *Gli amori difficili* by Italo Calvino: "L'avventura di un lettore" (E5)

Workbook	page 103
Grammar Appendix	page 175
Soluzioni delle attività di autovalutazione	page 182
Communicative situations Appendix	page 183
Grammar notes	page 189
Glossary	page 200
Attività video	page 209
Gioco didattico	page 216
Index	page 218
Index of Audio CD 2	page 221
Instructions list	page 222
Interactive CD-ROM instructions	page 224

Index of Audio CD 2

CD 2 Durata: 61'36"

Unità 6

☐1 Traccia **24**: Per cominciare 2 [0'40"]
☐2 Traccia **25**: Per cominciare 3 [1'39"]
☐3 Traccia **26**: A7 (1, 2, 3, 4, 5, 6) [1'32"]
☐4 Traccia **27**: C1 [1'19"]
☐5 Traccia **28**: D2 [1'38"]
☐6 Traccia **29**: D6 [1'57"]
☐7 Traccia **30**: Quaderno degli esercizi [3'04"]

Unità 7

☐8 Traccia **31**: Per cominciare 3 [2'09"]
☐9 Traccia **32**: C1 [1'17"]
☐10 Traccia **33**: D2 [3'09"]
☐11 Traccia **34**: Quaderno degli esercizi [2'11"]

Unità 8

☐12 Traccia **35**: Per cominciare 2 [0'31"]
☐13 Traccia **36**: Per cominciare 3 [1'31"]
☐14 Traccia **37**: B1 (1, 2, 3, 4, 5, 6, 7, 8) [2'11"]
☐15 Traccia **38**: C6 [2'25"]
☐16 Traccia **39**: Quaderno degli esercizi [2'54"]

Unità 9

☐17 Traccia **40**: Per cominciare 2 [1'33"]
☐18 Traccia **41**: B1 (a, b, c, d, e) [1'33"]
☐19 Traccia **42**: C1 [2'42"]
☐20 Traccia **43**: Quaderno degli esercizi [3'03"]

Unità 10

☐21 Traccia **44**: Per cominciare 2 [0'36"]
☐22 Traccia **45**: Per cominciare 3 [1'42"]
☐23 Traccia **46**: B3 (a, b, c, d, e, f) [1'41"]
☐24 Traccia **47**: D1 [2'52"]
☐25 Traccia **48**: Quaderno degli esercizi [3'42"]

Unità 11

☐26 Traccia **49**: Per cominciare 3 [1'45"]
☐27 Traccia **50**: D2 [3'38"]
☐28 Traccia **51**: E2 [3'15"]
☐29 Traccia **52**: Quaderno degli esercizi [3'09"]

Con il simbolo ☐9 si indica il numero della traccia così come sarà visualizzato dal lettore CD, una volta inserito il disco. Con "Traccia **39**" si indicano i dialoghi e i brani di comprensione orale che nel *Libro dello studente* e nel *Quaderno degli esercizi* sono contrassegnati dal simbolo (39)

221

This is a list of the most frequent instructions you will find in the book

abbinate: match

ascoltate: listen

cercate di completare: try to complete/fill in

che cosa notate?: what do you notice?

collegate: connect

commentate: comment

completate: fill in

confermate: check/verify

coniugate al…: conjugate into… / put into…

consultate: see

cosa sapete di… ?: what do you know about… ?

costruite: make

descrivete: describe

discutete (in coppia): discuss (in pairs)

fate delle ipotesi: make hypotheses/speculations

fate il role-play: do the role-play

fate l'abbinamento: do the matching

fate un breve riassunto: write a brief summary

fatevi delle domande: ask each other questions

formate: make

formulate le domande: ask questions

immaginate di essere…: imagine that you are…

indicate/segnate (con una X) le affermazioni corrette/giuste/veramente presenti: indicate/mark (with an X) the right sentences/the statements

scegliete le affermazioni corrette/giuste/veramente presenti: choose the right sentences/the statements that can be found in the dialogue

inserite: insert

lavorate in coppia/in piccoli gruppi: work in pairs/in small groups

leggete: read

mettete in ordine (cronologico): put in (chronological) order

motivate le vostre risposte: justify your answers

guardate: look

osservate: observe

parlatene in coppia: discuss in pairs

prendete appunti: take notes

raccontate: narrate

riascoltate: listen again

ricostruite il dialogo: put the dialogue in the right order

riferite/riferisci alla classe: tell the class

risolvete il cruciverba: solve the crossword puzzle

rispondete (oralmente/per iscritto): answer (orally/in writing)

scambiatevi idee/opinioni: exchange ideas/opinions

scoprite: find

scrivete: write

siete soddisfatti?: how did you do?

sottolineate: underline

spiegate (brevemente): (briefly) explain

trasformate (oralmente) le frasi: (orally) transform the sentences

verificate le vostre risposte: check/verify your answers

edizioni Edilingua

Nuovo Progetto italiano 1 T. Marin - S. Magnelli
Corso multimediale di lingua e civiltà italiana
Livello elementare

Nuovo Progetto italiano 2 T. Marin - S. Magnelli
Corso multimediale di lingua e civiltà italiana
Livello intermedio

Nuovo Progetto italiano 3 T. Marin
Corso multimediale di lingua e civiltà italiana
Livello intermedio - avanzato

Nuovo Progetto italiano Video 1, 2
T. Marin - M. Dominici
Videocorso di lingua e civiltà italiana
Livello elementare - intermedio

Progetto italiano Junior 1, 2, 3
T. Marin - A. Albano
Corso multimediale di lingua e civiltà italiana
Livello elementare - intermedio

Allegro 1 L. Toffolo - N. Nuti
Corso multimediale d'italiano. Livello elementare

That's Allegro 1 L. Toffolo - N. Nuti
An Italian course for English speakers
Elementary level

Allegro 2 L. Toffolo - M. G. Tommasini
Corso multimediale d'italiano
Livello preintermedio

Allegro 3 L. Toffolo - R. Merklinghaus
Corso multimediale d'italiano. Livello intermedio

La Prova orale 1 T. Marin
Manuale di conversazione. Livello elementare

La Prova orale 2 T. Marin
Manuale di conversazione
Livello intermedio - avanzato

Vocabolario Visuale T. Marin
Livello elementare - preintermedio

Vocabolario Visuale - Quaderno degli esercizi
T. Marin. Attività sul lessico
Livello elementare - preintermedio

Diploma di lingua italiana
A. Moni - M. A. Rapacciuolo
Preparazione alle prove d'esame

Primo Ascolto T. Marin
Materiale per lo sviluppo della comprensione orale
Livello elementare

Ascolto Medio T. Marin
Materiale per lo sviluppo della comprensione orale
Livello medio

Ascolto Avanzato T. Marin
Materiale per lo sviluppo della comprensione orale
Livello superiore

Scriviamo! A. Moni
Attività per lo sviluppo dell'abilità di scrittura
Livello elementare - intermedio

Sapore d'Italia M. Zurula
Antologia di testi. Livello medio

Al circo! B. Beutelspacher
Italiano per bambini. Livello elementare

Forte! 1, 2, 3 L. Maddii - M. C. Borgogni
Corso di lingua italiana per bambini (6-11 anni)
Livello elementare

Collana Raccontimmagini S. Servetti
Prime letture in italiano. Livello elementare

Via della Grammatica M. Ricci
Livello elementare - intermedio

Una grammatica italiana per tutti 1, 2
A. Latino - M. Muscolino
Livello elementare - intermedio

I verbi italiani per tutti R. Ryder
Livello elementare - intermedio - avanzato

Raccontare il Novecento
P. Brogini - A. Filippone - A. Muzzi
Percorsi didattici nella letteratura italiana
Livello intermedio - avanzato

Invito a teatro L. Alessio - A. Sgaglione
Testi teatrali per l'insegnamento dell'italiano a stranieri. Livello intermedio - avanzato

Mosaico Italia M. De Biasio - P. Garofalo
Percorsi nella cultura e nella civiltà italiana
Livello intermedio - avanzato

L'Italia è cultura M. A. Cernigliaro
Collana in 5 fascicoli: Storia, Letteratura, Arte, Geografia, Musica, cinema e teatro

Dieci Racconti M. Dominici
10 brevi storie ispirate a *Nuovo Progetto italiano 1*
Livello elementare

Undici Racconti M. Dominici
11 brevi storie ispirate a *Nuovo Progetto italiano 2*
Livello intermedio

Collana Primiracconti
Letture graduate per stranieri
Livello elementare - intermedio - avanzato

Collana Cinema Italia A. Serio - E. Meloni
Attività didattiche per stranieri
Livello elemetare - intermedio - avanzato

Collana Formazione

italiano a stranieri
Rivista quadrimestrale per l'insegnamento
dell'italiano come lingua straniera/seconda

Interactive CD-ROM

This innovative multimedia support completes and enriches *The Italian Project 2*, making up a truly useful aid for students. It offers many additional practice hours to those who wish to study in an active and motivating way. The clear and pleasant interface makes it super easy to use.
After a brief installation (see below) the **home page** will open. This is what you need to know:

Based mainly on the textbook units, but with many differences... which you can discover!

Totally new activities, not only grammar, but also listening, vocabulary, communicative elements, games...

All communicative elements (dialogues and activities) are for free study.

Grammar tables for fast consultation.

All of the book's audio CD recordings are to be listened to freely at home.

Civilization passages with activities and links to connect to the Internet!

You can improve your pronunciation by recording and listening to your voice.

Suggestions and answers to possible questions and doubts about CD-ROM use.

The tools allow you to choose the colours and modify the audio volume.

In the report card you can find and print the results of all the activities you have done.

These **commands** are on every window. Their meaning is easy to understand:

torna indietro
back

pagina centrale
home page

con o senza audio
audio on/off

play/pause

vai avanti
forward

valutazione dell'attività e soluzioni
evaluation and solutions

strumenti
tools

aiuto
help

ripeti l'attività
repeat

Buon lavoro e buon divertimento!

Installazione: Inserire il CD-ROM nel lettore; fare doppio clic su My computer, sul lettore CD e infine su *setup.exe*; dare tutte le informazioni che chiede il programma e cliccare sempre su next/avanti. **Per avviare il programma**: Inserire <u>sempre</u> il CD-ROM nel lettore CD; cliccare sull'icona creata sul desktop, oppure andare a Start, selezionare Programs e cliccare su Progetto italiano 2. **Requisiti minimi**: Processore Pentium III, lettore CD 16x, scheda audio, 128 MB di RAM, grafica 800x600, 300 MB sul disco fisso, altoparlanti o cuffie. Compatibilità con Windows e Macintosh.

Installation: Insert the CD-ROM in the drive; double click on My computer, then on the CD drive and finally on *setup.exe*; give all the required information and click on next/avanti. **To start the program**: <u>Always</u> insert the CD-ROM in the drive; click on the desktop icon created during the installation or go to Start, select programs and click on Progetto italiano 2. **Minimal system requirements**: Processor Pentium III, CD-ROM drive 16x, sound card, 128 MB RAM, 800x600 or higher screen resolution, 300 MB free hard disk, speakers or headphones. Compatible with Windows and Macintosh.

Una grammatica italiana per tutti 2,
correda e completa benissimo *The Italian Project 2*, in quanto segue la stessa gradualità grammaticale e lessicale. Il libro è organizzato in una parte teorica, che esamina le strutture della lingua italiana in modo chiaro ma completo, utilizzando un linguaggio semplice e numerosi esempi tratti dalla lingua di ogni giorno, e in una parte pratica, con tanti differenti esercizi con le rispettive chiavi in appendice.

ISBN 978-960-7706-96-6

Collana *Primiracconti*, letture graduate per stranieri.
Un giorno diverso (pre-intermediate, A2-B1),
racconta una giornata indimenticabile di un comune impiegato, Pietro, che un bel giorno decide di voler cambiare completamente vita. Dopo alcuni anni di noiosa routine, Pietro decide di licenziarsi, di aprirsi alla vita e di godersi nuovamente la giornata, facendo colazione al bar, camminando per Roma, prendendo l'autobus, affrontando spiacevoli imprevisti, facendo spese. È proprio in un negozio di abbigliamento che conosce Cinzia...
Un giorno diverso, disponibile con o senza CD audio, contiene una sezione con stimolanti attività e le rispettive chiavi in appendice.

ISBN Libro 978-960-6632-19-8
ISBN Libro + CD 978-960-693-000-3

Undici Racconti,
ispirandosi alle situazioni di *The Italian Project 2*, approfondisce gli argomenti trattati nel manuale e ne reimpiega il lessico. Ciascun raccontino presenta un utile mini-glossario a piè di pagina ed è accompagnato da alcune attività con relative chiavi.

ISBN 978-960-6632-34-1

Ascolto medio,
attraverso un apprendimento piacevole e stimolante, consente allo studente di migliorare la propria abilità di ascolto e di prepararsi alla prova di comprensione orale degli esami di certificazione.
Il *Libro dello studente*, con CD audio allegato, contiene 24 testi, di cui 16 brani autentici, accuratamente selezionati da programmi televisivi e radiofonici (interviste, fatti di cronaca, conversazioni telefoniche, ricette, servizi sulla cultura ecc.). Lo studente ha così la possibilità di entrare in contatto non solo con la lingua viva, ma anche con la realtà italiana. Tutti i testi sono corredati da esercitazioni a scelta multipla, completamento, vero/falso.

ISBN 978-960-7706-43-0

I verbi italiani per tutti,

raccoglie un centinaio di verbi tra quelli più frequenti e utilizza un approccio "multimediale". Di ciascun verbo viene data la coniugazione di tutti i tempi e i modi verbali, facilmente distinguibili in due tabelle colorate; un'immagine che descrive l'azione espressa dal verbo in uno specifico contesto e la possibilità di ascoltare la pronuncia (online) della coniugazione.
Una ricca Appendice con ulteriori verbi irregolari, una sezione sulle reggenze verbali e un glossario plurilingue (inglese, francese, spagnolo, portoghese e cinese) completano il volume.

ISBN 978-960-7706-76-8

Collana *Primiracconti*, letture graduate per stranieri.
Il manoscritto di Giotto (pre-intermediate, A2-B1),

Chi ha rubato il manoscritto? Il furto di un'opera di inestimabile valore, un trattato sulla pittura che rivela anche un segreto legato al grande artista Giotto, scuote la vita dei giovani protagonisti della storia: il colpevole è uno di loro? Così sembra pensare la polizia e così sembrano confermare le prove. Solo l'amicizia che lega i ragazzi tra loro e le attente indagini del commissario Paola Giorgi risolveranno il mistero.
Il manoscritto di Giotto, disponibile con o senza CD audio, contiene una sezione con stimolanti attività e le rispettive chiavi in appendice.

ISBN Libro 978-960-693-017-1
ISBN Libro + CD 978-960-693-014-0

La Prova Orale 2,

si rivolge a tutti gli studenti che si preparano ad affrontare la prova orale delle varie certificazioni di lingua italiana. La conversazione trae continuamente spunto da materiale autentico (fotografie, grafici, tabelle, articoli di giornali, testi letterari, massime), compiti comunicativi e preziose domande che motivano e stimolano gli studenti. Un glossario li aiuta a prepararsi per la discussione. Il libro è stato studiato in modo da poter esser inserito in curricoli didattici diversi.

ISBN 978-960-7706-25-6

Le Attività online,

attraverso siti sicuri e controllati periodicamente, propongono motivanti esercitazioni che accompagnano lo studente alla scoperta di un'immagine più viva e dinamica della cultura e della società italiana. Le attività proposte si possono svolgere individualmente, in coppia o in gruppo e stimolano la partecipazione, la collaborazione e la produzione orale.